クライマーズ・ハイ

横山秀夫

文藝春秋

クライマーズ・ハイ

装画　松尾たいこ
装丁　大久保明子

1

旧式の電車はゴトンと一つ後方に揺り戻して止まった。

JR上越線の土合《どあい》駅は群馬県の最北端に位置する。下り線ホームは地中深くに掘られたトンネルの中にあって、陽光を目にするには四百八十六段の階段を上がらねばならない。それは「上がる」というより「登る」に近い負荷を足に強いるから、谷川岳の山行はもうここから始まっていると言っていい。

悠木《ゆうき》和雅《かずまさ》は爪先の収まりの悪さに登山靴を意識していた。

そうでなくても一気に階段を上がりきるのは難しかった。ペンキで書かれた「300段」の手前の踊り場で、たまらず一息入れた。十七年前と同じ思いにとらわれる。試され、篩《ふるい》に掛けられている。ここで息が上がるようなら「魔の山」の領域に足を踏み入れる資格はないということだ。

十七年前は記者生活の不摂生が肩で息をさせたが、今回は五十七歳という年齢が脈拍数をさらに何割か増加させているに違いなかった。

衝立《ついたて》岩に登る。

胸の決意は今にも霧散してしまいそうだった。それでも安西耿一郎《あんざいきょういちろう》の輝く瞳が脳裏から消えてしまったわけではなかった。耳も忘れてはいない。生粋の「山屋」であった彼がぽろっと口にしたあの言葉だ。

下りるために登るんさ——。

悠木は上を見つめ、階段の歩を進めた。

下りるために山に登る。その謎めいた言葉の意味をずっと考え続けてきた。一つの答えが胸にある。だが、その答えを確かめる相手がもはやこの世にいなかった。

地上には初秋の淡い光が満ちていた。午後二時を回ったところだ。頬を撫でる風は冷たかった。同じ群馬でも悠木が長く住んでいた高崎とは気温も空気の匂いも異なる。赤いとんがり屋根の駅舎を後にして国道291号線を北に向かって歩く。踏切を越え、雪除けのトンネルを抜けると視界が開ける。右手に広がる芝地が土合霊園地だ。

地元水上町が建立した「過去碑」には、谷川岳で遭難死した七百七十九人の名が刻まれている。「魔の山」の呼び名だけではその凄絶な歴史を説明しきれず、だから「墓標の山」「人喰い山」といった直截的な異名を併せ持つようになった。たかだか二千メートル級の連峰にありながら、地球上のどこを探してもこれほど死が身近な山は存在しない。一つには上越国境特有の気象変化の激しさが遭難多発の要因に挙げられる。しかし仮に、谷川岳が「一ノ倉沢」に代表される急峻な岩場を抱えていなかったとしたら、日本中にその名を馳せることもなかった。未登岩壁の征服。熾烈な初登攀《とうはん》争い。往時、先鋭的な登山家たちは艱難《かんなん》と名声を求めて津波のごとくこの地に押し寄せた。地下駅ができるや、彼らはあの四百八十六段の階段を全力疾走で駆け上がったという。一分一秒を競って岩壁に取りつき、存分に攀《よ》じり、存分に墜ちた。そして、谷川岳が危険な山であることが喧伝されればされるほど、血気盛んな若い登山家の心を高揚させ、それがまた過去碑の名を増やす結果へと繋がっていった。

衝立岩は、そんな彼らをして「不可能の代名詞」「最終課題」と言わしめ、長い年月、未登の岩壁であり続けた。やがて、登山用具とクライミング技術の進歩によって十数本の登攀ルートが開拓されるに至ったが、それがために、さらなる多大な犠牲が払われたことは言うまでもない。「ワースト・オブ・ワースト」——最悪の中の最悪。それこそが、衝立岩に与えられた最後の異名だった。

なあなあ、悠ちゃん、ドーンと思い切って衝立岩をやろうや——。

安西に連れられて衝立岩を下見した。彼の手ほどきで訓練も積んだ。十七年前のあの日、悠木と安西はザイルを組んで衝立岩に挑むはずだった。

だが、悠木は行けなかった。

その前夜、日航ジャンボ機が群馬県上野村山中の御巣鷹山に墜落したからだった。一瞬にして五百二十人の命が散った。地元紙「北関東新聞」の総括デスクとして、悠木は、谷川岳ではない、もう一つの「墓標の山」と格闘することになったのだ。

そして、一方の安西は——。

ざわめきに気づいて、悠木は視線を上げた。谷川岳ロープウェイの土合口駅が近かった。周辺の広場や駐車場は大勢の行楽客で賑わっていた。土産物の屋台を横目に旧道を進むと、すぐに登山指導センターの建物が見えてくる。腕時計に目を落とす。待ち合わせの三時にはまだ少しばかり時間があった。

「こんにちは。どちらへ入られます?」

悠木がセンターのベンチで休んでいると、登山指導員の腕章を付けた男がにこやかに話し掛けてきた。山支度は完璧のつもりでいたが、見る人間が見れば悠木が「山屋」でないことはすぐにわかるのだろう。ザックの上にはヘルメットも覗いているから一般コースへ向かう客ではない。だとするなら条例で指定された危険地区に入るに違いないが、この男は果して大丈夫か——顔は笑ったまま指導員の瞳はそう語っていた。

「一ノ倉に入って、明日、衝立に登る予定です」

言いながら、悠木はウエストバッグを開き、登山届けの交付書を取り出した。十日ほど前にこのセンターに郵送し、届出済の判を貰ったものだ。

「衝立ですか……」

指導員は言葉を濁して交付書に目を落とした。まず年齢が引っ掛かったようだ。登山歴の書き込みにも首を捻っている。榛名《はるな》や妙義《みょうぎ》のゲレンデで岩登りの練習を積んできたが、悠木には本格的な登山の経験はない。いよいよ笑顔を維持できなくなった指導員が何かを言いかけた時、建物に入ってきた長身の若者が悠木に歩み寄って会釈した。

「遅くなってすみませんでした」

「なんだい、安西君の連れかあ」

指導員は途端に言葉を崩し、一切の心配事が消し飛んだ表情で腰を上げた。

「助かったよ」

悠木が苦笑いの顔で言うと、今年二十九になった地元山岳会の若きエースは白い歯を覗かせた。

安西燐太郎《あんざいりんたろう》。輝く大きな瞳は父親譲りだが、無口で控え目なところは母親の性格をそっくりそのまま受け継いでいる。安西が昔明かしたところによれば、長男の名は「燐太郎」ではなく「連太郎」になるはずだった。名字と名前の頭の部分を繋げて「アンザイレン」と読ませたかったらしい。ドイツ語で「互いにザイルを結び合う」という意味だ。

いやあ、女房に一発で見抜かれちゃってさあ。あん時はもうタジタジ――。

「悠木さん、淳《じゅん》君は？」

「ああ、連絡がつかなかったんだ」

悠木は燐太郎を見ずに言った。長男の淳は東京でアパート暮らしだ。留守電に今日の計画を吹き込んでおいたが応答はなかった。

「二人で行こう。最初からそのつもりだったんだ」

「わかりました。で、どうします？　ここに泊まることもできますが」

「いや、出合まで行って天幕を張ろう。早く見たいんだ。なんせ十七年ぶりだからな」

悠木が行く気満々のところを見せると、燐太郎は嬉しそうに頷き、すぐさま装備品の点検に取り掛かった。

その姿が目に眩しかった。十三の時から知っている。体も心もすっかり逞しくなった。何より、優しく真っ直ぐに育った。

二月前《ふたつき》だった。前橋の斎場の駐車場で、燐太郎は独り佇んでいた。目線は高く、角張った煙突から棚引く煙をいつまでも見つめていた。瞳は濡れていたが、決して泣いてはいなかった。悠木が背後から肩を叩くと、燐太郎は空に目をやったまま呟いた。

父さん、やっぱり北へ向かいましたね——。

「用意できました」

「うん。じゃあ行こう」

二人は登山指導センターを出た。

九十九《つづら》折りの日陰道を行く。勾配はゆるやかだ。両側の視界を遮るブナ林が空気を濃密なものにしている。下草がざわめき、野猿が油断のない動きで前方を横切った。

燐太郎は無言で前を行く。その背中を見つめてただ歩く。どれくらいの時間そうしていれば一ノ倉沢の出合に辿り着くのだったか、記憶は定かではなかった。あの日、岩壁は不意打ちのように現れた。覚えているのは、その瞬間の衝撃だけだ。

今日もそうだった。

道の真ん中を歩いていた燐太郎の体がふっと右に避けた。それが合図だったのだ。悠木は息を呑み、その場に立ち竦《すく》んだ。

眼前に、黒々と聳《そび》え立つ岩の要塞があった。

いや、実際にはまだ遥か遠方にある。なのに、圧倒的な岩の質感が視界のすべてを奪ってこちらに迫ってくる。上越国境の稜線が真一文字に宙を切り裂き、その上の空は圧縮されでもしたかのように狭い。壮観というのとは違う。威圧的だ。一ノ倉沢は人間を拒絶している。そうせんがために、自然が、強固な意思を抱いて巨大な城壁を築き上げた。そんな思いすら湧き上がる。

衝立岩は――その城壁を護る門兵の位置にそそり立っている。痛々しいまでに鋭く、荒々しい垂壁。「ハング」と呼ばれる垂れ幕のような形状の岩盤が幾重にも折り重なり、陰惨な悪相を晒している。ワースト・オブ・ワースト。まさしく、そう見える。

あそこを登ってみたい。そんな欲求を覚える人間がいったいどれだけいるだろう。いや、欲求を覚えた特別な人間だけが歩き始めるのだ。「山屋」という特別な道を。

「俺にやれるだろうか……」

思いがそのまま言葉になっていた。

「やれますよ」

燐太郎は短く言い残して河原へ下りていった。テントを張る場所を物色するのだろう。

悠木はまだ動けなかった。十七年前に感じた畏《おそ》れが、今また全身を支配していた。

あの時は下見に来ただけだった。

今度は登る。

二つの「墓標の山」が脳裏で交錯し、重なり合っていく。

十七年前の夏が胸に蘇っていた。

未曾有の航空機事故だった。操縦不能に陥って群馬県に迷い込んできたＪＡＬ１２３便。悠木もまた、あの日を境に迷走した。悪ければ悪いなりの人生を甘受し、予測される日々を淡々と生きていけばいいと考えていた。そんな乾いた日常をあの事故が一変させた。大いなるものと対峙した七日間。そのヒリヒリと焼けつくような分刻みの時間の中で、己《おのれ》の何たるかを知り、それゆえに人生の航路を逸《そ》れた。

悠木は挑む思いで衝立岩の垂壁を見つめた。

標高差三百三十メートル。東京タワーの高さの垂直の岩壁を自分の手と足で攀じ登る。

下りるために登るんさ――。

網膜に安西の瞳があった。何本もの管を体に通され、その身はベッドに囚われても、彼の瞳は輝いていた。十七年間、その瞳が輝きを失うことはなかった。

登っていたのだ、安西耿一郎は――。

不意に視界が滲んだ。

悠木は大きく息を吸い込み、目を閉じてゆっくりと吐き出した。

登らねばならない。

安西の心の声にもう一度耳を傾けるために。

そして、自らのこの十七年間が何であったかを知るために。

昭和六十年八月十二日――。
すべてはあの日に始まった。

2

朝から茹《うだ》るような暑さだった。

午前中、悠木は高崎の元兵士宅を訪ねた。『戦後四十年・群馬の語りべ』。十回シリーズの企画モノの取材だった。十五日の終戦記念日に最終回が載るよう逆算して、既に六日から紙面掲載をスタートさせていた。その最終回を書くはずだった政治部の青木が一昨日から東京支社に応援出張となり、補足取材のお鉢が悠木に回ってきたのだ。

地方ではお盆の帰省ラッシュが始まっているというのに、相も変わらず永田町は賑やからしい。中曾根首相の靖国神社公式参拝の形式が今日十二日にも決まる見通しだとかで、ゆうべ電話を寄越した青木は、先輩記者に補足取材を頼んだ恐縮よりも、在京の全国紙記者と肩を並べて取材をしている興奮のほうが勝っていた。

部下だった望月亮太の月命日の墓参りを済ませて本社に上がると、もう昼を回っていた。食欲がなかったので地下食堂には寄らず、悠木は直接三階の編集局に顔を出した。北関東新聞は朝刊のみの宅配だから、この時間、局の大部屋に人影は疎《まば》らだ。幸いなことに、エアコンは早朝からフル稼働させていたようだ。外の暑さと言ったらない。市道を隔てた駐車場から社屋に逃げ込むまでの数十秒でシャツがべったり背中に張りついた。

「はい、北関《キタカン》」

威勢のいい声とともに奥の机で整理部の吉井が受話器を取り上げた。相手は、甲子園出張組の記者らしい。話が弾んでいる。社会部育ちの悠木はその方面に疎いが、今年の群馬代表の農大二高は強いらしい。一回戦をサヨナラ勝ちで突破し、社のほうも二回戦に向けて記者とカメラマンを増強したところだ。

エアコンの前で冷気に顔を晒しながら、悠木は霊園での出来事を思い返していた。帰りしな、花を手にした望月の両親とばったり出くわした。それ自体は珍しいことではない。いつも通り互いに黙礼を交わして擦れ違ったのだが、両親の後ろについていた若い娘が顎を突き出して悠木を睨み付けた。二十歳《はたち》前だろうか、朧げながらその顔に見覚えがあった。五年前の葬儀で目にしたとするなら、望月の従姉妹ということだろう。その従姉妹としての心情があぁした態度を取らせたのか、それとも、一人息子を亡くした両親が悠木に対する恨みを親類に洩らしているためなのか。帰りの車中、そのことが気になっていた。

「おっはよ」

間の抜けた声に振り返ると、整理部長の亀嶋が冷気に引き寄せられてくるところだった。どら焼のような丸顔が暑苦しい。皆は「カクさん」と呼ぶ。相貌でも名前の頭を取ったものでもなく、社内で苗字の画数が一番多いというのが綽名《あだな》の由来だ。名付け親は、言わずもがな校閲部の人間である。

「暑いね、まったく」

亀嶋は屈み込むようにしてシャツの襟元から冷気を取り込んだ。いま出社してきたわけではないことはくわえ楊枝でわかる。早番で出てきて地下食堂から戻ったところだろう。

「カクさん、今日はなんかありました?」

「ああ。朝っぱらからグリ森で動きがあったよ」

挨拶代わりに聞いたつもりが悠木は本気で驚いた。グリコ・森永脅迫事件は「かい人21面相」が沈黙して久しい。

「四ヵ月ぶりさあ。俺なんか、すっかり事件のこと忘れてたよ」

「また脅迫状ですか」

「て言うか、終結宣言みたいなやつ。食いもんの会社いびるのはもうやめた、とさ」

亀嶋はひとしきり共同通信から配信された記事の内容を喋った。原稿が「夏枯れ」となるこの時期に、A級のネタで早々と明日の社会面が出来上がってしまったわけだから舌は滑らかだった。

汗が引くと、悠木は原稿用紙の束を手に窓際の机に腰を落ちつけた。誰の机というわけではないが、ここ数年はほとんど悠木の専有物となっている。外線に通じる電話があるので取材には便利だ。県庁と県警の記者クラブに籍があるが滅多に行かない。それぞれのクラブには担当のキャップがいて、年長の悠木が顔を出せば煙たがられる。

先月四十歳になった。社内で最古参の記者である。「無任所遊軍」「独り遊軍」などと様々な呼ばれ方をするが、要するに、部下を持たずに勝手気ままに動くフリーハンドの立場にいる。羨む者も多いが、憐憫《れんびん》の視線を向ける者はさらに多い。同期の人間はとっくにデスク席に座っている。それを飛び越えて高崎や太田といった主要都市の支局長に抜擢される者も出始めた。五年越しの懲罰人事。そう囁き合う局内の声は、悠木の耳にも聞こえてきていた。

五年前、望月亮太は一年生記者として悠木の下に配属された。悠木が県警のキャップをしていた時のことだ。見るからに頭の回転のよさそうな若者だったが、それを確かめる間もなく逝ってしまった。

配属六日目だった。前橋に隣接する大胡《おおご》町で交通死亡事故が発生した。バイクが乗用車に引っかけられ、三十八歳の測量技師が脳挫傷で死んだ。悠木は「面《メン》取り」を望月に命じた。事件や事故で死んだ人間の顔写真を探してくる仕事で、もっぱら新人の役回りだ。望月は元気な返事を残して出掛けたが、一時間もしないうちにスゴスゴ記者室に戻ってきた。測量技師の自宅を当たったが、通夜の準備をしていた町内会の役員に、こんな時に写真を寄越せとは何事かと語気荒く追い返されたという。

もう一度行ってこい。駄目なら親戚や同級生を当たれ。そう指示を与えたが、望月は腰を上げず、悠木が声を荒らげるとついには開き直った。なぜ死んだ人の顔写真を新聞に載せなくちゃいけないんですか。悠木は面食らった。押しも粘りもない記者が年々増えていることは実感していたが、しかし、最初から押す気も粘る気もない記者と相対したのは初めてのことだった。望月を怒鳴りつけた。馬鹿野郎、商売だからに決まってるだろう。写真が載ってるほうがいい商品だから載せるんだよ。他にも言いようはあったろうが、悠木の腹は煮えくり返っていた。

望月は唇を噛んで記者室を飛び出した。それが望月を見た最後だった。一時間後、自ら運転する車で高崎市内の国道17号線バイパスで赤信号の交差点に突っ込み、十トントラックと激突して即死した。皮肉と言うべきか、翌日の紙面には測量技師の顔はなく、いかにも生真面目そうな望月の社員証の顔写真が載った。

望月の両親は表立って騒がなかった。事情説明に赴いた悠木とは目を合わさず、恨みつらみを口にすることもなく、夫婦肩寄せ合うようにして終始俯いていた。

社内の反応も悠木に同情的だった。望月とのやり取りは、その時記者室に居合わせたサブキャップの佐山を通じて局内の隅々にまで伝えられた。誰だって怒鳴るさ。悠木は嫌になるほどその台詞を聞かされ、その台詞の数だけ肩を叩かれた。佐山の悠木擁護は徹底していた。休日返上で死んだ測量技師の身辺を調べ上げた。高崎市内には技師の親戚も同級生もいないことを突き止めるや、面取りの最中ではなく望月は実家に逃げ帰る途中で事故を起こしたのだと結論付け、「敵前逃亡」なる過激な四字熟語を用いて、主に編集局の外の管理部門に燻《くすぶ》っていた望月同情論を一掃してみせた。父親が自殺とも事故死とも取れる死に方をして母親が長い年月苦しんだ——佐山の行動力の源はその辺りにあるようだった。

処分なし。悠木に対する会社の決定はそうだった。だからといって、悠木の心が晴れたわけではなかった。却《かえ》って胸にあった鉛の重みが増した。相手は右も左もわからない一年生記者だった。あくまで冷静に建前で納得させるべきだった。顔写真が付いていれば記録性が高まる。記事に説得力を持たせられる。それは即ち、悲惨な交通事故の再発防止に役立つのだ、と。

望月の一件を通じて、悠木は、自らの裡《うち》に制御不能な他者を見た思いがした。

ずっと以前から薄々勘づいてはいた。悠木は自分を好いてくれる人間しか好きになれない。たとえ好いてくれている人間であっても、その相手がふっと覗かせる突き放したような表情や態度が許せない。好いてくれていればいるほど、その相手に絶対を求め、それが果たされないと知ると絶望的な気分に陥る。だから人を好きにならない。自分に対して好意を見せる人間は頭から疑って掛かる。傷つきたくないからだ。

父親になってわかったことだった。長男の淳が物心ついた頃から悠木はひどく気持ちが落ちつかなくなった。自分を信頼しきって懐に飛び込んでくる小さな無垢の塊に当惑した。嬉しかったのだ。それがあまりにも嬉しくて淳と接近し過ぎたのだと思う。息子の顔色を窺うようになった。

淳がどう育つかよりも、淳が自分をどう見ているか、ずっと自分を尊敬し好きなままいてくれるのか、そのことが常に気になった。

やがて淳の機嫌を取るようになっていた。凄いな。偉いな。よく頑張ったな。心にもない浮ついた言葉の数々を湯水のごとく与えた。そうしてこっそり淳の様子を盗み見ていた。淳が機嫌よくしている時は悠木の心は満たされた。だが、ひとたび淳が反抗の気配でも漂わそうものなら、胸に溢れ返る愛情は一瞬にして底知れぬ憎悪へと変化し、淳にどこまでも冷淡に当たった。時には手も上げた。裏切られたと感じてしまうと頭の中が真っ白になって理性を失った。

父の顔を知らないからだと思う。幼い頃、父は蒸発したのだと酒臭い母の懐で聞かされた。蒸発という言葉がひどく恐ろしいものに感じられた。呑み込むこともも消化することもできず、それは漠然とした不安として胸に巣食った。どこでどうしているかも知れない。生きているのか死んでいるのかすらわからない。なぜ家を出たのか想像もつかない。戦争で父親を亡くした友人を羨んだ。父が無であり空白であることが、自分の存在をひどくちっぽけなものに感じさせた。捨てられたのだと思うと悲しかった。恨んだこともあった。いつひょっこり現れるやもしれぬ父との対面に淡い期待を抱いた時期もあった。小学校に上がる少し前、毎夜鏡の前で「お父さん」と呼ぶ練習をしていた。

悠木は父親になり損ねた。

十三になった淳は暗い瞳の少年に育った。父親として何を教え、何を伝えるべきだったのか。それは今からでも取り返しがつくことなのか。だが、そもそも息子に伝えるべき大切なこととは何であるのか、それが悠木にはわからなかった。

望月の一件は不問に付されたが、悠木は当時の編集局長に進退伺いを提出した。感傷ではなかった。自分には下の者を統《す》べる資格も力量もないと思い知ってのことだった。

望月の死は自殺に近いものだったと思っている。悄気《しょげ》ていたのでも、ぼんやりしていたのでもない。おそらく望月は悠木と同じ種類の人間だった。ありふれた日常の出来事に過剰な化学反応を起こし、すべてを消滅させてしまってもいいと直情的に考える人間。だから、望月の死そのものに痛嘆の思いはない。だが——。

霊園で会った若い娘の尖った瞳と生気のない両親の顔は、やはり胸に重かった。

局内に人が増えてきた。

三十行ほどの原稿を書き終えた悠木は、それをクリップで止めながら腰を上げた。首を伸ばしてデスクのシマを見やると、政治部のデスク席にもう岸の馬面があった。悠木とは同期入社だ。

「追加だ。青木の原稿のケツにくっつけてくれ」

悠木が原稿を机の上に放ると、岸はばつの悪そうな顔を向けた。

「すまんかったな。面倒かけちまって」

「気にするな。どうせヒマだ」

立ち去りかけた悠木を岸が呼び止めた。

「夕方の会議出るか」

「何の会議だ?」

「例の無線機だよ」

ああ、と悠木は興味なさそうに頷いた。

去年、単線の上信電鉄で列車同士が正面衝突する事故があった。現場近くに民家が一軒しかなく、その家の電話をタッチの差で朝日に押さえられてしまった。結果、北関の警察《サツ》廻り記者は、走って十五分も掛かる公衆電話との間を五往復した。無線が高くて買えないのなら伝書鳩を買ってくれ。記者の腹立ちまぎれのその一言がようやく総務部の重い腰を上げさせた。

岸が無線機のカタログを突き出した。

「モトローラ社のになりそうなんだけどな」

「携帯電話のほうがいいんじゃないのか。日テレの真田が自慢してたぜ」

「ああ、あの馬鹿でかいやつだろ？　ダメダメ、使えないよ。荷物になるし、バッテリーが二、三時間しか持たないんだ」

「無線もまた金のことで却下じゃないのか。読売と上毛《じょうもう》に部数食われたって総務が嘆いてたぜ」

「かもな。で、会議はどうする？」

「パスだ。今夜、ちょっと出掛ける」

悠木が言うと、岸は思い当たった顔になって笑った。

「聞いた聞いた。山行くんだろ。昨日、ドロちゃんが顔出して話してたよ」

安西耿一郎の泥棒髭のことを言っている。悠木は、その安西を誘って軽く腹に何か入れておこうと考えていたところだった。

「衝立岩に登るんだって？　確かアレだよな。昔、自衛隊が派手にぶっ放してザイルを切った場所だろ」

言いながら岸は首を回した。名前を呼ばれている。「癇癪玉」で知られる局次長の追村《おいむら》が忙しく手招きしていた。

「ま、くれぐれも気をつけてな」

だけどあんなとこ本当に登れるかよ？　言葉とは別の顔を残して岸は小走りで立ち去った。

悠木も同じ思いだった。果してあんな切り立った岩壁を――。

悠木は窓際の机に戻って受話器を取り、販売局の内線番号をプッシュした。二時を回ってなお空腹を覚えないのは、暑さと、霊園の出来事のせいだとばかり思っていたが、ことによると衝立岩も原因の一つだったか。呼び出し音を耳にしながら、悠木は全身が微かに強張っているのを感じていた。

3

地下食堂といっても実際には半地下にあって、採光窓から降ってくる真夏の陽射しが床タイルにくっきりとした窓枠の影を作っている。時間が時間だから、客は悠木と事業局の二人連れだけで、その話し声よりも洗い場の音のほうが耳につく。

販売局は誰も電話に出なかった。真っ昼間に部屋が無人というのも信じがたいが、元々があの局は得体が知れない。県内各地にある新聞販売店の「お守《も》り」をするのが主たる仕事だというが、では実際に何をしているのかと問われれば、浮かぶのは販売店主に対する酒や麻雀の接待くらいのものだ。新聞の宅配制度を維持するための重要なセクションと位置づけられていて、接待費は使い放題という話だが、その一方で、「局」を名乗っていながら局員は十人足らずのちっぽけな所帯だ。部屋も薄暗くてひどく狭い。「ブラックボックス」。誰かが口にしたそのネーミングに悠木も深く頷いた記憶がある。

二人連れが席を立ち、食堂には悠木だけが取り残された。冷たい汁物なら喉を通ると思って冷麺を注文したが、半分ほど食べたところで箸を置いた。

衝立岩である。

思わず気後れの溜め息が漏れた。

半月前に下見に出掛けた時は、早鐘を打つ心臓の鼓動を傍らの安西に気付かれはしないかと冷や冷やしたものだった。それでもまだあの時は、「登るのは半月後」の余裕がどこかにあった。しかし、それがとうとう明日とは。

衝立岩の存在は安西に聞かされる前から知っていた。山に興味などなくても、さっき岸が言いかけたように、群馬に住む、ある一定以上の年齢の人間ならば自衛隊の銃撃とセットになって記憶されている。

昭和三十五年だから悠木が十五歳の時だ。衝撃的なニュースだった。衝立岩の正面壁を登っていた二人の山岳会員が転落してザイルで宙吊りになった。発見された時は二人とも既に死亡していた。双眼鏡で観察した結果そうだとわかった。衝立岩の初登攀はその前年に果たされたばかりで、超一流の登山家ですら遭難現場には容易に近づけなかった。ましてや宙吊りだ。担いで下ろすのは不可能と判断され、自衛隊の銃撃によるザイル切断という前代未聞の遺体収容方法が採られた。

事故発生から六日目だった。知事の要請を受けた陸上自衛隊第一管区総監部が相馬ヶ原駐屯部隊に出動命令を発した。第一偵察中隊から選りすぐられた射手十一名が百五十メートル先の岩場から銃撃を開始した。目標は直径わずか十二ミリのザイルだ、しかも風にゆらゆらと揺れている。なかなか当たらなかった。ライフル。カービン銃。機関銃。千二百三十八発の銃弾を費やし、ようやく二人のザイル切断に成功した。

悠木は、射手の一人として収容任務に当たった元自衛官に取材したことがあった。ザイルを切断された死体は人形が落ちるように岩壁に叩きつけられ、四回、五回とバウンドして、あとは急斜面を滑るように落ちていったという。死んでるとわかっていても気持ちのいいものではなかった、人もザックもバラバラになったような感じがした、元自衛官はそう語り、遥か遠くに目をやった。

その衝立岩に登ることになった。

何の因果でと思ってみるが、考えるまでもなく安西耿一郎に唆《そそのか》されたからに他ならない。

話は三年ほど前、安西が社内で作っている「登ろう会」の飲み会に悠木が顔を出したことに始まる。その惚《とぼ》けた会の名が示す通り、本格的な登山をやるグループではない。ハイキングに毛の生えたような山歩きや沢歩きが中心で、歩いたあとのビールとバーベキューを楽しもうといった風情の親睦会だ。メンバーは男女織りまぜ様々な局から参加していて、名前だけの者も含めれば三十人近くはいるだろうか。

安西は途中入社で社歴は十年足らずだが、歳は悠木より三つ四つ上だ。初めて社内で口をきいた時、安西は「じゃあ、差し引きチャラの対等でいこう」と一人勝手に決め、それが友人になる儀式であるかのように馴れ馴れしく悠木の肩に毛むくじゃらの腕を回して盛んに体を揺すった。豪放磊落《ごうほうらいらく》という受験用熟語を久方ぶりに思い出させてくれた男ではあったが、あまりにアクが強いのと、常識を超えた好意の塊のごとき態度に疑心を抱き、できうる限り接点を持たないようにしてきた。

にもかかわらず三年前、ひょっと飲み会の誘いに乗ったのは、やはり望月亮太の一件があったからだったと思う。家庭のほうもうまくいかずクサクサしていた。要は外で一杯引っ掛け、山男の馬鹿話でも聞いてみようかという気になったのだ。

飲み会はつまらなかった。安西という男が、山のほかにもバイロンとエンデとあしたのジョーと山口百恵をこよなく愛していることを知っただけのことだった。

が、それからしばらくして参加した妙義山の尾根歩きが悠木の心を大きく揺さぶった。行きがかり上、仕方なく参加したというのが本当だったが、悠木はそこで予想だにしなかった体験をした。山の景色や空気や歩く行為そのものの中に、子供の頃からずっと消えることなく心にかかっていた鬱屈の霧をふっと晴らす一瞬があったのだ。

その感覚をまた味わいたくて、悠木は休みのたび山へ行くようになった。大抵は安西が一緒だった。悠木は山行の理由を語らなかったが、安西はいたく満足した様子で、悠木が山歩きに参加する都度、毛むくじゃらの腕を肩と言わず首と言わず巻き付けてきては体を揺すった。

やがて二人は連れ立って岩場に出掛けるようになった。予感めいたものが働いて、悠木のほうから岩を登ってみたいと言いだした。もっぱら榛名山の黒岩を登った。高さは三、四十メートルといったところだろうか。安西が若い時分、腕を磨いたゲレンデだという触れ込みだった。西稜ルート。十九番ルンゼ。ピラミッドフェイス。大スラブルート……。

岩は、悠木を独りにしてくれた。予感は実感へと変わった。

無心——それこそが霧を晴らす瞬間なのだと、この頃には気づいてきた。中空の岩に張りついている時、瞬間は継続した。

遅咲きクライマー。安西は夢中で岩を攀じる悠木をそう呼んでからかった。二人の間に漠然と通ずるものが芽生えたことは確かだが、しかし、打ち解けたというのとは違った。ある意味、悠木は安西を利用して孤独と無心を手に入れていた。安西に繊細なところがないのをいいことに、内面を見透かされる恐れを感じることなく、思う存分孤独と無心を貪ることができたのだ。

この三年間というもの、安西に対する印象は初対面の時のまま少しも変わることがなかった。飲み、笑い、喋り、他人の体を揺する。これの繰り返しだった。同じ北関の社員でありながら会社や仕事の話は一切しない。安西は販売局の一員だ、接待のほかに話すべき仕事の中身がないのだと意地悪く考えてもみたが、悠木の仕事についても何一つ聞かないのだから、本心、会社にも仕事にもさしたる興味がないのだろう。一度だけ、酔いに任せて悠木のほうから会社の話を始めたことがあった。安西はエンデの作中の言葉を使ってやんわりと悠木を制した。「その話は別の話。また別の時に話そう」。よく言えば、人生を楽しむ達人だが、悪く言うなら、極楽とんぼ、人生の浪費家、軽薄なお祭り男、といったところか。

だが、そんな安西が、岩を登っている時だけは別人に見えた。笑顔も戯れ言もなかった。目の輝きは異様なほどだった。何もかも知り尽くしている岩だろうに、そうした態度はおくびにも出さなかった。安西は岩に対して謙虚だった。時としてその姿は臆病にさえ見えた。

その安西が突然、衝立岩をやろうと言いだした。三月前のことだ。うっかり承諾した。いま思うと本当にうっかりだった。

「いた、いた」

聞き慣れた大声が食堂の壁に反響して四方から耳を叩いた。

安西がガニ股でドタドタやってきた。驚いたことに赤いTシャツ姿だ。

「探したよォ、悠ちゃん、逃げちゃったかと思ったんさあ」

「逃げる……？」

悠木が真顔を向けると、安西は爆発的な笑い声を上げながら相向かいの椅子に腰掛けた。

「冗談だよ、ジョーダン！」

汗だくだ。口の回りを一周する泥棒髭までテカテカ光っている。Tシャツの胸の辺りは汗染みで赤ん坊の涎掛けのようだ。

「じゃ、予定通りでいいね。えーと、群馬総社を七時三十六分に出るやつ」

谷川岳は一ノ倉沢の出合まで車で入れるが、それじゃあ気分が出ないだろう、というのが安西の提案だった。上越線で土合駅まで行き、そこからは歩いて登山指導センターで一泊。明日の朝一番で一ノ倉沢に向かい衝立岩正面壁にアタックを掛ける――。

悠木は壁の時計に目をやった。もう二時半を回っている。五時間後にはここを出発するということだ。いよいよの思いが胸に沸き上がってきた。暑いからやめっか。安西がそう言いだす可能性はもうなさそうだった。

「悠ちゃん、なんか浮かない顔じゃんか。やっぱ怖い？」

「いや、そうでもないさ」

「全然心配ないって。俺がついてるんだからさあ」

屈託のない笑顔が今日に限って憎たらしい。

「心配なんかしてないって」

「わかるよわかるよ。俺も初めての時、そうだったもん。体は登りたくてウズウズしてるんだけど、気持ちのほうがなあ。童貞とおさらばする時とおんなじだよなあ」

安西の話はいつも通り妙な方向へ転がっていった。

「女もそうなんかなあ？　百恵ちゃんとかもさあ」

「けどね、悠ちゃんみたいなのが結構やっちゃうんだよ」

悠木は舌打ちした。

「やっちゃうってどういうことだよ?」

「登っちゃうってことさ」

話は山に戻っていた。

「普段冷静な奴に限ってね、脇目もふらず、もうガンガン登っちゃうんだ。アドレナリン出しまくりながら狂ったみたいに高度を稼いでいくの」

「そういうもんかよ」

「そういうもんなの。クライマーズ・ハイって奴さ」

悠木は首を傾げた。

「クライマーズ……ハイ?」

「話さなかったっけ?」

「初耳だ」

「興奮状態が極限にまで達しちゃってさ、恐怖感とかがマヒしちゃうんだ」

「マヒ……? 怖さを感じない、ってことか」

「そういうこと。ダーッと登っていって、ハッと気づいた時には衝立のカシラさ。めでたしめでたし」

軽口を叩いて、安西はとびきりの笑顔を見せた。悠木の緊張をほぐすためにその話をしていたらしかった。

「じゃあクイズいくよ」

「あ？　またかよ」

「さて問題です。安西耿一郎はこれまで何回衝立に登ったでしょう？」

悠木は鼻で笑ったが安西はよさない。

「チッ、チッ、チッ、あと三秒。チッ――」

「十回だろ」

悠木はうんざりした顔で答えた。その登った回数より衝立自慢を聞かされた数のほうがずっと多い。

「ピンポン。でも安西耿一郎は今もこうしてピンポンしています、ってことさ」

「ピンピンだろ馬鹿」

「あ、そこが笑いどころなんだからさあ。頼むよオ悠ちゃん」

安西は笑いながら腕を伸ばし、テーブル越しに悠木の肩を摑んで揺すった。

悠木は溜め息をついた。

「けど、お前が衝立やったのって、十五年も二十年も前の話だろ？」

「おーい、悠ちゃーん」

「ああもう、うるせえよ」

安西は手をメガホンにしていた。

「二十年ぶりだってちゃんと自転車乗れるだろ？　昔取った杵柄ってのはＤＮＡに組み込まれちゃってるんさ」

「ああ、そうかよ」

呆れてみせながら、悠木は自分の往生際の悪さにも大いに呆れていた。

谷川岳に行きたくないわけでは決してなかった。鼻先ぐらいは臆病風に吹かれているかもしれないが、明日、衝立岩と面と向かえば、たとえどれほど恐ろしかろうと、そこから逃げ出したりできない自分であることは知っている。

要するに、納得できていないのだ。

悠木が山に求めているものは達成感ではない。高い山や険しい岩を征服したいと考えているわけではないのだ。孤独と無心を得るには榛名の黒岩辺りで十分だった。なのに突然衝立岩をやろうと安西に言われ、深く考えることもなく、じゃあ一度やってみるかと答えてしまった。山を齧ってみて、悠木は自分の中に「山屋」の素質が存在しないことをはっきりと自覚した。それは同時に、山屋を標榜する安西に対する憧憬と嫌悪の思いを少なからず掻き立てもした。

なぜ山に登るのか。

悠木は定番の質問を安西に向けたことがなかった。

答えなど聞きたくもない。そうした気持ちもあった。稚気に生き、男をひけらかし、無為な艱難辛苦に命を張る。人が登山家に対して抱いている「純粋幻想」に与《くみ》することは、組織の中を生きる自分の卑小さを見つめることのようで抵抗があった。

それに、「こんな山を登った」という話は、事件記者が得意気にする「こんな事件を踏んだ」によく似ている。登った山や担当した事件の中身と数が、その人間の金看板となり、発言力の大きさとなる。所詮はどちらも自慢話でしかない。ただひとつ違うのは、山は仕事ではなく純然たる趣味であることだ。ならばなおさらだ。自分の趣味を他人に自慢するな。ああだこうだと講釈を垂れずに一人で山に登っていろとつい言いたくなる。

ましてや、哲学的な台詞や精神論的なご託でも並べられた日にはどんな反応をしてよいやらわからない。山屋の上に立とうなどという気はさらさらないが、しかし、間違ってもその下に身を置こうとは思わない。山を登るという行為そのものに、崇高な精神や非凡な能力など何一つ必要ないからだ。

そうまで頑《かたくな》に思い、貶める材料を懸命に探していることが、裏を返せば山屋に対する一種の敬意であり羨望に違いないことは悠木自身わかっている。凍傷で手足の指を何本も失いながら、それでもなお山に登ろうとする意思の源は計り知れないし、そうした人間たちは趣味の領域を遥かに超え、悠木がどう足掻こうが到達も獲得もできない死生観を持ち合わせているのだろうと想像もする。

とはいえ悠木の知る山屋は安西一人だ。何人かの登山家を取材した経験があるが、上っ面を舐めただけのことで、彼らの内面に迫れたとは言いがたい。本当のところ悠木は、安西が真の山屋かどうか疑ってもいた。国内の主だった山はほとんど踏破したと言うが、そうした人間になら声のかかりそうな海外遠征の話は聞いたことがないし、そもそも安西はどこの山岳会にも所属していない。県内では一流企業の一つに挙げられる北関に就職し、その会社で遊び半分、山歩きを楽しんでいる。山の世界の落ちこぼれ。見様によっては、安西にはそんな気配すら漂うのだ。だから、山をやる人間と知り合ったなら一度は聞かねばならない質問――なぜ山に登るのか――を、悠木はずっと保留していた。

だが、聞きたくなった。

明日、「山屋の聖地」とも言うべき衝立岩に登る。悠木にしてみれば登る理由のない山に登ることになる。だがもし安西が真の山屋ならば、確固たる登る動機があるはずだ。それは何なのか。

納得のいくものなのか。安西から聞き出して、一晩吟味してみたくなったのだ。

悠木は冷麺の器をどけ、テーブルに身を乗り出した。

「なあ安西、お前、なんで山に登るんだ？」

「下りるためさ」

安西はあっさりと答えた。

悠木は梯子段を外された思いだった。

「下りるため……？」

「そ、下りるために登るんさ」

悠木は黙りこくった。

それは、どんな顔をしたらよいやらわからない――に該当する答えに違いなかった。実際、悠木は釈然としない顔をしていたと思う。

違うだろう。山に登る心構えを聞いたのではない。なぜ登るのかと問うたのだ。

下りるために山に登る。よく言われる「引き返す勇気」のことか？

わからなかった。下りるために登る。それはいったいどういう意味なのか。意表をついてぐうの音もでなくさせる。それが安西の狙いだろうか。

だが、目の前の輝く瞳に、してやったりの色は微塵もなかった。いつもの顔だ。何か楽しいことを探しているような、それがすぐにでも見つかると信じきっているような邪気のない顔だ。

得意のクイズかもしれない。悠木は不意にそう思った。

そうだとするなら二人の温度差はあまりにありすぎる。ここで突っ込んだ質問をして、やはりクイズなのだとわかったら、この眼前の男を本気で嫌いになるだろうと思った。

空っぽの、山屋……。

悠木は席を立った。

「あ、行ってみるん？」

安西はアイスコーヒーを頼んだところだった。

「じゃあ電車でね。もし乗り遅れたりしたら登山センターで合流。了解？」

「ああ」

「逃げたら罰金だかんね」

「ああ」

「そんじゃあ中年パワーで頑張ろうや。衝立なにするものぞ、ってね」

安西は、シュッ、シュッ、と口で言いながら左拳を何度も突き出した。あしたのジョーのえぐり込むジャブを打っているつもりだ。

悠木は、安西の顔をまじまじと見つめた。

真ん丸の嬉しげな瞳は、バースデーケーキを目の前にした幼児を連想させた。

悠木は食堂を出た。

明日の山行が憂鬱でならなかった。

4

午後六時を回り、編集局の大部屋はオールスタッフでごった返していた。

悠木は政治部のデスク席で原稿に目を通していた。無線機選定の会議に出ないと言ったばかりに、その会議に出た岸の留守番をやらされる羽目になった。

一面トップは決定していた。「三光汽船」が経営破綻し、明日にも会社更生法の適用を申請するという内容の記事だ。負債総額五千二百億円。戦後最大の倒産である。社会部の「事件屋」が長かった悠木は日ごろ政治経済面を詳しく読まないが、三光汽船の実質的なオーナーが河本国務相だということぐらいは知っていた。ならば、話は倒産だけでは終わるまい。おそらくは永田町の政治力学にも関係してくるのだろう。思ったそばから、「河本辞表提出」と仮見出しの付いた共同電が手元に届き、悠木は再び赤ペンを握った。

すぐ左手の席では社会部デスクの田沢がグリコ・森永事件のスクラップブックを捲《めく》りながら煙草を燻らせている。同期入社だが一言も話し掛けてこない。恐ろしく執念深い男だ。十五年前に一緒に担当した妻子殺しで悠木だけが局長賞を手にしたことをいまだに根に持っている。岸の「代打」とはいえ、自分より上席に悠木が座っていることが許せないらしく、時折、意味もなく舌打ちなどして不機嫌であることを知らせてくる。

悠木が三光汽船の関連記事の出稿を終えると、丁度そのタイミングで東京出張中の青木から電話が入った。

〈今日はすみませんでした。取材のほうどうでした？〉

「ああ、チョロかった。片づけといたよ」

〈いやあ、ありがとうございました。戻ったらメシ一食ということで〉

「いいよ。それより何？」

〈ええ、例の靖国の件なんですが、中曾根の十五日参拝が本決まりになりまして〉

藤波官房長官が自民党内の会の席上で正式に表明したのだという。ただ参拝方法と玉串料の取り扱いについては未定で、今後はそれが焦点になる。青木は興奮気味に情勢を解説し、まだ取材の続きがあると忙《いそが》しぶって電話を切った。

悠木は壁の時計に目をやった。

六時四十分になる。会議が長引いているようだ。岸のほか、局長、局次長、社会部長の机も空席のままだ。

逆算してみる。群馬総社駅までは歩いて三分と掛からないが、電車は七時三十六分発だから半には社を出たい。宿直室で登山服に着替え、こっそり裏口から出るつもりだ。着替えに十分として、この部屋を二十分ごろ出ればいいだろう。

「最高気温、三十一・九度ね！」

誰かが叫んだ。体感ほどには気温が上がらなかったようだ。ならば湿度のせいだ、今日のこの馬鹿げた暑さは。思った時、部屋の入口に粕谷《かすや》編集局長の太鼓腹が覗いた。ようやく会議が終わったとみえる。

「似合うぞ」

悠木の背後を通過しながらその粕谷が言った。

半分は皮肉だ。春先、悠木は粕谷から地方部デスクの打診を受けた。県内の支局の記者を統括する役回りだ。部下は要りません。そう言って悠木は話を蹴った。粕谷は唸り、困り果てた顔を作って言った。お前ばかりを特別扱いするわけにはいかないんだ――。

粕谷の言わんとすることはわかる。進退伺いを受理して悠木を「独り遊軍」にしたのは前任の局長だった。あれから五年が経ち、局長も粕谷に代わった。にもかかわらず、いまだに悠木がデスクに昇格することなく一記者に留まっていることが憶測を呼んでいる。望月亮太の一件で会社は表向き「処分に当たらず」としておきながら、その実、悠木を「塩漬け」にしているのではないかというのだ。実際には悠木が望んで留まっているわけだから、局内をまとめる立場にある粕谷にとってみれば、あらぬ疑いを掛けられ迷惑千万と言ったところに違いない。早いところデスクにでも何にでもして噂話を払拭したいというのが本音だろう。

まだある。最近になって、若い記者の間で、いずれは自分も悠木のようになりたいと口にする者が増えてきた。生涯一記者。それは記者職にある誰もが一度は思い描く理想像だ。役職に背を向け最後まで現場でペンを握っていたいと考えるのは、記者として健全さの証には違いない。だが、社内の現実に目を向ければ、生涯一記者を貫けるのは、上から無能力とみなされ山間部の支局を転々としている者だけだった。その現実を悠木の存在が一変させたということだ。若い記者たちは「四十歳の本社詰め遊軍記者」にロマンを掻き立てられたのだ。

当然、粕谷はそのことも面白く思っていない。掃いて捨てるほど記者のいる大手紙ならいざ知らず、元々手駒の少ない地方紙でそんな我が儘を言う記者が増えれば収拾がつかなくなる。「悪いお手本」は早々に排除したいと粕谷が考えるのも無理からぬことだった。

悠木にしても、そう長くは今の立場に居座れまいと思っていた。この春はどうにか切り抜けたが、一年間の執行猶予を与えられたようなものだ。来春、仮にデスクに上がるのを拒めば、局内には留まれないだろうと漠然と考えていた。事業局か、広告局か、あるいは宇都宮か足利に「流される」かもしれなかった。十年ほど前に拡販に乗り出したが、栃木の購読部数は壊滅状態だ。

向こうに出されるということは、即ち退職勧告を意味していた。どこにでも飛ばしてくれと言いたい気分似合うぞ。その粕谷の一言に悠木は苛立ちを覚えた。

だが、しかし、記者職しか知らない自分が別の仕事をしている様を想像するのは難しかった。

悠木はまた時計を見た。

間もなく七時になる。会議は終わったはずなのに岸はまだ戻らなかった。

ふと、家に電話を入れておこうかと思った。弓子に明日の山行を知らせていなかった。若い時分から記者の妻に慣らされ、いまだに一晩くらい帰らなくても平気な顔をしている。だが、明日は衝立岩だ。悠木は遺書をしたためる人間の気持ちを自嘲気味に思いつつ受話器を上げた。

電話には誰もでなかった。淳の塾だろうか。自宅前のバス停は一時間に一本だから、乗り過ごすと弓子が車で送る。だが、由香はなぜいないのか。確か夏休み中のスポーツ少年団は六時までだと言っていたが。

考えるだけ無駄だった。塾と「スポ少」のこと以外、子供たちのことで悠木が知っていることはなかった。

受話器を置いた時、自分の机に向かう追村局次長の背中が見えた。悠木は小走りで追った。

「次長」

何か文句がありそうないつもの顔が振り向いた。

「何だ?」

「岸はまだ会議室ですか」

「ああ。総務と喋ってる」

悠木は内心舌打ちした。もう七時を十五分過ぎた。

「山に行くんだって?」

時計から外した目を追村に戻した。

「ええ。もう出たいんですが」

「あんな奴と付き合わんほうがいいぞ」

追村が低い声で言った。目元で小さな癇癪玉を破裂させている。

あんな奴……？

安西のことを言ったに違いなかった。

悠木は面食らったが、しかし、局の入口に岸の馬面が見えていた。社会部長の等々力《とどろき》と話しながらだから牛歩だ。

悠木はデスクに戻った。机の上をざっと片付け、岸に引き継ぐ出稿済原稿のメモを揃え始めた。隣のデスクの電話が鳴りだした。無視していたが鳴りやまない。目だけ向けると、トイレにでも立ったのか田沢の姿がなかった。

仕方なく受話器を取った。相手は県警キャップの佐山だった。悠木が抜けた後、サブから昇格し、五年連続でキャップを張っている。

電話にでたのが悠木だと気づき、佐山は「アレ？」と嬉しそうな声をだしたが、すぐに声を潜めて用件を口にした。

〈悠さん、そっちは騒いでません？〉

「何が？」

聞き返しながら悠木は局内を見回した。騒いでいるのはいつものことで、特別なことがあったふうはない。

「別に、だけど」

〈そうですか。時事通信の奴が電話で妙なこと言ってたもんですから〉

聞き耳を立てていたということだ。

悠木は時間が気になって早口になった。

「何て言ってた?」

〈ジャンボが消えた――そんなふうに聞こえたんですが〉

ジャンボ……?

悠木は思案の目を宙に向けた。

その目の焦点が本棚の上のテレビ画面にぴたりと合った。NHKニュースだ。

傍らで、おい、と声がした。戻った田沢がどけと言っている。

悠木はどかなかった。テレビ画面に映し出されたニュース速報の文字を凝視していた。

《日航ジャンボ機レーダーから消える》

「おい、見ろ!」

整理部から大声が上がった。

わっ、とテレビの前に人が集まった。

「落ちたってことか」

「落ちないだろう、ジャンボ機は」

「じゃあレーダーの故障かよ?」

「消えた場所、どこだよ?」

「どのみちこっちじゃねえよ。航路がないからな」

テレビの前は二重、三重の人垣になった。まだ画面に続報は流れない。

悠木は局のドアの前にいた。半身を廊下に出し、人垣の向こうの画面を見ていた。もう出なければ電車に間に合わない。

万一、ジャンボ機が墜落したとなれば新聞は一から作り直しになる。とはいえ、大変なのは原稿を捌くデスクや紙面を組む整理部など内勤の連中であって、乗客に県人でも乗っていない限り、記者のほうは大した仕事がない。無論、群馬に落ちたとなれば話は別だが。

墜落地点だけ聞いたら出よう。悠木はそう決めて数分待ったが、次の情報は入ってこなかった。

悠木は部屋を出た。誰かが口にしたように群馬にはジャンボ機の航路などない。極めて低い確率に固執して電車に乗り遅れるということは、安西の言う「逃げた」に該《あた》るだろうと思った。

廊下を歩きだした、その時だった。背後で共同通信の「ピーコ」が聞こえた。局の壁に掛けてある送稿連絡用のスピーカーだ。情報を伝える前に、ピーピーと音を発することからそう呼ばれる。

緊迫した声が廊下にも流れた。

《共同通信ニュース速報！　日航ジャンボ機が横田基地の北西数十キロの地点で姿を消しました！　繰り返します――》

悠木は足を止めた。横田基地の北西数十キロの地点。それがどの辺りになるのか、にわかに思い浮かばなかった。だが、遠くはない。

早足で局に戻った。

大部屋は凄まじい騒ぎになっていた。あちこちで地図が開かれている。

NHKのニュース速報が更新された。

《運輸省発表　日航123便は埼玉・長野県境でレーダーから消える》

群馬ではない――。

どうっと溜め息混じりの声。が、次の瞬間、チャイムが鳴り響いた。共同の「ピーコ」が最大級のニュースを発する際の前触れだ。

《日航123便は長野・群馬県境に墜落した模様!》

怒号とも悲鳴ともつかぬ声が渦となって局を包んだ。「やられた!」誰かが発したその台詞が、局員全員の気持ちを言い当てていたかもしれない。

追いうちを掛けるように「ピーコ」が乗客乗員数を流した。

五百二十四人!

部屋が一瞬、静まり返った。

誰もがその数字の大きさを具体的に思い浮かべることができた。北関の社員総数が五百十一人だった。会社そのものを消滅させ、なお十三の空席を余す数。

「単独の航空機事故としては世界最大!」

資料室員の声を合図にフロアが正気に戻った。

「外回り全員のポケベルを呼べ!」

「東京だ! 羽田を当たらせろ!」

「日航に電話ぶち込め! 乗客名簿を急がせろ!」

悠木はドアの前に棒立ちしていた。

心に火が点いていた。

それは大きな発火ではなかった。小さいが、しかし、導火線を走る火種のように強大な爆発の予兆を孕んでいた。

こいつを取材してみたい。だが——。

まだ不明だった。群馬。長野。埼玉。ジャンボ機はいったいどこに墜落したのか。

「悠木」

声に顔を向けた。粕谷局長がこちらに向かってくる。

嫌な予感がした。

粕谷が足を止めた。幾つもの思惑を秘めた瞳が真っ直ぐ悠木をとらえた。

「お前、これをやれ」

悠木は身を硬くした。

「全権デスクだ。最後までこの事故の面倒をみろ」

有無を言わさぬ強い口調だった。

脳裏から衝立岩が消し飛び、唇を嚙みしめた望月亮太の顔が取って代わった。

罰金、罰金——。

安西のおどけた声が遠くに聞こえた気がした。

5

戦争が始まったかのようだった。

日航全権——悠木。黒板にそう大書きされた。

デスクのシマの空席に「全権デスク」がセッティングされた。この一件に関してはサブデスクに回るよう命じられた田沢は、机にグリコ・森永事件のスクラップブックを叩きつけ、やってられねえよ、と毒づいた。

構っている暇はなかった。

午後八時から九時を過ぎるまでの間、悠木は喧騒の坩堝《るつぼ》の底にいた。頭上から事故に関する断片情報が雨あられのように降ってくる。四方八方から怒声が飛んでくる。打たれっぱなしのサンドバッグ状態の中で、しかし、継《つ》ぎ接《は》ぎだらけの情報は一つの真実を伝え始めていた。

消息を断ったのは、羽田発大阪行きの日航123便ジャンボジェット機。米ボーイング社製の747SR機である。乗員十五人。乗客五百九人。お盆で帰省する家族連れや出張のビジネスマンなどで満席状態だった。

123便は午後六時十二分二十秒に羽田空港を離陸した。約二十分後の六時三十一分、伊豆大島の西方約五十五キロ付近を飛行中、緊急事態発生を告げるエマージェンシー・コールを発信した。さらに十分後の六時四十一分、パイロットから羽田の日航オペレーションセンターに連絡が入った。「機体右側の最後部ドアが壊れた。客室内の気圧が下がっているので緊急降下を実施中」。その後二回、「操縦不能」と連絡が入ったのを最後に123便からの通信は途絶えた。

六時五十四分、運輸省東京空港事務所のレーダーから123便の機影が消えた。米軍横田基地のレーダーも同様で、墜落が決定的となった。その直後、長野県南佐久郡川上村の住民が警察に通報。「埼玉方面から低空で飛んできた飛行機が、群馬と長野の県境付近の山中に落ちた。ぶどう峠の南方に赤い火の手と黒煙が上がっている」

七時十三分、米軍C130機が横田基地の西北西五十四・四キロ付近の地点で航空機の炎上を発見。七時半には航空自衛隊・百里基地のRF4偵察機も炎上を確認した。現場は標高千五百から二千メートルの山岳地帯——。

悠木は睨むように壁の時計を見た。

九時半丁度だ。前後左右から悠木の机に身を乗り出している五、六人の局員を押し退けて電話に手を伸ばした。佐山のポケベルを鳴らす。県警本部の警備二課にいるはずだ。課内には八時前に「日航行方不明機対策室」が設置されていた。

すぐに佐山から応答があった。

「どっちだ？」

悠木はいきなり聞いた。群馬か、長野か、北関にとってはそれが最大の問題だった。群馬ならば「ウチの事故」だ。社の総力を挙げて取材に臨むことになる。

〈まだわかりません。一応、長野が有力のようですが、ウチか埼玉の可能性も捨てきれません〉

悠木は空いている右耳を手のひらで強く押さえた。頭上で、整理部と社会部の人間が言い合いをしている。共同の「ピーコ」も壊れてしまったかのように鳴りっぱなしだ。

悠木も大声を出さざるをえなかった。

「なぜわからないんだ？　米軍と自衛隊が方位と距離を出してるじゃないか」

〈いや、それがですね、横田にあるテクニカル・エア・ナビゲーションってのを使って計測してるらしいんですが、こいつが結構アバウトで、数キロの誤差は当たり前なんだそうです〉

悠木は唸った。墜落現場が判明するのは時間の問題だと高を括っていたが、ことによると、このままズルズルずれ込んで締切時間に引っ掛かってくるかもしれない。

「県警の動きは？」

〈続々ぶどう峠に向かっています。ここの対策室は、墜落事故対策本部に昇格しました。今夜のうちに上野村役場にも現本《ゲンホン》を作るようです〉

そのぶどう峠が群馬と長野の県境だ。既に県警クラブからカメラマンを含めて四人、高崎と藤岡の支局からも一人ずつ現地に向かわせてあった。経験も知識もない者が夜の山に入るのは自殺行為だと安西から教えられていた。車内で待機。間違っても山には入るな。六人の記者とカメラマンにそう厳命してある。だが、県警が現地対策本部を設けるのなら、電話も情報もあるその現本で待機させたほうが賢明だ。多野郡上野村役場。北関の取材前線基地もそこに置こうと悠木は決めた。

言いだすタイミングを見計らっていたのだろう、佐山が唐突に熱っぽい声を受話器に吹き込んできた。

〈悠さん、俺も現場へ行かせてくださいよ〉

「キャップのお前が県警留守にしてどうするよ」

〈ここには県庁廻りの奴でも置いてけばいいですよ。とにかく行かせてください〉

「まだこっちかどうかわからないだろうが」

〈悠さん――〉

佐山の声が攻撃的になった。

〈そんなの関係ないでしょう。世界最大の航空機事故がすぐそばで起こってるんですよ。ウチであろうが長野であろうが記者なら現場を踏むのが当たり前でしょうが〉

もう少し待て。言い含めて悠木は電話を切った。

微かな嫉妬が胸にあった。

世界最大のヤマを踏む。佐山はそのチャンスにめぐり合ったということだ。

悠木は波打つ局内を見渡した。

最初から気づいていたことだった。通常の三倍は人が動き、ロックコンサート並みに騒がしいこのフロアで、悠木の年齢を境とする年嵩の男たちは明らかに精彩を欠いていた。隠そうとしても隠しおおせるものではない。かつてない最大級の事故と対峙しているにもかかわらず、どこか乗り切れないというか、人ごとのような白んだ表情が浮き出ている。隣の席の岸もそうだし、田沢が不貞腐れているのだってサブデスクに回されたからだけでは決してない。

悠木も同じ気持ちだからわかる。

群馬で事件と言えば、「大久保事件」と「連合赤軍事件」を指す。大事件という形容は当たらない。地元記者にとってそれは「後にも先にも二度と起こらない事件」だった。「大久保」では八人の女性が連続して暴行殺害されたうえ榛名山中に埋められた。「連赤」はさらに凄惨だった。県内の山岳アジトだけで十二人がリンチで死亡し、さらには、ぶっ続けのテレビ放映で全国を震撼させた「あさま山荘事件」へと発展していった。二つの事件は昭和四十六年、四十七年と立て続けに起こった。だからその時期記者をやっていた人間たちは「二度と起こらない事件」を二つまとめて経験したことになる。

「大久保連赤」と詰めて呼ぶ。担当した記者の多くはその後の記者人生を一変させた。一言で言うなら天狗になった。十三年もの間、事件の遺産で飯を食ってきた。「大久保」の昔話で美味い酒を飲み、「連赤」の手柄話で後輩記者を黙らせ、何事かを成しえた人間であるかのように不遜に振る舞ってきた。

まぐれでオリンピックの金メダルを取ってしまったようなものだった。その後、まったく記録を出せなくても終生金メダリストであり続けるのに似ている。記者として能力があろうがなかろうが、錆びついた「大久保連赤」のメダルを首にぶら下げて局内を闊歩し、県下で事件事故が起こるたびメダルの色を比べて優越感に浸ってきた。

当時、県警キャップだった追村次長とサブでいた等々力社会部長は、とりわけその意識が強い。そして、彼らの配下で悠木も岸も田沢も現場を踏み、「その場」に立ち会えた幸運を嚙みしめ、反芻してきた。

その古き良き時代が今夜終焉した。

世界最大の航空機事故——。一瞬にしてメダルの色が褪せた。いや、金よりも輝くメダルがあることを思い知らされたと言ったほうが当たっていた。

微かな落胆を感じつつも、悠木はそれに勝る安堵を覚えていた。十三年間、この日を待っていたような気がする。心のどこかでずっと恥じていたのだ、「大久保連赤」を心の支えにしてきた自らの記者生活を。

粕谷局長の思いは複雑だろう。早々と悠木をデスクに指名したのは、来春の布石を打ったというだけの単純な理由ではなかったはずだ。「大久保連赤」当時、社会部のデスクをしていて現場を踏み損ねた。増長した追村と等々力のコントロールに散々手を焼きもした。だから恐れたのだ。「大久保連赤」時代の生き残りである最古参記者に、このうえ世界最大の航空機事故の現場を仕切られでもしたら、もう誰の手にも負えなくなると考えて悠木の首に鎖をつけたのだ。

現場なのだ。

命令や指示など幾ら出そうが、事件をやったことにはならない。記者職が染みついた人間は、自分が現場で目にしたことしか誇ることができない。

安西の顔が脳裏を過《よぎ》った。彼にとっての「現場」は衝立岩にほかならない。何の連絡も寄越さなかったが、一人で電車に乗り出掛けたのだろう。時間からいって、もうとっくに土合駅に着いている。今頃は、あしたのジョーの主題歌でも口ずさみながらガニ股で登山指導センターに向かっているに違いない。

安西がいてくれたら。ふとそう思った。

佐山の受け売りではないが、たとえ現場が長野側であったとしても、隣県の新聞社として無視はできない。明日、日が昇ったら何人かの記者を山に入れねばならないだろう。しかし、現場は谷川連峰にも匹敵する標高だ。日ごろ人の入らない山だとすれば登山コースなどもないということになる。そんな場所へ山歩きの経験すらない記者を送り込む。考えただけでもゾッとする話だった。が、安西の先導で記者が山に入るのであれば危険性は格段に低くなる。いやもし各社で墜落現場到着を競うようなことにでもなれば、それこそ安西は誰よりも強力な助っ人になるに違いなかった。

だめもとで安西宅に電話を入れた。悠木にすっぽかされ、悄気《しょげ》るか拗ねるかして家に帰ったという可能性もゼロではないと思った。

〈はい、安西です〉

女房の小百合《さゆり》がでた。毛むくじゃらの腕で何度も家に引きずり込まれているから、他のどの社員の女房よりも気安い。

「悠木です。夜分にすみません」

〈ああ、悠木さん〉

控え目ながらも小百合は嬉しそうな声をだした。

「戻ってますか」

〈えっ？　今夜から一緒に山じゃ……？〉

悠木は肩を落とした。

心配するといけないので、自分は飛行機事故があったので山には行けなかったのだと伝えた。小百合は、ああ、ああ、と何度も驚きの声を上げた。目の前のテレビ画面と悠木の話が結びついたのだろう。安西が山から戻ったら至急連絡をくれるよう伝言を頼んだ。仮に墜落現場が群馬側であれば、この先何十回となく記者を山に送り込むことになる。

悠木は手帳を開いた。

安西はつかまらなかったが、助っ人を使うというアイディアが次善の策を思いつかせていた。「登ろう会」である。遊び半分の会には違いないが、山に関して言うなら少なくとも「ど素人」ではない。メンバーのうちの何人かは岩も齧っている。使える。そう判断して、悠木は五人ほどをリストアップし、なかでも最も脚の強い広告局の宮田に電話を入れた。

すぐに本人が出た。事情を話すと大乗り気で、すぐにでもこちらに駆けつけてきそうな勢いだった。他の四人に連絡を回し、準備を整えて待機して欲しい。そう頼んで受話器を置いた。

岸が話し掛けてきた。

「山の連中、使うのか」

「ああ」

「けど、みんな他局だろう?」

「背に腹は換えられねえよ。記者が山で迷ったり怪我したりじゃ取材どころじゃなくなるだろうが」

「一応、上に話したほうがいいんじゃないのか」

「ほっとけ。総務に無線機入れさせるのに一年も掛かってる連中だぞ」

思わず皮肉を口にした。実際山に入るとなったら、通信手段がないことは致命的だった。北関の記者は、山に登り、墜落現場を取材し、そして、下山してからでなければ一行たりとも原稿を社に送ることができない。途中、アクシデントが発生しても、それを社に伝えることすら叶わないのだ。

悠木は荒い息を吐き出した。

無線機導入が延び延びになっているのも「大久保連赤」と決して無縁ではないのだ。当時の担当記者は氷点下の山の中を駆けずり回り、何キロも先の電話を目指して自転車を漕いだ。記者とはそういうものだ、楽を考えるな、そうした度が過ぎた精神主義が、北関の報道機関としての近代化を大きく遅らせたと断じていい。

自分も「戦犯」の一人だったか。苦い自問が悠木の胸にあった。

「おい、これ！」

「あ！　ありかよ、こういうの！」

壁際の「名簿班」の間から悲鳴に近い声が上がった。五人使って、日航が公表した乗客名簿から県内関係者を拾い出す作業をさせていた。

一人いた。農大二高の野球部員の父親だった。甲子園二回戦の応援に向かうため１２３便に乗っていた。息子の雄姿に胸躍らせての搭乗だったろう。

黙禱。誰もがそう感じた小さな間の後、一斉に声が上がった。

「面取りと談話急げ！」

「大阪だ、大阪の甲子園組を呼び出せ！」

「社会面差し替え！」

時計の針は十一時を回った。

締切は一時間延長することが決まったが、それでもあと二時間を切った。整理部は一面の大組みを開始した。主見出しは《日航ジャンボ機墜落炎上》。ソデは《乗客乗員524人絶望か》。だが――。

この段になっても墜落地点は特定されていなかった。

「まだわからんのか！」

全身これ癇癪玉と化した追村が、悠木のせいであるかのように怒鳴った。

悠木も唸るように返した。

「ドタバタ降版になりますよ。制作と輪転《りんてん》に言っといて下さい」

電話が二人を割った。

佐山からだった。興奮を押し殺した声。

〈やっぱウチのようです〉

刹那、全身を貫くものがあった。

一拍置いて悠木は言った。

「根拠は？」

〈いまさっき対策本部に目撃情報が入りました。ぶどう峠で白煙が上がっていて、方向からして群馬側です。長野と埼玉のパトも無線でそう言ってます〉

「ちょっと待て」

佐山を待たせて、悠木は立ち上がった。手をメガホンにする。

「群馬有力！」

五十人からの顔が悠木に向いていた。直後、その人数分の声が合わさり、地鳴りとなって大部屋を揺るがした。

耳に受話器を戻すなり、佐山の強い声が鼓膜を叩いた。

〈もういいでしょう。現場へ行かせて下さい〉

悠木は返答に窮した。佐山は猟犬のごとく獲物を追いたがって前脚で土を掻いている。その首輪を辛くも押さえている。悠木の心境はそんなだった。

行かせてやりたいが、県警キャップに動き回られては外勤記者の核がなくなる。もし本当に群馬に墜落したのであれば、悠木は明日から二十人、三十人の記者を配下に置かねばならなくなる。統べる自信がなかった。

祈りにも似た思いが心底から湧き上がった。

長野であってくれ――。

そう思ってしまったことが、さらに気持ちを痩《や》せ細らせた。

悠木には、佐山の他に中堅どころで繋がりのある記者がいなかった。三十三歳の十年選手。若手の信望も厚い。指示系統を佐山に絞り、その佐山を通じて他の記者を動かしていく。それ以外に、今回の「全権」をまっとうできる方策は浮かんでいなかった。

佐山には望月亮太の件で借りがある。悠木が頼んだわけではなかった。むしろ制止したぐらいだったが、結果として佐山に救われたことは否定できない。敵前逃亡。あの佐山の舌鋒がなかったとしたら、編集局はともかく、総務局は某《なにがし》かの処分を悠木に下したがったろう。

佐山にだけは好かれていたい。そんな秘めた思いもあった。ともに父親のことで苦しんできたこともあり、時に、七つ下の佐山を自分の弟のように感じることがある。

〈悠さん――〉

「わかった」

悠木は陥落の思いで言った。

「行け。ただし、現場を踏んだらできるだけ早く戻って本部を固めてくれ。それと、夜明けまでは決して登るな。いいな？」

〈了解〉

佐山は歯切れよく言った。

〈ありがとうございます。えーと、カメラを一人つけて下さい〉

「いない。ぶどう峠に出したほかはみな甲子園だ」

〈あ、そっか。ならウチの神沢《かんざわ》を連れていきます。じゃあ出ますけど〉

「ちょっと待て」

悠木は慌てて言った。

「広告に宮田って奴がいる。そいつも一緒に連れていけ」

〈えっ……？〉

訝しげな声が返ってきた。

「知らないか？　広告企画の――」

〈知ってますよ〉

佐山が遮った。

〈真っ黒い顔の眼鏡でしょ。なぜそんなの連れていかなきゃならないんです？〉

「山に詳しい。きっと役に立つ」

〈要りません〉

佐山はぴしゃりと言った。

〈冗談はよして下さいよ。こっちは真剣勝負だ。そんな山遊びをしてるチャラチャラした野郎は邪魔なだけです〉

俺たちの仕事を穢《けが》すな。佐山はそう言っている。

悠木はすうっと額が冷たくなるのを感じた。

喉に言葉があった。

半人前のチンピラ記者がナメたロ叩くんじゃねえ――。

荒ぶる他者が目覚めていた。いや、それは悠木が十三年間否定し続けてきたはずだった、「大久保連赤」世代の自負心かもしれなかった。

何も言わずに電話を切った。

デスクについた肘に振動を感じた。田沢の貧乏揺すりの靴先が悠木のデスクの脚に触れていた。

「よせ」

田沢を睨み付けた、その時だった、整理部長の亀嶋が遠くで叫んだ。

「悠木君！　テレビテレビ！」

立ち上がって画面を見ると、アナウンサーが墜落場所が特定されたと口から泡を飛ばしていた。

長野県南佐久郡北相木村の御座山《おぐら》北斜面――。

「何だと……？」

悠木は立ったまま佐山のポケベルを鳴らした。

応答はなかった。十分、十五分と待ったが電話はなかった。上野村に着いてしまうまで連絡を寄越さないつもりか。

騙された……。いや、嘘をついてまで現場に行くはずがない。そんな姑息な手を使う男ではなかった。情報が錯綜しているのだ。そうに決まっている。だが、いずれにしても佐山が悠木の指示を軽んじていることは確かに思えた。

不安と苛立ちが胸をざわめかせていた。唯一の部下というべき佐山を制御できずにいる自分が、ひどく無力な存在に思えてならなかった。

否応なく締切時間が迫ってきていた。

誰もが怒鳴り、叫んでいた。

テレビが報じた長野説も、その後の情報ですっかり怪しくなっていた。御座山。小倉山。扇平《せんぺい》山。三国山。様々な山の名が浮かんでは消えていった。

零時半を回った。残り三十分。大部屋の緊張はピークに達していた。

亀嶋が、いつになく硬い面持ちで寄ってきた。

「どっちにする?」

墜落場所の見出し候補二本が悠木のデスクに並べて置かれた。

《長野・群馬県境の山中》

《群馬・長野県境の山中》

本来、見出しの決定権は整理部長である亀嶋が握っている。悠木に委ねたのは、「全権デスク」の顔を立ててのことだったに違いない。

二本の見出しを見比べた。デスクの周囲で、大勢の局員が息を呑んでいた。

悠木は手を伸ばした。魅入られたように右を選んだ。

長野・群馬県境の山中――。

判断ではなく、願望だった。

嘔吐感が悠木の胸を突き上げていた。

願望に反したその体の反応が、暑く長い「日航の夏」を予言していた。

6

横腹に「キタカン」と大書きされた新聞輸送のトラックが、次々と猛スピードで社を飛び出していく。

降版――完成した紙面を印刷工程に回した後も、墜落地点の情報は群馬と長野の間を目まぐるしく行き来していた。上野村現本に張りついている記者によれば、双方の県警をはじめ、自衛隊や地元消防団など合わせて千人以上が寝ずの捜索を続けているという話だ。しかし、現場を指し示す確たる情報がないうえ、県境の山岳地帯の地形はひどく入り組んでいる。上野村は一昔前まで「関東のチベット」と呼ばれていたほどの辺境の地でもある。明るくならなければ本当のところはわからないというのが実情のようだった。

ぶどう峠には三百人からの報道陣が車で押しかけ、時ならぬ大渋滞を引き起こしているという。テレビは延々、五百二十四人の乗客乗員名簿を流し続けていた。

午前三時。編集局の大部屋は老人病棟のように静まり返っていた。

三分の一ほどの局員が帰らずに留まっているが、どの顔も疲労の色が濃く、自分の机やソファでぐったりとしていた。あと一時間もすれば白んでくる。戦闘再開まで体も喉も少し休めておこうという空気が広いフロアを支配していた。

悠木は椅子の背もたれに体を預けていた。

長野側であって欲しいという思いは変わっていなかった。しかし、無理にでも群馬側だと考えていなければ、もしそうだった場合に気持ちの立て直しが難しくなることはわかっていた。夜が明け、現場地点が確認されたら、上野村入りしている記者に入山を命じねばならない。カメラマンを含む八人のうち、今現在、四人は上野村役場の現本にいる。別の二人はぶどう峠。佐山と神沢の二人は行方が知れなかった。依然ポケベルの応答はない。おそらくは彼らもぶどう峠の渋滞に巻き込まれているのだろう。

佐山に対する怒りは鎮まっていた。登山ガイドをつけてやる。もし悠木が佐山の立場だったとしたら、やはり、ふざけるなと突っぱねたに違いなかった。

不安は消えていなかった。制御不能。それは微かな恐れを伴って時間の経過とともに増殖を続けていた。

戦闘再開の狼煙《のろし》はテレビが上げた。

午前五時を過ぎ、各局とも一斉にヘリコプターからの現場映像を流し始めた。驚きの声が重なった。ラウンド間の休憩を終えたボクサーのように、局員たちは勢いよく立ち上がってテレビに群がった。

想像は見事に裏切られた。

墜落現場にジャンボ機の姿はなかった。美しい緑の山だ。その山肌に、くっきりと墜落の痕跡が刻まれている。「くの字型」「V字型」「ブーメラン型」。撮影の角度によって次々と形を変える。

白煙が上がっている。主翼の残骸が見えた。「ＪＡＬ」の文字が読み取れる。だが、それだけだ。機体と呼べるものは他に何もない。胴体は一体どこにあるのか。谷にでも落ちてしまったのだろうか。山肌がキラキラと光っている。交通事故現場に散乱したガラス片がヘッドライトを浴びた時のように――。

悠木はぎょっとしてデスクに目を落とした。刷り上がったばかりの朝刊がある。「同型機」とクレジットをつけてジャンボ機の資料写真を載せた。

背筋に這い上がるものを感じた。

粉々になったということだ。朝日を照り返してキラキラ光っている、あの輝きこそが、半日前まで五百人もの人間を乗せて悠然と空を飛んでいた巨大旅客機なのだ。

人もだ。

乗っていた人間も粉々になった。

胸に、怒りにも似た熱い波が押し寄せた。なぜ落ちたのか。悠木はこのとき初めて事故原因を思った。

ヘリに同乗しているテレビ記者が轟音に負けじと絶叫した。

《群馬です！　墜落地点は明らかに群馬県内です！》

「ピーコ」も叫んだ。

《墜落現場は群馬県多野郡上野村山中！》

どよめきは起こらなかった。

この先の長い戦いの決意を固めるように、みな無言で映像に見入っていた。この山で五百二十四人の人間が死んだ。この輝く山で。

静かなフロアに小さな声の雨粒が落ち、次第に雨足が強まり、やがては土砂降りの声となっていつも通りの大部屋へと戻っていった。

墜落現場が群馬だと知り、一旦帰宅していた粕谷局長以下幹部三人組も血相変えて出社してきた。


山の名前はほどなく判明した。

御巣鷹山――。

悠木はその雄々しく気高い山の名に心を揺さぶられた。

ゆうべから一度も浮上したことのない山だった。なのに、そうなのだと言われてみれば、名前が挙がったどの山よりも、歴史的な事故現場として名を刻むに相応しい名前の山だった。

不思議でならなかった。何千もの目が現場を探していた。何万何十万もの目が地図に注がれていた。なぜ御巣鷹山だけが自らの存在を隠しおおせたのか。

死人《しびと》の弔いしてたから。

幼い頃、酒に酔った母の懐で聞かされた民話にそんな一節があった。

悠木は目を閉じた。

忸怩《じくじ》たる思いが胸を覆い尽くしていた。逃げることだけを考えていた。長野側であれば五百人死のうが千人死のうがどうでもよかった。

目を開き、テレビ画面の御巣鷹山を見つめた。

山も深く傷ついていた。この山が引き受けたのだ。他のどの山でもなく、世界最大の事故を、あの御巣鷹山が引き受けたのだ。

深い眠りから覚めたような思いだった。

悠木は叫んだ。

「地図持ってこい！」

十人ほどで入山コースを検討した。

ぶどう峠は方向違いだった。その手前、浜平鉱泉の入口から神流《かんな》川沿いに林道が切れるまで進み、そこから小さな沢を登る——ベストかどうかはわからないが、地図上の御巣鷹山へ向かうにはそれが最短だという結論になった。うまくすれば現場まで三〜四時間。そんな数字が弾き出された。

悠木は記者とカメラマンのポケベルを呼び出した。最初に応答したのは県警サブキャップの川島だった。

「登ってくれ。現場に向かう消防団のケツについていけ。見当たらなかったら機動隊か自衛隊につけ」

現場捜索の関係者は四千人以上に膨れ上がっているとの情報を得ていた。彼らを頼るしかなかった。見当違いの方向に登らない限り、単独行の危険は避けられるはずだ。

「アクシデントがあったら共同通信の記者をつかまえろ。十秒だけ無線を貸してくれ。そう拝み倒して前橋支局に伝言を頼め」

〈わかりました〉

川島の声は張り詰めていた。ひどく気が弱い。そんな噂を耳にしていた。

悠木は声を落とした。

「佐山はどうした？　現本で見かけたか」

〈ええ。さっき寄りましたが、長野の南相木から登ると言って出て行きました。自衛隊の人間に

聞いたら、そっちからのほうが近いと言ってたそうです〉

その情報は怪しい。思ったが手の打ちようがなかった。ぶどう峠を越えてしまったのであればもうポケベルの電波は届かない。

「じゃあ出発してくれ。決して無理をするな。自分には難しいと思ったら即刻下山しろ」

午前六時。幹部会議が始まった。

紙面建ての打ち合わせを行った。一面と社会面はもとより、写真特集も含めて合計十二面を使って事故関連記事を全面展開することになった。運輸省や日航、さらには東京、大阪の遺族取材などの大半を共同電に頼るが、県内での事象はすべて自社原稿で賄う。とりわけ、「現場雑観」は必ず本紙記者の署名記事で。そう申し合わせた。

それからは取材手配に忙殺された。

後ろから肩を叩かれたのは午前八時半だった。広告の宮田だった。山支度を整え、休みを取ってずっと自宅で待機していたという。悠木が平謝りすると、宮田は、そんなことより、と遮って心配そうな顔を寄せた。

「安西さんが病院に運ばれたらしいんです」

墜ちた――。

悠木は身震いした。その墜落の瞬間を見たような錯覚に襲われたのだ。

生唾を飲み下し、言った。

「衝立か」

「えっ……？」

宮田は二人が衝立岩に行く予定だったことを知らなかった。朝まで待機していたが悠木から連絡がないので、どうしたものかと思って安西の家に電話を入れたのだという。電話口には安西の息子がでた。

「要領を得なかったんですが、とにかく安西さんが病院に運ばれて、奥さんもそっちに行っちゃってるらしいんです」

安西の長男——淳と同い年の燐太郎だ。中一だが、小学校の四、五年生くらいにしか見えない。ひどく内気で、何を聞いても満足な答えが返ってこないのは宮田の話の通りだ。が、安西夫婦によれば、それでもまだ悠木にはよく懐いているほうなのだという。

「わかった。俺が聞き出しておく」

すぐに安西の自宅に電話を入れたが誰もでなかった。燐太郎はどこに行ったのか。学校か。病院か。いや、そんなことより、安西はなぜ病院に担ぎ込まれたのか。

一人で衝立岩をやったのか。そして——いや、まさか、あの安西に限って。

連鎖的に気掛かりが増えた。

御巣鷹山はどうか。危険はないのか。映像では一見なだらかに見えるが、急峻なところも散見する。想像以上に手強い山。そんな気がしてならない。記者とカメラマンは果して現場に辿り着けるのか。

その時だった。「ピーコ」が鳴った。

《現場で生存者四人を発見!》

入社以来、これだけ局内が喜びに沸き返った瞬間を悠木は知らない。

生きていた。少女が、母子が、若い女性が——。

奇跡。誰もがそう思った。

「フジが映してるぞ！」

救出された少女だった。自衛隊員がその華奢な体を抱え、上空のヘリに吊り上げていく。大歓声。大拍手。指笛まで鳴った。こんなことでもなけりゃあやってられねえ。こういうことがあるからやめられねえ。笑顔が重なった。幾重にも。

四人生存――紙面構成は大幅に変更になった。悠木は病院担当の記者四人を決め、すぐさま手配した。

悠木の顔からは笑みが消えていた。

気掛かりがそうさせた。午後二時が過ぎ、三時を回って、悠木はいよいよ落ちつかなくなった。テレビ画面に目をやる。見知った顔が墜落現場にあった。県警の捜査一課長、調査官、機動隊長……。自衛隊員や消防団員の法被《はっぴ》も目立つ。記者とおぼしき姿もあちこちに見える。だが、いない。北関の記者とカメラマンの顔を悠木はまだ一人も目にしていなかった。

最終的に十二人の記者とカメラマンを御巣鷹山に投入していた。まだ誰も現場に到着していないということか。署名記事はどうなる。既に共同通信からは現場雑観が送信されてきていた。このままでいけば、世界最大の航空機事故を目の前にして、地元紙が現場雑観を共同の記者に譲ることになる。

敗北だ。共同通信丸抱えの新聞。それはもはや地元紙とは呼べない。

現場雑観は他のストレートニュースとは違う。「記者の目」であり「北関の目」だ。現場の何を見て、何を感じ、何を書くか。群馬で生まれ育った人間が、群馬で起こった事件事故の現場を見つめるからこそ滲み出てくる一行がある。プライド。そう言い換えてもいい。北関が北関であるために、現場雑観はどうあっても北関の記者が書かねばならない。

四時を過ぎると、膨大な数の原稿が悠木のデスクに山積みになった。

《五十二人の遺体を確認》《三浦半島沖で尾翼の一部回収》《県も現地対策本部設置》《海外首脳から次々と見舞い電》《ショックの農大二高ナイン》《キャンセル待ち搭乗がアダ》《補償金も空前の規模に》《航空機専門家紙上座談会》《積荷の中に放射性物質》《ボーイング社調査員来日へ》《高木社長の引責示唆》《崩れた安全神話》

読んでも読んでも次々と原稿は運ばれてきた。今日一日で、共同電を受ける機報部の赤峰の顔を何度見たことだろう。事故の大きさを、原稿用紙の厚みが如実に物語っていた。僅かな作業の合間に、悠木はテレビの現場映像に目を凝らし、そうしながら、指は電話のリダイヤルボタンを押し続けた。安西宅。そっちの心配も時間経過とともに膨れ上がっていた。

先に相手が摑まったのは、電話のほうだった。

〈安西です……〉

燐太郎のか細い声が耳に届いた。

「悠木だけど。わかるね?」

〈あ、はい……〉

「お父さん、どうした?」

〈病院に入院しました〉

「どうして?」

〈よく、わかりません……〉

「病気? 怪我?」

〈倒れたって……〉

墜ちたのではなかった。だが、ホッとしていいのか、そうでないのか判断がつかない。

悠木は受話器を握り直した。

「どこで倒れた？　原因は？」

〈わかりません……〉

燐太郎の声が掠れた。べそをかいているのかもしれなかった。大きな瞳が目に浮かんだ。安西によく似た真ん丸の瞳だ。

声を精一杯優しくした。

「病院行ってみたかい？」

〈はい。いま父さんの着替えをとりに……〉

「そうか。悪かったね。それで、お父さん、どんな様子？」

〈………〉

「聞こえるかい？」

〈目を開けたまま、でも眠ってるんだって……〉

悠木は慄然とした。

目を開けたまま眠っている。医者の言葉だろうか。嫌な表現だと思った。これ以上、燐太郎に喋らせるのは酷だと思い、病院の名前を聞いて電話を切った。

行ってやりたかった。だが、数分の電話の間にも、目に痛いほどの数の原稿が目の前に突き出されていた。

目を開けたまま眠っているとはどういうことか。

胸騒ぎがしてならない。県央病院。顔を見るだけなら往復一時間で済む。その間、田沢に頼め

その田沢も原稿に赤ペンを入れていた。

が、妙だった。

田沢の視線が手元の原稿とテレビ画面とを行ったり来たりしている。すぐにピンときた。墜落現場の映像を見ながら原稿に手を入れているのだ。悠木は首を伸ばして田沢の手元を覗き込んだ。思った通りだった。共同の記者が書いた現場雑観だ。その共同の雑観にテレビ映像から得た情報を書き足して、「北関の雑観」に仕立てようという腹だ。

頭に血が上った。悠木は田沢の原稿をむしり取った。辺りの原稿まで飛び散って床に散乱した。

田沢が目を剝いた。

「何しやがる！」

「てめえこそ何してんだ！　誰に言われた！」

「部長だよ！　文句があるならそっちに言え！」

奴か……。

等々力社会部長の差し金だった。誰より「大久保連赤」を鼻に掛けてきた。いまだに当時の記事の切り抜きを手帳の間に挟んでいるような男だ。だからだろう、今回はすっかり音なしの構えだったが、陰に回ってこんな指示を出していたとは――。

悠木は靴音を立てて社会部長席に向かった。

等々力が顔を上げた。金縁眼鏡。濃いブラウンのレンズ。その奥に覗く鋭い眼光。面構えだけは、いまだに「事件屋」だ。

「部長」

「何だ？」

「ああいうのはよしましょう」

「何のことだ？」

「雑観ですよ」

「仕方ないだろう。ウチの連中が全滅なんだからな」

「まだわからんでしょう」

悠木が声に凄味を利かすと、それ以上に険を含んだ声が返ってきた。

「もう間に合わんさ。お前の指示が悪かったからじゃないのか」

「そういう話をしてるんじゃ——」

言い掛けた時、背後で声が上がった。

「佐山だ！」

悠木は撃たれたように振り向いた。

現場の映像だ。いた。確かに佐山だ。後ろに神沢もいる。二人とも服がボロボロだ。雨に濡れて髪が額に張りついている。疲れ果てた様子だ。だが、いる。北関の記者が御巣鷹山の現場に立っている。

悠木は壁の時計を見た。五時十五分。今から戻れば夜の山を下ることになる。危険だ。山の知識のない人間には危険すぎる。だが——。

佐山なら帰ってくる。

悠木はそう思った。あの佐山が現場雑観を諦めるはずがなかった。機動隊か、自衛隊か、下山する人間に食らいついて必ず戻ってくる。締切まで七時間。いや、昨日同様、締切は一時間までなら延ばせる。ならば、ギリギリで原稿をぶち込めるかもしれない。

悠木は等々力に顔を戻した。

「雑観は佐山が出稿します」

「間に合えばな」

等々力の目は微かに笑っているように見えた。

時間は矢のように過ぎた。午後九時――十時――十一時――。

締切まであと二時間。佐山からの連絡はなかった。

待つしかなかった。社会面の大組みには、田沢が手を入れた共同の現場雑観が組まれていた。佐山から原稿が届いたらすぐに差し替える。その手筈は整えてあるが、しかし、電話は鳴らない。じりじりとした時間だけが悠木を包んでいた。

不安も募っていた。夜になって様々な悪い情報が入ってきていた。

やはり御巣鷹山は手強い山だった。墜落現場に辿り着けた記者は相当に運が良かったということだ。現場を踏んだ記者の何倍もの数の記者が山中で道に迷い、崖に行く手を阻まれ、疲労困憊して里に敗退した。北関もそうだった。送り込んだ十二人のうち、現場に立てたのは佐山と神沢の二人だけだったのだ。

間もなく日付が変わる。

悠木は念じた。大丈夫だ。帰ってくる。締切が一時間延びることは佐山だって百も承知だ。計算ずくで歩いている。里に下り、どこかで電話を見つけ、必ず現場雑観を送稿してくる。

「そろそろ降ろすぞ」

不意に、粕谷局長の声が耳に飛び込んできた。最初その台詞は頭に入ってこなかった。降ろす。

紙を降ろす。無論、降版のことだ。

もう降版する……？

馬鹿な！　悠木は椅子を弾いて立ち上がった。

局員が雪崩を打つようにして部屋を出ていく。二階の制作局で紙面の最終チェックを行い、印刷工程に回すのだ。粕谷もドアに向かっていた。

悠木は腹から叫んだ。

「待て！　あと一時間あるだろうが！」

粕谷が振り向いた。怪訝そうな顔だ。

「今日は締切は延ばせんぞ」

「なぜです！」

「言ったろう、輪転機の調子が悪いんで、のろい旧型を使わなきゃならないんだ」

悠木は耳を疑った。

そんな話は聞いていなかった。

いや待て……。まさか……。

聞かされていなかった……？

悠木はゆっくりと振り向いた。

社会部長席。等々力は無表情であさってのほうを向いていた。

間に合えばな――。

あの微かな笑みの意味を知った。そういうことだった。等々力は、世界最大の事故の現場雑観に後輩記者の署名を刻ませたくなかった。

「大久保連赤」の亡霊――。

全身がわないていた。男の嫉妬とは、こうまで浅ましいものだったか。

局員が捌《は》けた静寂の中、等々力が席を立った。ドアへ向かう。その背に向かって思いを投げつけた。

「あんた、それでも事件屋の端くれか」

等々力の足は一瞬止まり、だが、振り返ることなく部屋を出ていった。

悠木は椅子に腰を落とした。佐山から電話がくる。この場から逃げ出すわけにはいかなかった。

四十時間以上も寝ていない。だが、眠気は微塵もなかった。

零時半だった。「日航全権デスク」の電話が鳴った。

〈現場雑観いきます！　御巣鷹山にて。佐山、神沢両記者――〉

迫力に満ちた、見事な現場雑観だった。載らない。その一言が悠木には言えなかった。

佐山が息せき切って読み上げる原稿を書き取りながら、悠木は、「日航世代」の記者たちの激しい突き上げを覚悟した。

7

午前三時――。

悠木は編集局の大部屋を出て、灯の落ちた階段を上がった。四階の廊下の突き当たりが宿直室だ。エアコンのスイッチを入れて壁際の簡易ベッドに転がった。車を運転して家まで帰れる自信がなかった。ただの頭痛とは違う。脳が肥大し、内側から頭蓋を圧迫している。そんな感覚がずっと続いていた。

死者五百二十人。

世界最大の航空機事故。

全権デスクの任は想像以上に重かった。自分の能力を遥かに超えていると悠木は思った。戦いは始まったばかりだ。JAL123便が群馬県上野村の御巣鷹山に墜落してから三十二時間。まだ朝刊を二度送り出したに過ぎない。

六時に起こしてくれ。枕元の内線電話で不寝番の記者に頼むと、悠木は汗染みの広がったネクタイを首から引き抜き、片方の手で枕を首の下にあてがった。饐《す》えた臭いに包まれる。若い記者たちの体臭が、泊まり番を卒業して久しい悠木を郷愁と喪失感との狭間に誘い込む。この簡易ベッドは年若い事件記者にとっての止まり木だ。夜討ち朝駆けの合間に羽を休め、しかし、脳は眠ることなく、野心に彩られた短い夢を見る。

脳裏に佐山の鋭角な顔が浮かんでいた。

真夏の炎天下、道なき道を十二時間駆けて御巣鷹山に登った。文字通り決死の覚悟で夜の山を下り、地元紙「北関」の意地を貫いて現場雑観を電話送稿してきた。だが、今から数時間後、県内の家庭に配られる朝刊に佐山の署名記事は載っていない。等々力……。「大久保連赤」世代のスター記者は、新たな世代のスター記者の誕生を望まなかったということだ。

佐山は北関の歴史に名を刻み損ねた。

その反動がどうでるか。佐山は事件取材にとりわけ秀でた、押しも押されもせぬ北関の中核記者だ。我《が》の強さにしても社内で一、二を争う。佐山の出方によっては今後の事故取材に支障をきたす。

報いてやることだ。漠然と思い、悠木は寝返りとともに佐山の顔を消し去った。

安西のことが気掛かりだった。

倒れて病院に入院した……。いったいどこで倒れたのか。原因は何か。

二人で衝立岩に登るはずだった。安西が運び込まれたのは前橋市内の県央病院だという。とすれば悠木と同様、安西も谷川岳には向かわなかったということか。

〈目を開けたまま、でも眠ってるんだって……〉

安西の息子、燐太郎のか細い声が耳に残っていた。

午前七時から紙面建ての会議だ。終われば少しは時間が空く。そうしたらいったん自宅へ寄り、その足で病院へ行ってみよう。妻の小百合に話を聞けば様子はわかる。大したことがなければいいが……。いや、あの豪快無比な安西に限って……。

思い巡らすうち、悠木は自分の寝息を聞いた気がした。

数秒後のことに感じた。体を激しく揺さぶられた。

「おい、起きろ!」

悠木はバネ仕掛けの人形のように上半身を起こした。目脂《めやに》で瞼《まぶた》が張りつき、すぐには目を開けられなかった。だが、声でわかった。広告部長の暮坂《くらさか》――。

シャツの袖で目を擦った。思った通り、暮坂の角張った赤ら顔が眼前にあった。

「こいつァ、どういうことだ。説明しろ!」

いきなり新聞を胸に突きつけられた。今朝の朝刊だ。第二社会面――社会面の右側の頁が開かれている。

「何がです？」

やっと言葉が出た。壁の時計を見た。六時十分。三時間ほど眠っていた。

「すっとぼけるんじゃねえ。広告だよ、広告！　二社面の全五段が飛んじまってるだろうが！」

記憶が呼び覚まされた。

昨夕、共同通信から事故現場の写真が続々と送られてきた。どれも捨てがたかった。全部入れろと整理部に指示した。しばらくして、整理部員が全部は入らないと言ってきた。悠木は怒鳴り返した。だったら広告を外してぶち込め――。

昨夜のうちに、上を通して「外す」と広告局に通告してもらうつもりでいた。だが、忘れた。佐山の安否と安西の入院騒ぎに気を取られて、すっかり頭から消し飛んでいた。

完全に目が覚めた。悠木は両足を床に下ろしてベッドの縁に腰掛けた。

「すみません。外しました」

「上の指示か」

「いいえ。私の判断です」

「なぜそんな勝手な真似しやがった！」

「落とせない現場写真がありました」

「お前、自分が何をしでかしたかわかってんのか」

凄みながら、暮坂は懐から四つ折りにした用紙を取り出して床に手荒く開いた。今朝の朝刊に載るはずだった広告のゲラだ。

《「高崎マーシャル」本日オープン――》

北関東最大の売り場面積を誇るショッピングモールのオープンを知らせる広告だった。

血の気が引くのがわかった。オープン広告がオープンの日に掲載されなかったということなのだ。

悠木は改めて頭を下げた。

「迂闊でした」

「謝って済むか。取り返しがつかねんだよ。お前、いったいどう責任取る気だ」

暮坂は嵩《かさ》に掛かった。

「この広告はなァ、向こうの販促担当が上毛にしか出さないって言うのをウチの池山が口説きに口説いて取ってきたんだよ。その苦労がパーじゃねえか。そのうえ、池山は米つきバッタみてえに床に額こすりつけなきゃならねえんだぞ。その気持ちがわかるかお前に？」

「すみません。事故が大きかったものですから、気が回りませんでした」

「事故が大きかったァ？ ふざけるな。Xデーならともかく、飛行機が落っこちたぐらいで広告外す馬鹿がどこにいるよ」

悠木は暮坂の顔を見た。

飛行機が落っこちたぐらいで……？

暮坂は悠木より二つ上で元々は編集畑の人間だ。政治部が長く、部長昇進の餌に釣られて昨春一階フロアに下りた。広告生え抜きの人間が言うのならともかく――。

悠木は身を乗り出した。

「部長だってわかるでしょう。普通の事故じゃない」

暮坂は顎を突き出した。

「それがどうした。大久保や連赤の時だって広告を外したことはなかったぞ。記事の一本や二本、写真の一枚や二枚落としたって広告は載せるんだ。俺たちはそれでオマンマ食ってるんだからな」

悠木は目線を逸らした。

「なんだそのツラは？　おい、悠木。お前全五段広告が幾らか知ってるのか」

新聞は縦に十五段で作られる。だから全五段は頁の三分の一を占める大きな広告だ。

「知りません」

「百二万五千円だ」

「そうですか」

「そうですかじゃねえだろう。だから編集の連中はいつまで経っても苦労知らずのボンボンだって言われるんだよ」

「ボンボン……？」

「一円も稼がねえで、俺たちに食わせてもらってるんだ。そう言われたって仕方ねえだろう」

編集出身者の言い草とも思えなかった。広告局に移ってたかだか一年半。手のひらを返したようなこの態度はどうしたことか。

悠木の体温は上がっていた。

「新聞社は新聞が商品でしょうが。こっちはその新聞を作ってるんだ、稼いでないなんて言わせませんよ」

「青いことをほざくな。購読料なんて微々たるもんだ。広告収入がなけりゃあ幾ら天下国家を語ったところで新聞は一日たりとも出せねえんだよ」

「新聞本体がちゃんとしてなきゃ広告なんぞ一つもつかんでしょうが」

悠木が声を荒らげると、暮坂は一瞬怯み、だが、それを覆い隠すように広告のゲラを激しく目の前で振った。

「屁理屈を言うな！　どうするんだ？　お前が払うのか、この損失」

「背負いますよ。総務を通して月賦で請求して下さい。ただし言っておきますが、ゆうべの状況と同じことが起こったら、俺はまた広告を外しますよ」

売り言葉に買い言葉だった。悠木はもはや自らの非を認める気にもならなかった。

「なんだと？　もう一遍言ってみろ！」

「部長も編集あがりなら忘れんで下さい。紙面制作の一切の権限は編集局にある。口出しは無用に願います」

「てめえ――」

枕元の電話が鳴りださなかったら摑み合いになっていた。

社の不寝番ではなく、上野村役場で寝泊まりしている戸塚からだった。藤岡支局の五年生記者だ。

〈御巣鷹山の臨時ヘリポートが間もなく完成するそうです〉

「じゃあ、遺体の搬出が始まるな？」

〈ええ、八時半をメドに開始です〉

「事故調の連中はそっちに着いたか」

〈はい……？〉

「運輸省の事故調査委員会のメンバーだ。到着したら一応マークしてくれ」

受話器を置き、目線を戻すと、暮坂は白けた顔でドアの前に立っていた。

「まったくよ、お前は話せる男だって聞いてたがな」

含みのある言い方だった。聞き返す間も与えず、暮坂は苛立った靴音を残して廊下に消えた。

話せる男？　誰がそんなことを暮坂に言った……？

ネクタイを締める間だけ考えた。悠木は立ち上がりかけたが、これみよがしに床の真ん中に広げられたオープン広告のゲラに気づいて膝を折った。摘み上げ、真っ二つに引き裂くと、会議用の頭に切り換えて宿直室を後にした。

8

午前七時。三階の編集局長室には眠たげな三つの顔が揃っていた。

粕谷局長は机で電話中だった。

追村次長と等々力社会部長はソファで向かい合って座っていた。二人して今朝の朝刊の株式欄を指でつついている。

「日航、四百十円も下がってるぞ」

「ま、一昨日は千円のストップ安ですからね。釣られて全日空まで下がっちまって」

悠木はソファの隅に腰を下ろした。

不思議な思いにとらわれる。

かつて、この三人に父の幻影を探し求めたことがあった。入社したての頃だ。幼い時分、父に蒸発された悠木にとって、会社の上司とはそうした存在だった。社会部デスクだった粕谷。サッ廻りを背負って立っていた追村と等々力。歳から言えば兄ほどしか離れていない三人の颯爽とした姿に、顔すら知らない父の姿を重ね合わせていた。強く、頼もしく見えた。恐ろしく懐の深い男たちに思えた。彼らが確固たる意思と信念のもとに記者職を生きていることを、いささかなりとも疑ったことはなかった。だが――。

粕谷が受話器を置いた。苦い薬を飲み干した時のような顔だ。

「悠木――外すなら外すとひとこと言え」

電話の相手は広告局長の浮田《うきた》だった。例のオープン広告の一件を暮坂から聞き、憤慨していたという。

「すみません。以後気をつけます」

「頼むぞ、本当に。日がな連中はこっちのミスを探してるんだ。まったく、胃が幾つあっても足らん。付け込む隙を与えないようにくれぐれも注意してくれ」

忌ま忌ましそうに言って、粕谷は本当に胃薬を飲んだ。どれほど些細な揉め事も放っておけない。「調停屋」「ノミの心臓」。局内で流通している綽名はそんなものばかりだ。

上司のメッキが剝がれるたび、悠木の心はささくれ立ったものだった。失望は大きく、それは後々まで尾を引いた。

「じゃあ、やるか」

粕谷がソファに巨体を移し、追村と等々力も座り直した。

「今日の紙面建てだ。悠木、お前の考えを言ってみろ」

一つ頷き、悠木は口を開いた。

「初日は墜落。二日目の昨日は四人生存でした。今日の柱はおそらく四つになると思います」

「四つ？　多いな」

悠木はメモ帳を開いた。

「まずは山での遺体搬出作業。これは間もなく始まります。次いで藤岡市民体育館で行われる遺族と遺体との対面。あとは生存者の証言と事故原因です」

「事故原因についちゃあウチはお手上げだ。それに後部ドアの破損で決まりなんだろ？」

「いや、尾翼の破損のほうが可能性が高いようです。根っこのところはわかりませんが」

「尾翼な……。まあ、いずれにしても共同に頑張ってもらうしかないな」

投げやりに言って、粕谷は背もたれに百キロ近い体重を預けた。

悠木は引き戻すように言った。

「端《はな》から捨てる手はないでしょう。事故調が今日現地入りします。次席クラスが泊り込むようなので、工学部出の玉置《たまき》を張りつけてみるつもりですが」

「ん。やるだけはやってみろ」

「そうします。続いて遺体の搬出作業ですが」

言いかけた時、追村が口を挟んだ。

「搬出より対面だろう。悲しみの対面——今日の紙面はそれで決まりだ」

早くも癇癪玉が破裂しかかっていた。一時が万事、攻撃的な物言いで自説を押し通そうとする。陰に構えて狡猾な策を巡らす等々力とは対照をなす男だ。

「何百もの遺体をヘリで搬出するんですよ。前代未聞でしょうが」

悠木が言い返すと、追村は目を尖らせた。

「そんなもんは写真一発押さえときゃいい。泣かせで作れ。いいな」

悠木が押し黙ると、調停屋そのものの顔で粕谷が身を乗り出してきた。

「まあ、そう結論を急ぎなさんな。それより、悠木、さっき言った生存者の証言だが、取れる見込みがあるのか」

「無論、肉声は無理です。ただ、おそらく今日辺り、短い時間でも家族が面会すると思います。病院を張らせて、家族が出てきたところをつかまえようかと」

「なるほど。事故当時の機内の様子でも聞き出せれば特ダネになるな。ましてや一人はスチュワーデスだ。かなり専門的なことも喋れるだろう」

救出された女性の一人が、日航のアシスタントパーサーだった。仕事ではなく、プライベートで123便に乗り合わせていた。

「抜け駆けなんぞできっこない。どのみち、各社、ベタ張りだ。そんな無駄玉を使わずに市民体育館の対面に全員ぶち込め」

追村がまた横槍を入れてきた。話を逸らすように、粕谷は等々力に顔を向けた。

「今日は兵隊は何人出せる?」

人員の割り振りは社会部長である等々力に権限がある。

「二十人……ってところですね」

「三十人出して下さい」

すかさず悠木は強い口調で言った。

金縁眼鏡が悠木に向いた。ブラウンの色付きレンズの奥で二つの瞳が鈍く光った。

悠木も真っ直ぐ等々力を見た。この部屋に入ってから視線を合わすのを避けていたが、等々力がその気とあらば睨み合うのに吝《やぶさ》かではなかった。

深夜の憤怒が蘇る。輪転機の不調で締切時間が延長できないことを悠木に伝えなかった。それがために、佐山の現場雑観は幻と消えたのだ。等々力にしても、悠木が投げつけた台詞をよもや忘れてはいまい。

あんた、それでも事件屋の端くれか――。

先に口を開いたのは等々力のほうだった。

「ウチは全国紙じゃないんだ。二十人以上出せば他の取材に手が回らなくなる」

「二十五人。ならば調達できますか」

すぐさま中間をとった。話が長引けば、粕谷と追村は等々力の側についてしまうに決まっている。

等々力は手元の綴りを捲った。

「二十五人……ならどうにかなるな」

「じゃあ、それでいけ」

粕谷が即決し、振り分けはどうするのか悠木に聞いた。

「市民体育館に十人。病院に五人。残る十人は御巣鷹に登らせます」

「おい！」

今度こそ追村の癇癪玉が弾けた。

「なんで山に十人もやるんだ？　対面にもっと割《さ》け」

「県警は全職員の半数にあたる千四百人を現地に投入してます」

「連中はちゃんと仕事がある。こっちが十人も出してどうする？　山で遊ばすつもりか？　お前、安西の野郎にかぶれておかしくなっちまったんじゃないのか」

一瞬、思考が止まった。追村はゆうべも安西のことを悪し様に言った。あんな奴と付き合わんほうがいいぞ、と。

勘のようなものが働き、暮坂広告部長の不可解な朝の一言も同じ線上で繋がった気がした。話せる男。悠木のことを暮坂にそう吹き込んだのは、ことによると安西だったのではないか。

悠木は思考を戻した。追村の強硬意見を押し返さねばならない。

それなりに腹を括って口を開いた。

「結果として遊びになってもいいんじゃないですか」

三人はぎょっとした顔を見合わせた。

追村が探る目で言った。

「どういう意味だ？」

「世界最大の事故現場を踏むってだけでも価値があるってことですよ。墜落してまだ三十六時間しか経っていない。今のうちに、できる限り多くの記者を現場に行かせるべきだと思います」

「おう、あんまり思い上がるなよ。お前、記者教育のために実際の現場を使おうって言うのか。ウチにそんな人的余裕があるかよ」

予想された反応だった。

「無論、仕事はさせます」

悠木はメモ帳の紙を破り、ペンを走らせた。『墜落の山・御巣鷹』――。

「一面で十回シリーズをやります」

「連載ってことか」

「拡大版の現場雑観とでもいうような企画です。主力記者を投入して日替わりで署名記事を書かせます」

等々力に言ったつもりだ。通じたのだろう、いかにも不愉快そうな声が部屋に響いた。

「山は遺体収容と搬出の単調な繰り返しになる。十日もネタがもつはずないだろう」

「そんなわけないでしょう」

悠木は等々力を睨み付けた。

「一瞬にして五百二十もの命を呑み込んだ山です。ネタが出てこないほうがおかしい」

「感覚でモノを言うな」

「感覚で言ってるのは部長のほうでしょう」

「なに?」

悠木は改めて腹を括った。

「大久保や連赤の感覚で測れる現場じゃないってことですよ」

等々力の目が本気になった。粕谷と追村の顔色も変わった。

悠木は三人の目を順に見据えた。

「我々の想像を超えた現場だと思います。わからないものを取材させるからには、器を大きく構えるしかないということです。それに、現場で他社を圧倒するというのが八十年変わらぬ北関の伝統のはず」

三人は押し黙った。

ドアにノックの音がして、編集庶務の依田千鶴子《よりたちづこ》がお茶を運んできた。部屋の空気を敏感に感じ取ったらしく、愛嬌のある前歯を覗かせることなく宙に一礼してそそくさと立ち去った。

粕谷が巨漢に似合わぬ小さい息を吐いた。

「わかった。やってみろ」

悠木を全権デスクに据えたのは粕谷だ。ここで潰すわけにはいかないと考えたに違いなかった。

追村が舌打ちをしたが、それだけだった。等々力は壁に目を向けていた。発言の気配はない。

悠木はふっと内臓が浮き上がるような快感を覚えた。この三人を相手に丸々意見を通せたのは初めてのことだった。

「だが、現場には辿り着けるのか？　昨日行けたのは二人だけだったんだろ？」

「既に自衛隊と県警がスゲノ沢から山頂までの索道造りに着手してます。それを使いながら登れば二、三時間で行けると思います」

粕谷と悠木のやり取りに、追村が鼻を鳴らした。

「現場雑観とか言ったって、フタを開けてみりゃあ、自衛隊と県警をヨイショする提灯記事のオンパレードになるんじゃないのか」

追村の自衛隊アレルギーはつとに有名だ。以前、自衛官募集の広告を載せる載せないで揉めた際、最後まで強硬に反対してボツに追い込んだ。

「悠木――言っとくが、俺は遺族に絞るべきだと思う。いろいろ欲張らないほうがいいぞ。どっちつかずの紙面ほどみっともないものはないからな」

捨て台詞のようなものを残して追村は席を立った。等々力も後に続いた。嫌悪の籠もった目で悠木を一睨みして部屋を出ていった。

「ま、揉めずにうまくやってくれ」

薄ら笑いの張りついた粕谷の顔には、かつてない巨大航空機事故に直面したジャーナリストの緊張感はなかった。

9

七時半を回っていた。編集局の大部屋には朝日が射し込み、早朝出勤の局員が舞い上げたミクロの埃を映し出していた。

静かだった。「世界最大の航空機事故」は、テレビ画面のニュース映像の中だけに存在していた。粕谷局長ら幹部ばかりに限ったことではない、悠木もまた、今回の事故を実感として受け止められずにいる自分を感じていた。現場を踏んでいないからに違いなかった。関越自動車道を使えばここから車で二時間余り。御巣鷹山は、しかし、距離や時間では測ることのできない、遥か遠くの存在に思える。

悠木はデスクにつき、取材班の記者二十五人をセレクトする作業を始めた。既に昨日の段階で十二人を専従として動かしているから、残る十三人を県下に散らばる支局員の中から選びだす。フットワークのよさそうな記者を選んで名前を書き出していくが、地域バランスも考え、東とか西とかに偏らないようにせねばならない。「次の事件」はどこで起こるかわからないからだ。

ポケベルを呼んでくれるよう依田千鶴子に名簿を手渡した時、岸がフロアに姿を現した。隣の政治部デスク席にショルダーバッグを置く。

「今日も暑いのか」

岸の顔が汗ばんでいるのが意外に思えた。悠木のほうはと言えば、二日前の午後から社屋を一歩も出ることなく、エアコンの冷気に晒《さら》され続けている。

「朝っぱらからギラギラだ――おい、顔色悪いな。少しは寝たのか」

「寝た。それよか、さっき、東京の青木から電話があったぞ」

「靖国の関係か」

「ああ。中曾根は本殿には上がるが一礼するだけにとどめるそうだ」

「玉串は？」

「省くらしい。夕方に正式発表になると言ってた。ウチに夕刊がありゃあな」

「上には青木ネタってことで耳に入れとくよ」

「ああ。そうしてやれ」

「そっちはどうだ？」

岸はデスクの上に山積みになった原稿を顎で指した。

「今日から遺体搬出だ」

「へえ、もうかよ。群馬県警もやるもんだな」

「自衛隊があっと言う間にヘリポートを造っちまったからな」

「やっぱ、こういう時は自衛隊だな」

「と言っても捜査権はない」

「えっ？」

「県警がゆうべ遅く特捜本部を立ち上げた」

岸は目を丸くした。

「特捜？　おい、この事故、県警が調べるっていうのか。まさかだろ？」

「発生地主義だからな」

「そいつは酷だな。県警にとっちゃあ、とんだもらい事故だ」

言ってしまってから、岸は自分の台詞に顔を顰《しか》めた。

「ウチにとってもな」

悠木は岸の失言を引き取った。

もらい事故――。

いずれは局の内外からそうした声が出てくるのだろうと悠木は思った。殺人事件では珍しくない。山間地を多く抱える群馬はしばしば「死体の捨て場所」にされる。犯人が首都圏から車で死体を運んでくるのだ。その都度、県警は大掛かりな捜査を余儀なくされる。北関も同じだ。多くの記者が取材に駆けずり回る。他県の人間が他県で起こした事件のために。

たかが飛行機が落っこちたぐらいで。広告部長の暮坂はいみじくもそう言った。東京と大阪を結ぶ、群馬とは縁も所縁《ゆかり》もない飛行機が、長野との境にある塀のこちら側に落ちた。本心、そんな程度の受け止め方なのだろう。

悠木の裡にもそれに似た思いがないとは言えない。実際、どこに墜落したかわからず情報が錯綜《さくそう》している間、長野であってほしいと願っていた。今もその思いは完全には吹っ切れていない。なぜ航路のない群馬だったのか。どうして自分が全権デスクなどという重荷を背負わされる羽目になったのか。

悠木でさえそうなのだ。ただのもらい事故じゃねえか。声の大きい誰かが言いだせば、この事故は社内で一気に風化する可能性があった。世界最大の航空機事故。その神通力もそう長くはもたないかもしれないと悠木は感じていた。そうなった時、自分は肩の荷が下りて安堵の息を吐くのか。それとも口惜しい思いを抱くのか。今の悠木にはどちらとも想像がつかなかった。

フロアに人が増えてきた。

呼び出したポケベルの応答が相次ぎ、悠木はそれぞれの持ち場を伝えた。内心、早く掛けて来ないかと待っていた川島からの電話は一番遅かった。

〈川島です……呼びましたか〉

脅えの入り混じった声だった。昨日、御巣鷹山登山を命じたが、道に迷い、敢えなく敗退した。

「今日も登ってくれ」

〈……〉

「現場雑観の連載を始める。今日、お前を含めて十人登らせるから指揮を執《と》れ」

〈私には……〉

「大丈夫だ、県警が索道を造ってる。昨日みたいなことにはならない」

どうにか説得したが、電話を切っても不安が残った。川島は元々気が弱い上、昨日の失敗ですっかり自信をなくしてしまっていた。奮起を促すよりほかなかった。駆け出しではない。後輩を指導する立場の七年生記者だ。県警のサブキャップを張ってもいる。それが「登れませんでした」では、彼にとっても後々の記者人生に響く。

手配が一段落したところで、悠木は佐山と神沢のポケベルを呼んだ。

現場に向かわせるためではなく、社に呼び上げるためだった。昨日の労をねぎらい、労に報いる。連載の第一回は佐山に書かせると決めていた。

電話が鳴り、悠木は少なからず構えて受話器を上げた。佐山でも神沢でもなかった。

〈戸塚です――ヘリポートが完成しました。間もなく遺体収容作業が始まるそうです〉

「わかった。ご苦労さん」

悠木は受話器を置き、また二人のポケベルを鳴らした。

応答はなかった。

どこかで今朝の朝刊を読んだということだろう。自分の書いた現場雑観が載っていないのを知った。落胆した。憤った。そして、ポケベルのスイッチを切ったか。

もう一度、二人を呼んだ。

デスクの電話は鳴らない。

悠木は短い息を吐き、目線を上げた。八時十分。午後からはまた膨大な原稿に忙殺される。自宅と安西の病院。行くなら今しかなかった。

「岸、二時間ほど頼む」

言った時だった。背後で、ピー、ピーとポケベルの呼出音がした。

振り向いた悠木は目を見張った。

佐山と神沢が部屋に入ってきたところだった。

悠木だけではない。二人に気づいた誰もが息を呑んだ。

ひどい恰好だった。白かったはずのYシャツはまっ茶色だ。汚れているというのとは違う。白い部分がまったく残っておらず、まるで茶色の染料で染め抜いたかのようだ。それとは逆に、大量の汗が乾いてそうなったのだろう、紺色のズボンは塩を吹いて真っ白だった。日焼けした腕には無数の切り傷がある。相当に藪漕ぎをした。そして、なにより、佐山の目が悠木を驚かせた。

ゾッとするほど暗く、憂いに満ちた瞳だった。

とんでもないものを見てきた。悠木はそう直感した。

佐山は真っ直ぐ悠木のところへ歩いて来た。

「ポケベル鳴らしましたか」

声は老人のように嗄れていた。

「呼んだ。ご苦労だったな」

「現場雑観、なぜ落としたんです？」

怒りなどとっくに通り越してしまったのかもしれない。佐山はいたって冷静だった。

悠木は佐山の目を見て答えた。

「輪転機が故障した。古いのを使うんで降版時間を延ばせなかった」

等々力がしたことを話すつもりはなかった。降版を延ばせないことは悠木に伝えた。等々力にそう言われてしまえば、あの混乱の中でのことだ、水掛け論に決着を求めるのは無理だとわかっていた。

佐山は納得する様子もなく二度三度と曖昧に頷いた。

「だったらなぜ雑観を送った時、そう言わなかったんです？」

「言えなかった」

「そうですか」

佐山はまたふわふわと頷いた。心ここにあらず。そんなふうにさえ見える。

悠木は、しかし、目の前の佐山よりも、その背後で与太者のように体を揺らしている神沢が気になり始めていた。

佐山とは対照的にギラギラとした瞳で先ほどからずっと悠木を睨み付けている。二十六歳の三年生記者。まだ駆け出しと言っていい。ちょっと見には優男《やさおとこ》で、どちらかと言えば押し出しの弱い、目立たない記者だったと記憶していた。伏兵現る。まさしく、ここにいる神沢がそれに当てはまりそうだった。

悠木は二人を廊下に連れ出した。ソファセットのある自動販売機コーナーでアイスコーヒーを三つ落とした。他局の人間がボロ雑巾のような二人をジロジロ見ながら通り過ぎる。その連中を威嚇するように神沢が眉間に皺を寄せる。

「現場はどうだった？」

悠木が訊《き》くと、佐山は一瞬怯えたような表情を見せた。

口を開いたのは神沢のほうだった。

「もう何もかもバラバラでしたよ。首も手も足も——」

たっぷり一時間、話を聞いた。

もっぱら神沢が喋った。自衛隊の後ろについて長野側から山に入ったが、実際には尾根が三つも違っていたこと。急峻な瓦礫の谷を滑落同然に何度も下りたこと。水も食料も持ち合わせがなく、フィルムケースで泥水を飲んだこと。背丈より高い熊笹の密生地を進み、崖を這い上がってようやく現場に辿り着いたこと。遺体を踏まずに歩ける場所がなかったこと——。

いつの間にか、局の人間が幾重にもソファの周りを取り囲んで話を聞いていた。他局の人間も大勢足を止め、遠巻きにして耳を傾けている。

神沢の瞳の輝きは普通ではなかった。壊れたスピーカーのように現場の凄惨さを克明に語り続けた。とりわけ、遺体の状態については微に入り細をうがち説明した。本当に、人間性のどこかが壊れてしまったかのようだった。

一方の佐山は終始伏目がちで精彩がなかった。一つ語るたびに逡巡した。何かを畏れ、何かに取り憑かれているようにさえ見えた。深夜の電話では勢い込んで雑観を送ってきた。その後、心に揺り返しが起こったか。現場で目にしたものを反芻し、そして佐山も、神沢とは別の壊れ方をしていったということか。

悠木は、神沢の話の内容よりも、二人のギャップの大きさに、墜落現場の凄絶さを見た思いがした。

「もう一度現場雑観を書いてくれ」

悠木は佐山に顔を向け、連載企画の話を切り出した。

佐山は腕組みをして黙り込んだ。

「そんなの、いまさらじゃないですか」

神沢が食って掛かってきた。

「今朝の新聞に載らなきゃ意味ないッスよ。こっちは命懸けで送ったんだ。なのに使わなかった。そうでしょ」

悠木は神沢に目を向けた。

「使わなかったんじゃない。使えなかったんだ」

「冗談じゃないッスよ。共同の記事で全部作っちまって。俺たちを馬鹿にしてるとしか思えないじゃないですか」

「そうじゃあない」

悠木は語気を強めたが、神沢は益々荒ぶって局の批判を言い募った。半分は、周囲の人間たちに聞かせていた。ギャラリーが大勢いたことが、神沢を必要以上に興奮させてしまっていた。

悠木は佐山に顔を戻した。

「お前の意見は？」

ややあって、佐山は口を開いた。

「神沢と同じです。雑観は確かに送りました」

静かな物言いではあるが、北関の歴史に名を刻み損ねた無念さと憤りが言葉に滲んでいた。

「俺が頼んでもか」

「もう送りました」

悠木は唇を噛んだ。

後輩の記者相手に手を拱《こまね》いている自分がもどかしく、腹立たしくもあった。現場雑観は確かに載せてやれなかった。しかし、だからこそ労に報いるためにこの企画を考え、会議でごり押ししたのだ。もう引っ込みがつかない。肝心の佐山にそっぽを向かれ、企画が頓挫《とんざ》したとあらば、追村や等々力にどれほど嗤われるかわからない。

悠木は声を落とした。

「あんなのが雑観と言えるのか」

佐山の頬がぴくっと動いた。

「あんなの……？」

「夜中に受け取ったのはたった三十行ぽっちの原稿だった」

「仕方ないでしょう。時間が時間だったんですから」

「わかってる。だからあれは北関の意地だ。現場雑観じゃない」

子供騙しを口にした。だが、事件記者が小利口な大人になってしまったら、もう事件記者とは言えない。

「八十行でも百行でも書きたいだけ書け。お前が見てきたものをちゃんと読ませろ」

今度は本音だった。

今が旬の敏腕記者を、一夜にして流行病《はやりやまい》に罹ったかのごとく物憂げな男に変貌させてしまった正体はいったい何なのか。本心、悠木は知りたかった。

佐山はしばらく考えていた。

「わかりました。書きます」

その表情に若干、赤みが差していた。神沢が騒ぎ立てたが、佐山の決意は固かった。

局の大部屋に戻ると、テレビはヘリによる遺体搬出場面を映し出していた。

デスクの上には原稿と情報メモがひと渫《さら》い増えていた。

《運輸省航空事故調査委員会のメンバー十三人が現場到着。ボイスレコーダーとフライトレコーダーの回収作業を開始》

《多野総合病院の医師団が会見。入院中の生存者について「血圧、呼吸ともに正常に落ち着いた。二、三日中にも一般病棟に移れそうだ」と説明》

《第三管区海上保安本部の巡視船が江ノ島の南十八キロの相模湾で事故機の機体の一部を発見》

原稿を捌《さば》きながら、悠木は時折、大部屋の対角に視線を投げた。隅の机で、佐山が背中を丸めている。ペンの動きは鈍い。いつもなら、二、三十分で社会面のトップ記事を仕上げてしまう男が。

結局、佐山が原稿の束を手に寄ってきたのは三時間もしてからで、もう昼休みも終わろうとしていた。

「お願いします」

顔を見ると、頬の強張りは幾分和らいでいた。

「ご苦労。すぐに読む」

「書いてよかったです。少し落ちつきました」

らしくない台詞を残して佐山はドアに足を向けた。

悠木は原稿と赤ペンを手元に引き寄せた。厚みがある。百行以上書いていた。

前文を読み始めてすぐ、悠木はぶるっと体を震わせた。夜中に電話送稿してきた雑観とはまるっきり違っていた。それは、およそ新聞原稿とも思えぬ書き出しだった。

【御巣鷹山にて＝佐山記者】

若い自衛官は仁王立ちしていた。
両手でしっかりと、小さな女の子を抱きかかえていた。赤い、トンボの髪飾り。青い、水玉のワンピース。小麦色の、細い右手が、だらりと垂れ下がっていた。
自衛官は天を仰いだ。
空はあんなに青いというのに。
雲はぽっかり浮かんでいるというのに。
鳥は囀《さえず》り、風は悠々と尾根を渡っていくというのに。
自衛官は地獄に目を落とした。
そのどこかにあるはずの、女の子の左手を探してあげねばならなかった――。

悠木は赤ペンを机に置いた。

何度も前文を読み返し、それから本文を読み進んだ。感情が収まるのを待って席を立った。それでも、見てきたかのように現場の光景が瞼から離れなかった。

整理部長の亀嶋に原稿を手渡した。

「カクさん、これ、一面トップで」

「どうしたん？　赤い目して」

悠木は答えず、ネクタイを緩めながらドアに向かった。

10

夏の光が皮膚に痛いほどだった。

駐車場へ向かう悠木の足取りは軽かった。二日ぶりに社屋を出た解放感がある。墜落事故の喧騒からもいっとき逃れられる。なにより、佐山の現場雑観に目を通したことが、悠木の心に透明感を与えていた。

車にはすぐには乗り込めなかった。悠木は窓を全開にし、エアコンで車内の熱気を追い出した。北関の本社がある総社町から高崎の自宅までは、車で二十分ほどの距離だ。そのあと前橋に戻って県央病院に回るつもりだから、のんびりとした運転にはならなかった。

家の駐車場には赤い軽《けい》がとまっていた。声も掛けず、突然居間に姿を現したが、弓子は驚くでもなかった。

「あら、お帰りなさい。飛行機でしょう？　山に行ってたの？」

「本社でデスクをやらされてた」

「ずっと？」

「ああ」

「じゃあストレス溜まったんじゃない？」

記者よりも記者のことがわかる。十五年も一緒にいればそういうことになるのだろう。

「淳は？」

「いるわよ」

微かに心が波立つ。なぜ出てこない——。

「由香は？」

「友だちとプール」

「スポ少は？」

「あなた、お盆よ」

笑う弓子に、汗くさいYシャツとネクタイを放った。

「で、また出社？」

「ああ。シャワーを浴びたら出る。二、三日分、着替えを詰めといてくれ」

「大変？」

「ちょっとな」

悠木が冷蔵庫から麦茶を取り出していると、背後をパジャマ姿の淳が通った。「おっ」と声を掛けると、いつもの「あ」が返ってきた。テレビの脇の本棚からマンガ本を摑みだし、ソファに寝ころんで読み始めた。中学に入ってぐっと背が伸びた。踝《くるぶし》から先が三人掛けのソファに納まりきらなくなっている。

キッチンに入ってきた弓子に小声で訊いた。

「なんでパジャマなんだ？」

習慣で弓子も声を潜める。

「風邪気味なのよ」

「熱があるのか」

「ないみたいよ」

「計ってみたのか」

「さあ」

「薬は？」

「自分で聞いてみたら」

そう口にする時の弓子の目が嫌いだ。憐れみと、突き放すような残酷な色が同時に浮かぶ。あなた父親でしょ？　三年前、そう言って悠木に頰を張られて以来、同じ問いを目で語るようになった。

学生時代にはもう同棲していたから、互いに大概のことは知っている。だが、悠木は父の蒸発に限っては弓子に秘していた。悠木が中学生の時、病気で死んだことになっている。生い立ちに引け目を感じて嘘を言ったわけではなかった。父が蒸発した事実を話すことは、赤子を抱えた母が、どうやって食べていたのかという疑問を弓子に抱かせると思った。

あの当時、何人の男が家に出入りしていただろう。納屋の奥で、幾つの眠れぬ夜を過ごしたろう。九年前、母が心不全で逝った時、悠木は一人安堵の溜め息をついた。社会に出て独り立ちした男にとって、後ろ暗い過去を持つ母親は、ただの弱みでしかなかった。

悠木と淳は相性が悪い。弓子は単純にそう思い込んでいるようなところがある。どちらの肩を持つでもなく、間に入ってうまくやっている。それならそれでいい。この先もずっと、弓子を介して淳と付き合っていけばいい。最近ではそんな諦めにも似た気持ちを抱くようになっていた。どのみち、あと十年もすれば淳はこの家から巣立っていく。それまで関係をひどく拗《こじ》らせないように注意を払いながら、ぼんやりとした父と子であり続ければいい。

悠木はキッチンを出た。

「淳――」

「あ」

感情の乏しい瞳がこっちに向いた。

「風邪だって？」

「あ」

「熱は？」

「ない」

「ちゃんと計ったのか」

「う」

「クーラーの当たらないところで転がったほうがいいぞ」

「う」

悠木は風呂場に向かった。

「うるせえ」の「う」であることはわかっている。だが、「うん」の「う」だとも言い張れることに気づいて、淳は五年生の頃からそれを多用するようになった。父親に殴られないために。そして、おそらくは父親に服従しないために。

そんな淳の内面を見抜き、逆上したことがあった。悠木が顔面を殴りつけると、よろけた淳は咄嗟にテーブルの上のハサミを握った。その刃先が悠木に向けられることはなかった。親を憎むには幼なすぎた。淳は、垂直に立てたハサミの刃先を、寄った両目で睨みつけ、獣のような唸り声を上げ続けた。

水に近いシャワーを浴び、着替えの詰まったバッグを下げて家を出た。

県央病院へ向かう車中、悠木は重たい息を何度も吐いた。

淳の顔は熱っぽいように見えた。額に手を当ててやる。そんな当たり前のことすらできなくなっていた。

家族を渇望して生きてきた。父と母と子と。そこには絶え間のない笑みが存在すると信じていた。幸せになりたくて家庭を持った。淳も由香も自分の心の飢えを満たすためにもうけた。それぞれがまた親となり、苦悩の中を生きていかねばならないことを、悠木は考えてみたことがなかった。

一人で生きていくべきだったと思う。恋愛も結婚もせず、子供も作らず、父と母を憎み呪いながら一人朽ち果てていけばよかったのだと思う。

悠木はアクセルを踏み込んだ。

病院へ向かう。安西の容体を心配しているはずの自分が、その安西に某《なにがし》かの救いを求めているような気がして、悠木の心はさらにくすんだ。

11

県央病院は塗り替えたばかりの白壁が目に眩しかった。

お盆だというのに駐車場は満杯で、病院の敷地から随分と離れた第二駐車場に車を回さねばならなかった。

悠木は早足で建物に向かった。一階ロビーには大画面テレビが置かれていて、藤岡市民体育館の映像が流れていた。目にハンカチを押し当てた女性が、肩を抱かれながら歩いている場面だった。遺体の身元確認を終えた直後だろうと思った。画面を見つめる人の多くは無表情だった。長椅子の端に座っていた老婆の呟きが耳に届いた。

あんなに泣いてもらえればねえ……。

悠木は受付で安西の病室を尋ね、エレベーターで五階の外科病棟に上がった。廊下の突き当たりに近い右手の部屋。その「508号室」は個室だった。

ノックをすると、ややあってドアが細く開き、安西小百合の白い顔が覗いた。

悠木が事態の深刻さに気づいたのはその瞬間だったかもしれない。心配はしていた。しかし、悠木は悠木で降って湧いたような巨大事故の渦中に巻き込まれ、人のことに心を砕く余裕など実際のところなかった。ましてや、殺しても死なそうな安西のことだ、病気や怪我でどうにかなってしまった姿を想像するのは難しかった。だが——。

小百合は別人のようにやつれていた。不安。悲しみ。恐れ。そうした押し隠すことのできない幾つもの感情が混ぜこぜになって、べったりと顔に張りついていた。

「会えますか」

悠木が訊くと、小百合は小さく頷いた。

「ええ。でも悠木さん、驚かないで下さいね」

意味を測りかね、多分に緊張して病室に足を踏み入れた。

安西は医療用の電動ベッドに横たわっていた。頭に白いネットを被っている。腕に点滴の管が繋がっていた。

「安西――」

悠木は思わず声を掛けていた。

安西が目を開いていたからだった。

反応はなかった。

息子の燐太郎が電話で言った通りだった。安西は目を開けたままベッドで眠っていた。

いや、本当に眠っているのか。キラキラと輝く大きな瞳は日頃のままだ。悪戯っぽく笑っているようにさえ見える。その瞳がキョロッとこっちに向き、「よう、悠ちゃん」と今にも話し掛けてきそうだ。

だが、安西の瞳は動かない。何かを見ているようで、実際には何も見ていないのだ。手を握った。温かい。強く握った。握り返してこない。いつもなら、その大きな手が悠木の肩を揺さぶるはずなのに。

戦慄は遅れてやってきた。

安西……お前……。

「どうぞ」

小百合はパイプ椅子を開いて悠木に勧めた。

「奥さん、いったい……」

言いかけたものの、悠木は何から訊けばよいやらわからなかった。

「クモ膜下出血だったんです。手術はしていただいたんですが……このまま植物状態になるかもしれないって……」

そこまで言って、小百合は両手で顔を覆った。

植物状態……。

すぐには思考が動き出さなかった。

「そんな馬鹿な……」

悠木はぼんやりと言った。

「瞬《まばた》きだってするんですよ。でも、声をかけても何も言ってくれなくて……」

返す言葉が見つからなかった。

小百合は涙を断ち切り、健気に茶の支度を始めた。

「お構いなく。すぐに失礼しますから」

「そんな。いてあげてください。この人、話し相手がいなくて寂しがってたんです」

小百合は無理な笑顔を作って見せた。

話し相手がほしかったのは小百合のほうだったと思う。さっきの顔を見ればわかる。物言わぬ夫の傍らで絶望感に苛《さいな》まれていたのだ。

悠木に茶を出すと、小百合も椅子に腰掛けてベッドの安西に視線を向けた。悠木もそうした。

トレードマークだった泥棒髭が、こうなってみると痛々しく目に感じられる。

「悠木さんと山に行くはずだったんですよね……」

「安西は向かわなかったんですか」

「はい……？」

「あの晩お宅に電話しましたよね。私は飛行機事故が入って約束の電車に乗れなかったわけです。安西も乗らなかったってことでしょうか」

「そうだと思います。前橋の道端で倒れて、救急車で運ばれたんです」

「前橋のどこです？」

「城東町とか……」

歓楽街だ。ならば飲んでいたのだろう。安西が所属する販売局は新聞販売店主の接待が多い。急に呼び出され、それで電車に乗れなかったということか。

「酔って、道端で倒れたんですね？」

「いえ、お酒は飲んでいなかったようです。お医者さんがそう言ってましたから」

「飲んでなかった……？」

にわかに信じられなかった。安西は無類の酒好きだ。接待にせよ、そうでないにせよ、城東町をしらふで歩いているはずがない。それとも時間が早く、馴染みの店に向かう途中だったか。

「何時ごろだったんです？」

「夜中の二時過ぎでした」

悠木は首を捻るほかなかった。

「一人だったんですか」

「みたいです。道端に倒れているのを通り掛かった人が見つけて救急車を呼んでくれたそうです」

悠木は安西の顔を見た。

不思議でならなかった。夜中の二時に歓楽街に足を踏み入れながら、酒も飲まず、一人でいったい何をしていたのか。

だが、その経緯を知ったところでどうなるものでもなかった。それより、これからのことだ。安西が意識を取り戻す可能性はあるのか。

「医者はどんな言い方をしてるんです？」

途端に小百合の顔が曇った。

「ですから、悪くするとこのまま植物状態に……」

言いかけて、小百合はバッグからメモ帳を取り出した。挟んであった紙を開く。

『遷延性意識障害』

男文字でそう書かれていた。

「いろいろ治療してみて、それでも三カ月以上この状態が続くと医学的にはそう呼ぶんだそうです。難しくて覚えられません。覚えたくもないですし……」

日ごろ無口で控えめな小百合が、今日に限って多弁であることが気になっていた。よほど精神的に追い詰められているに違いない。

悠木は頭で言葉を作ってから口を聞いた。

「意識が戻った例はたくさんありますよ。本当にたくさん」

小百合は目を瞬《しばた》かせた。

「ええ。この人もそうなってくれるといいんですけど……」

「安西は普通の人間とは違います。絶対に起きますよ」

「ありがとうございます……」

不憫でならなかった。生活のこともある。総務はどう対応するのか。

「社の人間、誰か来ましたか」

「昨日、局長さんがいらしてくれました」

販売局長、伊東康男《いとうやすお》。悠木は首筋に強張りを覚えた。

「何て言ってました？」

「できるだけのことをするっておっしゃってくれました。だからゆっくり休んでくれって」

ゆっくり休め……。皮肉な台詞だった。社が長期病欠者の面倒をみるのは半年が限度だ。植物状態ということにでもなったらいずれ安西は社の籍を失う。医療費も嵩《かさ》むだろう。小百合と燐太郎はどうやって食べていくのか。

悠木は暗澹たる気持ちになった。

「社に要求すべきことは、きちんと要求したほうがいいですよ。私も後押ししますから」

「ありがとうございます。でも……局長さんはずっと私たちによくして下さいましたし、要求だなんて……」

「しないと会社は動きません。それに――」

「ひどいな、とは思ってます。あんなに働かされて……」

「えっ……？」

悠木が意外そうな顔を向けると、小百合は唐突に明るい声を出した。

「あの人、すごく楽しみにしてたんですよ」

「何を……です？」

「悠木さんと山に行くのを」

「そうでしたか……」

「手術の後、ほんの少しですけど意識が戻ったんです」

悠木は目を見開いた。

「それ、本当ですか」

「ええ。その時、ひとこと言ったんです――先に行っててくれ、って」

「あ……」

「悠木さんにですよね？　ほら、ウチの人、悠木さんが行けなくなったこと知らなかったから」

安西は行く気でいたのだ。約束の電車には乗れなかったが、次の日、朝一番の電車で追いかけて、谷川岳登山指導センターで悠木と合流するつもりだった。

先に行っててくれ――。

悠木はベッドに目をやった。安西は長い夢の中で衝立岩を攀《よ》じ登っているのかもしれなかった。

山馬鹿を呪いたい思いだった。

家族に――なぜ小百合と燐太郎に言葉を残してやらなかったのか。このまま目が覚めなかったとしたら、安西の、それが最期の言葉になってしまうのだ。

「衝立岩ってすごく怖い山なんですってね」

「怖い……？」

悠木は少なからず驚いた。あの安西が、衝立岩を「怖い山」と口にしていたというのか。

「安西がそんなふうに？」

「ええ。怖がってましたよ。あの人、見かけによらず怖がりだから。だったら行かなければいいのにね」

小百合の言葉に微かな棘があった。やはり心の中にあるのだ。なぜ家族への言葉ではなく、山の約束だったのか。

ポケベルが鳴った。いい加減に帰ってこい。そう聞こえた。もう三時を回っている。

悠木はおもむろに立ち上がった。

小百合が一瞬、縋《すが》るような視線で悠木を見た。話す相手を失えば、また残酷な現実だけが小百合に残される。

「あの――」

二人同時に同じ言葉を口にした。

「何です？」

悠木が訊くと、小百合は小さく笑いながら言った。

「燐太郎に会っていってくれませんか」

やはり同じことを考えていた。悠木も燐太郎の顔を見てから社に戻ろうと思っていた。

「いまどこです？」

「買物をしてくれていて、もう戻ると思うんですけど」

「わかりました。じゃあ、下で電話だけしてきます」

「悠木さん、これからも燐太郎のこと、よろしくお願いしますね」

小百合は真剣だった。

「あの子、口には出さないけど、悠木さんのことが本当に好きみたいで。ほら、ウチの人にはあんまり懐いていなかったから」

悠木はぎょっとした。

思ってもみないことだった。安西の家には何度も顔を出している。安西と燐太郎はよくじゃれ合って遊んでいた。悠木は密かに羨んでいたのだ。

まさかの思いを引きずって廊下に出た。

エレベーターで一階に下り、公衆電話に足を向けた時、出入口の自動ドアが開いて燐太郎がフロアに入ってきた。淳と同じ十三歳だが、ふたまわりほども小さい。だから、両手に下げたビニール袋がやけに大きく、そして重そうに目に映った。

「おい」

声を掛けると、早足になってやってきた。安西にそっくりなまん丸い瞳がみるみる近づいてくる。

「大変だな」

「いえ……」

照れて顔が真っ赤だ。

「いま、お父さんと会ってきたよ」

「はい」

「きっと目を覚ますから。心配するんじゃないよ」

燐太郎は俯いた。

悠木はその頭に手を乗せ、わざと乱暴に揺らした。

「元気だせよ、男だろ。お母さんのこと、しっかり支えてあげるんだぞ」

近いうちにまた来るから。そう言って悠木が踵を返した時だった。背後でドサッと物が落ちる音がした。振り返ろうとした、その横腹に燐太郎がむしゃぶりついてきた。ベルトの上の辺りに両腕を巻き付け、ぎゅうぎゅう締めつけてくる。

悠木は立ち竦んだ。されるがまま、しかし、体がよろけないように懸命に両足を踏ん張っていた。床で、二つのビニール袋がひしゃげていた。カップラーメンが一つ転がり出ていた。父も母もいない食卓で、燐太郎が食べる夕食なのかもしれなかった。

胸が熱くなった。

さぞや心細かったろう。

悠木は燐太郎の背中にそっと手を回した。

その小さな背中を思いっきり引き寄せて抱き締めた。

12

夜明けが近かった。

香ばしい匂いに誘われてテントを這い出ると、すぐ目の前に燐太郎の大きな背中があった。川原に屈み込み、携帯用ガスコンロで餅を焼いている。平らな石の上に置かれた紙皿には、砂糖を混ぜた醤油や海苔があるから、朝食にいそべ巻きをご馳走してくれる気らしい。

「おはよう」

声を掛けると、少し驚いた顔が振り向いた。

「起こしちゃいましたか」

「そりゃあ起きるさ。全部食われちゃたまらんからな」

悠木は笑いながら言った。

目線を上げると、一ノ倉沢の稜線にちょうど朝日が当たり始めたところだった。空にはまだ星がある。その美しさに思わず見とれた。

「綺麗だな……」

声に誘われて、燐太郎も視線を上げた。

「ええ。僕もこの時間、大好きです」

悠木は右手の衝立岩に視線を移した。朝もやの中に、頂点の高いピラミッドを思わすシルエットが不気味に佇んでいる。

「やっぱり怖いな」

「食べれば怖くなくなりますよ」

人懐っこい笑みとともに、いそべ巻きの皿が差し出された。

「お父さんも怖いって言ってたらしいぞ」

「ホントですか」

「ああ、お母さんがそう言ってた」

「じゃあ、父さんは怖さを克服するために登ってたとか？」

「いや、下りるために登ってたらしい」

「下りるために……？」

「わからんだろ？　安西はなぞなぞが得意だったんだ」

六時出発と決めていた。

どうしようか迷ったが、悠木は思い切って話を切り出した。

「出発する前に一つ、話しておきたいことがあるんだ」

燐太郎は食事の後片付けの手をとめ、話を聞く顔になった。

「あの時のこと、覚えてるかい？　安西が入院して、初めて俺が病院に行った時のこと」

燐太郎の頬が赤らんだ。

「ええ。よく覚えています。僕が悠木さんにしがみついちゃったんですよね」

「そう、それなんだ……」

悠木はもぞもぞと背筋を伸ばした。

「君に謝らなきゃならん。君が懐いてくれたのをいいことに、俺は君をずっと利用してきたようなところがあったんだ」

燐太郎は首を傾げた。

今日は安西耿一郎の慰霊登山とでも言うべき山行だ。胸の裡を洗いざらい告白してから衝立岩に臨みたい。ここへ来る前から考えていたことだった。

悠木は続けた。

「病院のあの時な、俺は君じゃなく、淳を抱き締めていたんだと思う。君にしがみつかれて嬉しくてたまらなかった。でも、本当はあれを淳にしてほしかったんだ」

燐太郎は真っ直ぐな瞳を悠木に向けていた。

「あれから一年ぐらいして、君と淳を榛名に連れて行くようになったよな。安西に教わったことを真似ただけだが、実を言うとあの頃、俺と淳の関係は険悪で、二人だけで一緒にいられないような状態だったんだ。俺はずっとそれをどうにかしたくて、でも、どうにもできずに悩んでいた。だから君を利用した。三人なら一緒にいられる。幸い、君と淳は仲良くなってくれた。無論、俺も君のことは大好きだった。ただ――」

悠木は首を垂れた。

「君のお母さんは、俺が、君のお父さんの代わりをしてくれてると思い込んで俺に感謝してた。君もきっとそうだったんじゃないかと思う。俺が山に誘うと、君は大喜びしてついてきた。父親を見るような目で俺のことを見つめてた。それが胸に痛かった。いや、今でも胸が痛むんだ。本当は俺と淳のために君を呼んでたのに……」

燐太郎は自分のことを好いてくれている。それは悠木にとって、あの当時、唯一信じることのできた真実だった。だから、燐太郎に対してはいつだって自然に振る舞えた。燐太郎のことが可愛くてならなかった。正直なところ、燐太郎が自分の息子であってくれたらと何度思ったことだろう。

だが……。悠木は淳のことを諦めきれなかった。

もう一度最初から父と息子の関係をやり直してみたかった。

爽やかな風が川原を抜けていった。

「なんとなくわかっていました」

燐太郎は静かに言った。

いつもと変わらぬ翳りのない瞳だった。燐太郎の瞳は、怒っても嘆いてもいなかった。

「楽しかったなあ」

「えっ……？」

「あの頃、僕は日曜日が待ち遠しくてしょうがなかったです」

燐太郎の言葉が胸に染み渡った。

悠木は遠くを見つめた。

「うん。楽しかったな……」

日曜のたびに淳と燐太郎を連れて山へ出掛けた。登って、弁当を食べて、また登った。ただそれだけの繰り返しだったが、しかしそう、楽しかった。掛け替えのない日々だったと今にして思う。もっとも、淳は手抜きを覚えて山登りはちっともうまくならなかった。燐太郎はぐんぐん上達して、あっと言う間に悠木を抜き去っていった。やっぱり蛙の子は蛙。つくづくそう思ったものだった。

「そろそろ出発しましょう」

燐太郎が腰を上げた。

「許してくれるのかい」

悠木が喉元の言葉を押し出すと、燐太郎はまたしゃがんで目線を合わせた。

「駄目ですよ、そんなこと言ったって。悠木さんが誰よりも優しいこと、僕が一番よく知ってるんですから」

わっと感情が昂《たかぶ》って涙が溢れそうになった。

燐太郎はくるりと背中を向け、装備の点検を始めた。ザック。ザイル。ヘルメット。カラビナ。両方の耳たぶが真っ赤になっているのが、後ろからでもわかった。照れ屋の燐太郎にとって、一世一代の台詞だったに違いない。

胸が軽くなった気がした。

悠木は衝立岩に目をやった。これでようやく向き合える。そう思った。

「さあ、行きましょう」

燐太郎がザックを背負った。さっきまでとは打って変わったその神妙な顔に悠木はハッとした。それは、昔何度となく見た、安西が岩をやるときの顔だった。

体の芯を貫くものがあった。いよいよ「魔の山」の領域に足を踏み入れる。悠木は、今度こそ本気で衝立岩と向き合った。

燐太郎が歩きだした。悠木も続いた。ここ一ノ倉沢出合から本谷を経て、まずは衝立岩の踏み台に位置する「テールリッジ」を目指す。

灌木の間を走る踏み跡に沿って進む。ゆるやかな登りだ。衝立岩が右前方に見える。巨大だ。朝日に染まっても、その垂直の岩壁の凄味はいささかも減じるところがなかった。

沢の対岸へ飛び石伝いに渡り、再び戻って、「ヒョングリの滝」の左側を高巻いていく。灌木帯を巻くようにして登っていくのだ。

燐太郎は確かな足で進む。遅くもなく速くもない、一定のリズムで歩いていく。

テールリッジの岩壁が近づいてきた。沢を下り、雪渓を渡っていく。表面は凸凹で歩きにくい。スプーンでえぐったように見えるから「スプーンカット」と呼ばれる。あちこちに、落石や雪崩で運ばれた岩が散見する。安全と呼べる場所はもうどこにも存在しないということだ。

悠木の胸は高鳴った。一ノ倉沢の懐に入った実感があった。十七年前、安西とここを歩くはずだった。その場所をいま、安西の息子燐太郎と歩いている。目線を上げれば、名の知れた岩壁が目白押しだ。滝沢スラブ。本谷に垂直に落ちる滝沢下部。烏帽子沢奥壁。そして、目指す衝立岩正面壁――。

四十分ほどでテールリッジの基部に到着した。

燐太郎が振り向いた。

「少し休みますか」

「いや、大丈夫だ。行こう」

燐太郎は小さく頷き、取り付き部分の岩の状態を調べ始めた。ゆうべ、にわか雨が降ったから、雪崩で長年磨かれたツルツルの岩が濡れて光っていた。

「アンザイレンしましょう」

燐太郎の気遣いが嬉しかった。悠木の不安を見抜いていたに違いなかった。普通なら、まだザイルを繋ぎ合うような場所ではないが、悠木は濡れた岩壁を思い通りに登れる自信がなかった。カラビナにザイルを通すと、驚くほどの安心感が胸に芽生えた。こういうことなのかと思う。燐太郎と一本のザイルで結ばれている。そのことが、悠木の心と体に神気を与えてくれそうだった。

「行きます」

「よし」

テールリッジに取りついた。

燐太郎はほとんど足だけで登っていく。悠木は前かがみの姿勢で手も使って懸命に後を追う。登るにつれて、衝立岩は、眼前に聳える存在から、頭上にのしかかる存在へと変化していった。その威圧感は比類がない。

俺に登れるだろうか。

答える声が遠い記憶の中にあった。

〈悠ちゃんみたいなのが結構やっちゃうんだよ〉

〈脇目もふらず、もうガンガン登っちゃうんだ〉

〈興奮状態が極限にまで達しちゃってさ、恐怖感とかがマヒしちゃうんだ〉

クライマーズ・ハイ。

脳裏を過《よぎ》るものがあった。

十七年前のあの日、悠木の興奮は極限にまで達した。

13

疲労を感じていた。

すっかり長居をした県央病院から車を飛ばし、編集局の大部屋に戻ると、もう四時近かった。待ち受けていた追村次長の怒声が、病院での出来事でモヤモヤしていた悠木の頭を全権デスクのそれに引き戻した。

「馬鹿野郎、全権が行き先も告げずに雲隠れとはどういう了見だ！」

癇癪玉を通り越して爆発となった理由は、悠木の留守中に事故関連で大きな動きがあったからだった。デスクに置かれた共同電がビッグニュースを伝えていた。生存者の一人である、日航アシスタントパーサーが事故当時の機内の様子を詳細に証言したというのだ。

《午後六時二十五分、バーンという音が上のほうでした。そして、耳が痛くなった》

《キャビン内が真っ白になり、キャビンクルーシートの下のベントホールが開いた。ラバトリー上部の天井も外れた。同時に酸素マスクがドロップ》
《機体はかなりひらひらフライトし、ダッチロールに入ったようだった》
《機体はやがてかなり急角度で降下し出した。間もなく二、三回、強い衝撃があり、周りの椅子、クッション、その他が飛んだ》
証言内容からして、機体後部にある垂直尾翼の破損が事故の原因として有力になった——共同の関連記事はそう結論づけていた。
悠木は怒りを覚えた。
証言を聞き取り、記者発表したのが日航の幹部だったからだ。県警は昨夜のうちに特捜本部を立ち上げ、刑事責任の追及に乗り出している。今後の捜査の過程で、生存者からの事情聴取は不可欠であるし、ましてや、公表された証言内容からもわかるように、専門知識を持つアシスタントパーサーの録取書が事件を立件する上で極めて重要な捜査資料になることは論をまたない。にも拘らず、事件の被疑者になるかもしれない日航が身内の手づるを使って証言を取り、しかも勝手に公表してしまった。証言そのものは信用に足るとして、だが、発表するまでの過程で、日航の都合のいいように情報が「加工」されていないと誰が言い切れるのか。
墜落時の状況を知りたがる遺族や国民の声に応えるというのであれば、アシスタントパーサーの回復を待って、マスコミの代表取材を受けさせるべきだった。運輸省の航空事故調査委員会に聴取を任せる手だってあったのだ。
局内では、この「重要証言」を軸に今日の紙面を作ろうという声が強かった。「一面トップでいいんじゃないか」。そんな意見まで出始め、悠木は尻が落ちつかなかった。一面トップは佐山の現場雑観と決めている。これを動かすつもりは毛頭なかった。

午後五時を回った頃、粕谷局長が太鼓腹を突き出して寄ってきた。

「おい、例の証言はどうするんだ?」

「一面の肩でやります」

悠木は腹案を口にした。

肩――準トップの扱いである。第二社会面辺りに「都落ち」させてもいいと考えていたが、あまり突っ張って局内の反感を買い、結果、「一面トップで」の大合唱にでもなった日には藪蛇になると思って「一面肩」を用意した。

粕谷は首を捻った。

「肩のネタか? トップでいいと思うがな」

「ですが――」

悠木は日航による情報操作の危険性をことさら強調した。内心、証言内容を羽田で発表した日航に対する憤りもあった。123便は群馬に墜落した。アシスタントパーサーも群馬の病院に入院し、証言だってその病院内で取られたものなのだ。なのになぜ発表だけが東京なのか。「もらい事故」「場所提供」。一度は呑み込んだ禍々《まがまが》しい言葉が、再び胸を突き上げてくる。

粕谷が渋々納得して引き揚げると、悠木は原稿読みに取り掛かった。かつてない大事故なのだと改めて思い知らされる。席を外した時間とデスクに積まれる原稿の量とは完全なる正比例を続けていた。

《百二十一遺体収容。五十一人の身元を確認》《柩《ひつぎ》にすがり号泣》《七年前のしりもち事故に遠因?》《事故機、一日五回の過密飛行》《日航、ジャンボ機四十九機を近く総点検》《事故調、フライトレコーダーとボイスレコーダーを回収。分析を開始》《日航の高木社長、中曾根首相に辞意を表明》《県警、近くアシスタントパーサーの事情聴取を行う方針》《米大統領が哀悼の意》《上野村役場、行政はマヒ状態》《航空保険の売れ行き五倍》《補償総額は五百億円に》《生存の四人、快方へ》

午後七時を過ぎて、局内に怒声が飛び交い始めた。相当に疲れが溜まり、周囲への注意力が鈍ってもいた。だから原稿に目を落としていた悠木は、いつもなら真っ先に気づく「粘っこい声」を聞き落とした。

「おい」

耳に入ったのは、隣席の田沢の呼び声だった。

「何だ?」

悠木が目をやると、田沢は背後に顔を向けた。釣られて見た悠木は身を固くした。

鷲鼻に口髭。販売局長の伊東が立っていた。

「ちょっといいかなあ」

ガムでも嚙みながら喋っているような、異様に粘っこい声。

「何でしょう?」

悠木は警戒感を込めて訊いた。

「いやね、今日は締め切りのほうはどうなるのかなあと思ってさあ」

「今夜は延長せず、通常通りの降版になると思いますが」

「そうかい、そりゃあ結構な話だね。ほら、こっちもさあ、販売店に新聞が到着するのが遅くなるとね、店主からひどく怒られるからさあ」

ネチャネチャと言って、伊東はなにやら意味ありげな笑みを浮かべた。

北関に入社してまもなく、初めて伊東から声を掛けられた時の驚きは忘れられない。悠木は心臓が凍りつく思いをした。子供時分、何度か耳にした声にそっくりだったからだ。

お前んちの母ちゃんさあ、パンパンなんだってなあ——。

悠木が小学生だった頃の話だから、かれこれ三十年近くも前のことだ。母の秘密を口にしたのは、近くの児童公園で時折顔を見掛ける高校生とおぼしき少年だった。学区は異なるが、互いに境界線スレスレの場所に住んでいるのでニアミスをする。そんな関係だったのだろうと思う。実際、彼の家がどこにあったかは知らないし、互いに名前を呼び合った記憶もない。

悠木は二度とその公園に行くことはなかった。相当長い期間ビクビクしていた。いつまたあの高校生と出くわすかと思うと、外に遊びに出るのも恐ろしかった。遠目に彼を見つけ、全速力で家に逃げ帰ったこともあったし、夢の中で彼から逃げ回ったことも一度や二度ではなかった。

会社で伊東の声を聞いたとき、瞬時にあの高校生の声を思い出した。入社時から遡って十五年は経っていたわけだから、声だって多少は変わったに違いないのだが、悠木は同一人物だと確信に近い思いを抱いた。社員名簿で伊東の住所を調べてみると、案の定と言うべきか、悠木が小学生時代住んでいた家の隣の町内だった。不思議と高校生の顔は思い出せない。声質と喋り方の特徴があまりに印象的だったからか。怯えきっていた悠木は高校生の顔を見ないよう心掛けていたのかもしれなかった。だが——。

あの時の高校生が伊東だとするなら、彼のほうは悠木のことを覚えているのではないか。

その恐怖心は入社以来、消えることなく悠木の胸にある。向こうは当時既に高校生だったわけだし、少なくとも、悠木と母が親子だということは承知していた。想像の線を伸ばせば、悠木母子の名を知っていたとしても何ら不思議はなかった。

伊東はそんな素振りは少しも見せない。遠い昔のことだ、とっくに忘れてしまったのかもしれないし、そもそもが人違いの可能性だってある。しかし、悠木の怯えた心がそう見せるのか、伊東のちょっとした仕種や表情の変化に「パンパンなんだってなあ」の声を聞く時がある。そんな時、悠木は萎縮し、そして総毛立つ。母の酒臭い懐や、にやついた男たちの顔が鮮明な像を結び嘔吐感が胸一杯に広がるのだ。

その兆候は今夜もあった。伊東は大した用事もなさそうなのに、悠木のデスクを離れない。何か黒い企みがあるのではないかとつい勘繰ってしまう。

悠木は次の原稿を手元に引き寄せた。

《労働省、乗客の労災認定調査に着手》

読み始めてすぐ、伊東がまた話し掛けてきた。

「ああ、そう言えばさあ」

「何です?」

悠木はきつい視線を向けた。

「今日さあ、安西君のところへ見舞いに行ったんだって?」

「ええ、行きました」

「どうだったあ?」

「どうって、安西は眠ってました」

「そうなんだよ。困ったことになったよね」

悠木は今にも怒鳴ってしまいそうだった。

「そんで、奥さんは？」

「はい？」

「奥さんだよ、いたろ？」

「ええ、いました」

「なんか言ってたかい？」

耳に小百合の言葉が蘇った。〈ひどいな、とは思っています。あんなに働かされて……〉

安西は会社にも仕事にも興味がない。悠木はずっとそう思っていたから、小百合のひと言は思いがけないものだった。

安西を働かせすぎた。伊東自身そう思っているということか。

安西は以前、伊東のことを「命の恩人」と評したことがあった。理由は言わなかったが、なにやらひどく心酔しているようだった。理解に苦しむ。だいたいからして、販売局は「ブラックボックス」の呼び名が示す通り、何の仕事をしているやらよくわからない。その部署の長をしている伊東もまた、他局の人間から見れば正体不明の見本のような男だ。

悠木は話を締め括るつもりで答えた。

「局長に感謝してましたよ。ゆっくり休むよう言われたって」

「ふーん、あとは？」

悠木は赤ペンの先端で原稿用紙を強く突いた。

「いろいろ言ってました。心配事とか。早いところ総務の人間を行かせて下さい」

「もちろん、そうするさあ」

悠木は原稿に目を落とした。後は聞こえないふりをすることに決めた。と、正面からの強い視線を感じた。

追村次長がこっちを見つめていた。睨んでいるといったほうが近かった。いや、悠木を睨んでいるのではない。伊東だ。あるいは、伊東と悠木の接近にめくじらを立てている。

考えるでもなく腑に落ちた。販売局は「専務派」と目されている。「社長派」の秘蔵っ子である追村は、伊東が編集フロアに足を踏み入れるだけでも面白くないのだろう。伊東の部下である安西を悪し様に言ったのも同じ理由に違いない。坊主憎けりゃ袈裟までの類の話だ。

勝手に啀《いが》み合ってろ。

悠木は脳に痺れを感じていた。疲労はピークを迎えているに違いなかった。

「はい、お願いしまーす」

整理部員の声がして、デスクの上に、第二社会面の仮刷りがふわっと置かれた。

まず目に飛び込んできたのが、下段の大きな広告だった。

《お詫び この度の弊社JA8119号機の事故により多くの方々の尊い人命を失う結果を招きましたことは――》

日航の社長名で出された「お詫び広告」だった。その広告のすぐ上には、遺体との対面を終えて泣き崩れる遺族の写真がでかでかと載っている。

悠木は立ち上がった。

「カクさん!」

血が逆流していた。大きな火災でもあれば、その火災を伝える同じ紙面に火元の人間がお詫び広告を載せることはままある。だが、いま目の前にある紙面はどうにも許せなかった。アシスタントパーサーの証言の件もある。何もかも手回しがよすぎるのだ。日航だけではない。お詫び広告と遺族写真を紙面に同居させた北関もまた同罪に思えた。

亀嶋が早足でやってきた。

「どうした？　なんか間違いあった？」

悠木は広告を指さした。

「これ、外して下さい」

「なんで？」

「いいから外して下さい。これは無神経すぎる」

亀嶋は不思議そうに悠木の顔を見た。

「どうしちゃったん？　大丈夫？」

整理部の人間は紙面を作る職人だ。悠木と亀嶋の間には温度差があった。

「勝手に外すわけにはいかないさ。広告に相談しなくちゃだ」

暮坂広告部長の赤ら顔が脳裏を走った。いや、文句は言わせない。これは足で稼いだ広告でもなんでもない。労せずタナボタ的に転がり込んだものなのだ。

「俺が責任持ちます。外して下さい」

「けどさ――」

「いいから外せって！」

思わず怒鳴っていた。

亀嶋のどら焼顔が歪んだ。周囲の人間が一斉に悠木を見た。

昂っていた。

「こんな恥知らずな新聞出せるかよ。この広告だって、二、三十万はするんだ。体裁なんか整えてねえで現場に供える花でも買うよう日航に言ってやれ」

誰も何も答えなかった。そのことがさらに悠木を苛立たせた。

「何も感じないのか。記事と広告が上と下で——」

悠木は目を見開いた。

この段になって初めて気づいた。遺族写真の斜め上、小さな活字をぎゅうぎゅう詰めにした囲み記事が組まれていた。

【御巣鷹山にて＝佐山記者】

佐山の書いた現場雑観だった。一面トップ用として出稿した。それが悠木の知らないうちに第二社会面に「都落ち」させられていた。しかも目立たない下段の隅っこの場所に。

腹の底から怒りが噴き上がった。野郎、またやりやがった！

悠木は仮刷りを手に真っ直ぐ等々力の机に向かった。

金縁眼鏡は席にいた。その周囲に、佐山や神沢ら五、六人の日航担当記者が集まっていた。ブラウンのレンズ越しに、両眼が記者たちの顔を舐めている。大方、「取材の心得」かなにかを偉ぶって話して聞かせているのだろう。

「ちょっと空けてくれ」

悠木は記者を押し退け、等々力の机に仮刷りを叩きつけた。

「これはどういうことです？」

佐山が、あっ、と声を上げた。無残に扱われた自分の記事を目にして絶句した。

等々力はゆっくりと眼鏡を外した。仮刷りには目もくれず、生身の両眼が悠木の顔を見据えた。

「何がだ？」

「一面トップに指定しました。それがなぜ二社面に載ってるんです?」

「知らんな」

「惚《とぼ》けるな!」

悠木がいきり立つと、等々力は一つ首を捻って腰を上げた。

「お前、誰にモノを言ってんだ?」

「あんただよ。僻《ひが》み根性もいい加減にしやがれ!」

互いに顔を突き出した。鼻の先が今にも触れそうだった。

「今なら許してやる。そこに土下座しろ」

「誰がてめえなんかにするか。一面に戻せ。いいな!」

「そういうことなら次長に言え」

悠木は口を開けたまま固まった。

追村が差し替えた……?

「なぜ……?」

等々力が鼻で笑った。

「次長が自衛隊ネタをトップにするはずがないだろうが」

横面を張られた気がした。

そうだった。佐山の雑観の前文は自衛官の話だった。

悠木の怒りは追村にシフトした。

あの原稿のどこが悪い?

追村の席を見た。いない。

「次長は？」

「総務に行くとか言ってたぞ」

悠木は机の上の仮刷りをひったくった。が、その紙の端を等々力が手のひらで押さえていた。

「その手、どかして下さい」

「ああ。土下座したら離してやる」

周囲の記者が一斉に息を呑んだ。佐山が悠木の横顔を凝視した。

等々力の眼光は鋭利な刃物を連想させた。

「若い連中が見てたんだぞ。きっちりおとしまえをつけていけ」

悠木も目を怒らせた。

「その必要はないでしょう」

「なんだと？　お前の勘違いで吠えたんだろうが。謝れ」

「あんたも昨日やった。こいつらの前で言っていいのか」

等々力は言葉を返さず、獰猛な目で悠木を見据えた。

悠木は仮刷りを引いた。等々力は手を離さなかった。乾いた音がして、日航のお詫び広告が真っ二つに裂けた。

「このまま済むと思うなよ」

等々力の脅し文句を無視して、悠木は局のドアに向かった。若い記者たちが廊下まで追い掛けてきた。

佐山が代表するように言った。

「悠さん。無論、俺たちはあなたを支持します」

悠木は階段を駆け降りた。

午後十時を回っている。半信半疑だった。総務に人がいる時間ではない。

西館一階。総務局——。

廊下に灯が漏れていた。ドアを押し開くと、同期の久慈《くじ》が一人、机に向かってワープロを打っていた。記者もワープロを使うよう総務が推奨しているが誰も手をつけない。そんなもので腹を括った記事が書けるか。思いは悠木も同じだ。

「珍しいな、お前がここに顔出すなんて」

久慈は本当に驚いていた。

「ウチの次長が寄らなかったか」

悠木が訊くと、久慈は部屋の奥を顎で決《しゃく》った。

「奥の院に入ってるよ」

社長室のことだ。

「社長がまだいるのか」

「でかい声を出すな。聞こえる」

「いるのか」

「ああ。近くでちょっとした会合があってな、帰りに寄ったんだ」

悠木は社長室のドアに足を向けた。

「お、おい。どうする気だ?」

久慈が慌てて呼び止めた。

「急ぎの用事があるんだ」

嘘ではなかった。すべての面が夜中の十一時、十二時まで引っ張れるわけではない。制作局の作業能力を睨みつつ、原稿の出の早い面から五月雨《さみだれ》式に降版していく。第二社会面は十時半がデッドだ。

悠木がドアの前に立つと、背後で久慈の声がした。

「お前も、こっち、こっち、ってわけか」

こっち。おそらくは派閥のことでも言ったのだろうが、言い訳や説明をしている時間はなかった。

悠木は躊躇なく、木目の際立つ豪華な観音扉をノックした。

14

一階の社長室に入ったのは初めてだった。

以前は三階にあった。社長の白河が交通事故で脊髄を損傷し、車椅子生活になったため、半年前に一階に移された。

部屋には、その車椅子の白河と秘書係の高木真奈美、そして、十人ほどが座れそうなコーナーソファに追村次長がいた。

「まあ、座れよ」

追村が軽い調子で言った。「ボス」の前だからだろう、悠木が入室した瞬間こそ怪訝な表情を見せたが、日ごろの癇癪玉が嘘のような和やかな顔だ。

「これが悠木です。ちょっと前に話しましたよね」

追村が愉快そうに言った。

白河の目も笑っていた。

「知ってるさ。俺が編集局長をやってる時に入ってきたボクだ」

「いま、例の日航機事故のデスクをやってます」

「ほう、偉くなったんだな。昔はいつも上の者にくっついてフーフー言ってたがな」

違和感のある会話が続いていた。ちょっと前に話した？　追村は局内のことを逐一、白河に報告しているということか。

「どうぞ」

真奈美がアイスコーヒーをテーブルに置いた。目を見張るほどの美形だ。三ヵ月前までは住宅供給公社の職員だった。追村が白河のために引き抜いたという噂だ。それまで車椅子を押していた黒田美波《みなみ》とかいう女はどうしてしまったのだろう。

白河と追村の雑談はネタ切れを知らないようだった。

「次長、ちょっといいですか」

悠木は思い切って話に割って入った。本当にもう時間がない。

「何だ？」

「これなんですが」

悠木はテーブルに仮刷りを広げた。

「一面トップで指定したんですが、間違ってこちらに入ってしまったようで」

社長の手前、腹を探る言い方をしてみたが、追村はあっけらかんとしていた。

「間違いじゃない。俺がそうしたんだ」

「なぜです？」

「決まってるだろう、新聞が自衛隊のPRをしてやる必要はないからだ」

「しかし――」

悠木は尻を浮かせて身を乗り出した。

「これはたまたま対象が自衛官だっただけで、宣伝などとは無縁です」

「結果的に宣伝になるだろう。社長はどう思います？」

「何がだい？」

白河は真奈美に櫛で髪を梳かせていた。

「出られませんか」

悠木は追村に耳打ちした。まどろっこしい。こんな場所でする話ではない。

「出る？　もう結論は決まってるんだからいいだろう」

「そういうわけにはいきません。再考願います」

追村はまた白河に顔を向けた。

「社長、一面トップで自衛官の美談を載せるっていうのはどんなもんでしょうかね？」

「うーん、そうだなあ」

悠木は息を呑んだ。社長判断。事態は突如そうなった。

フェアじゃない。追村は「美談」という言い方をした。文字通りの意味で受け取る新聞人はいない。「持ち上げている」「裏がある」。そう考えるのが普通なのだ。

「社長――」

悠木は早口で言った。

「決して美談ではありません。読んでいただければわかります」

追村が目を剝いた。だが、肝心の白河は仮刷りを手に取ろうとはしなかった。その手は真奈美に預け、爪を切らせている。

「社長、本当に読んでいただければ――」

言いかけた時、白河の顔がこっちに向いた。

「やっぱり、まずいだろうな」

瞬きが止まった。決定。こんなにも軽々しく。

いや、今ならまだ。悠木は意を強く持った。

「ですが社長、その記事は記者が十二時間掛けて山に登って書いたもので――」

「悠木」

窘《たしな》めるように追村が言った。

「まさか、社長の意見に逆らう気じゃないんだろう?」

「そうではなく、しかし――」

「見苦しいぞ。もうやめとけ。社長が決めたことなんだ」

二人のやり取りを、白河は薄笑いの顔で見つめていた。真奈美に肩を揉ませている。色惚《いろぼ》け。編集局長まで務め上げた男が、体の自由が利かなくなったとはいえ、こうまで錆びついてしまうものなのか。

悠木は頭を下げた。

「社長、お願いします。一面トップでやらせて下さい」

白河は目を閉じ、ぽつりと言った。

「本当に偉くなったんだな」

さっきとはニュアンスの異なる「偉くなった」だった。これ以上言えば怒りだす。編集局長時代の白河は「水爆」と綽名されていた。

脳裏を佐山の顔が駆け抜けた。声もだ。俺たちは無論、あなたを支持します——。

悠木は意を決して腰を上げた。

仮刷りを持って白河の車椅子の前に立った。追村が怒鳴ったが、構わず仮刷りを白河の膝の上に置いた。

「読むだけ読んで下さい。お願いします」

悠木は深々と頭を下げた。

小さな間があった。真奈美がすっと車椅子から離れた。

直後、白河がカッと目を見開いた。

「デスク風情が意見をするな！」

ピンと背筋が伸びた。だが、言った。

「読んで下さい」

白河の血走った眼球がゆっくりと悠木に向いた。

「お前は職を失いたいのか」

悠木は首をうなだれた。

怖じ気づいたのではなかった。もう落胆もしていなかった。

殴り倒してやりたかった。血流は猛々しく全身を駆け回っていた。

こんなことでクビだと？　結構だ、やってもらおう。どのみち、これでデスクは廃業だ。同じ記者の原稿を二度殺したデスクについて行く兵隊など一人もいやしない。

記者職に未練があるわけでもない。散々やった。この先はもう無様になる一方だ。

家もいい。

見せ掛けだ。心はバラバラだ。あんなものが家族と言えるか。おっかなびっくり、息子の機嫌をとりながら暮らすなどもう真っ平だ。クビだと聞けば弓子も愛想をつかすだろう。一人で生きていけばいい。前々からそう思っていた。一人のほうがよほど——。

悠木は額に手を当てた。

視界を失った。

疲れてる。そう思った時、ふっと暗い場所に心が引きずり込まれた。

納屋の中だった。小さな体の自分が見えた。震えながら一人、膝を抱えていた。

悠木は悲鳴を発しそうになった。

耳の奥が疼《うず》いた。

母の嬌声……。

男たちの馬鹿笑い……。

犬の遠吠え……。

骨の髄にまで染み入ってくる孤独……。

顔が浮かんだ。

弓子……淳……由香……。

いるだけでいい。ただいてくれるだけでいい。

心など通っていなくてもいい。

一人は嫌だ。あの納屋の中で膝を抱えるのはもう……。

体がゆらりと傾いた。悠木は危ういところで足を踏ん張った。

薄い膜のかかったような視界の中央に白河の鬼面があった。悠木は腰を折り、丁重な手で白河の膝の仮刷りを取り上げた。それを畳み、捩じり、そして、力なく頭を下げた。

「大変失礼致しました」

暗い廊下を歩いた。

階段を上りきると、自動販売機コーナーの前に、若い記者たちが溜まっていた。悠木が戻るのを待っていた顔だった。

佐山と目が合った。

顔を見てわかったのだろう、佐山は目を伏せ、踵を返した。

神沢が悠木の行く手を塞いだ。

「どうでした？」

「こらえてくれ」

それだけ言って、悠木は局のドアに向かった。背後で舌打ちのような声がした。

期待持たせやがって――。

大部屋には締切前の喧騒があった。悠木はデスクには向かわず、壁際の黒板の前に立った。

『日航全権――悠木』

その白墨の文字を手のひらで消し去った。

15

深夜になっても蒸し暑かった。

朝刊を降版してすぐに車で社を出たが、それでも帰宅は零時半を回っていた。家に灯《あかり》はなく、悠木は小さな落胆を覚えた。

寝静まっている。廊下に溜まった生暖かい空気に、家の雑多な匂いが溶け込んでいた。居間に入ると頬がひんやりとした。弓子が休んで間もないに違いなかった。その足でキッチンに回った。食卓は綺麗に片付いていて、コンロに置かれた鍋の底にカレーがこびりついていた。昼間家に寄った時、社に泊り込むようなことを言ったから、冷蔵庫の中にはビールも肴も見当たらなかった。

悠木は麦茶を手に居間に戻り、刷り出しの朝刊をテーブルに放ると、Yシャツ姿のままソファに転がった。リモコンでテレビを点《つ》けた。いきなり、御巣鷹山の墜落現場が映し出されて面食らった。プロ野球中継の延長でニュースの時間が順送りされたようだった。地味なスーツを着込んだ若い女性キャスターは、神妙な顔で長文の原稿を読んでいた。初めて聞く話は一つもなかった。

悠木はぼんやりと画面を見つめながら、帰宅したことを後悔しはじめていた。

お前は職を失いたいのか――。

白河社長の声はまだ耳にあった。

恫喝《どうかつ》に屈した。通すべき筋を引っ込め、無様に頭を下げた。佐山が書いた記事を守ることができず、後輩記者たちに見限られた。

悠木は長い息を吐いて目を閉じた。

縋《すが》る思いで帰宅したはずだった。孤独を恐れ、家族の顔を今すぐ見たいと思ったのも本当だった。だが……。

気持ちは萎《な》えていた。

出来損ないの箱庭。そんな言葉が脳を巡る。

悠木が作ったものだ。理想の家庭。そう名付けた箱庭に、生身の人間を配せると思い上がった結果がこうだった。一人この時間だから思うのではない。家に暖色の灯があって、弓子も淳も由香も揃っていて、たまたま会話が弾んだとしても、いまさら何が変わるわけではなかった。

悠木は息苦しさを覚えた。

いつだってそうだ。家に居ると無性に社に出たくなる。どれほどの辛酸《しんさん》を舐《な》めようとも、会社のほうがよほど気楽で居心地がいい場所に思えてくる。

喧騒の中で忘我できるからだ。

あの編集局の大部屋には煩わしい過去も未来も存在しない。明日の新聞を出す。その単純明快な目的に向かって、大勢の人間が限られた時間を共有して突っ走る。怒りも焦りも苛立ちも、ギロチンの処刑のごとく下される締切によって断ち切られる。その瞬間、誰もが潔く「今日」を投げ出す。そしてまた翌日には、素知らぬ顔で集まり、締切時間のタイマーをセットして新しい今日とがっぷり四つに組む。刹那的で後腐れがないから没頭できるのだ。

ドライな仕事だと思う。嫌でも人の死に慣らされる。誰がどこでどんな死に方をしようが、仕事なのだと割り切り、書き、捌《さば》き、紙面に落とし込んでいく。刺激に麻痺することは罪とはみなされない。あの部屋に居る限り、誰かが誰かより優しいとか薄情だとか比べられることはないのだ。

その乾ききった空気が、ある種の寛容さが、悠木の足を大部屋に向かわせるのだろう。身をもって知っている。心に多くの悲しみを託《かこ》っているからといって、他人の悲しみをわかる人間であるとは限らない。悠木は、地球上のあらゆる場所からもたらされる人の不幸に自らの境遇を重ね合わせ、そうすることで幾ばくかの癒しを得ている自分を感じずにはいられない。

掠《かす》れた声が耳に届いた。

テレビだった。女性キャスターが大きな瞳に涙を浮かべていた。その肩ごしに、手ブレの激しい映像が大写しにされていた。藤岡市民体育館の前で泣き崩れる遺族の姿だった。

キャスターの顔をまじまじと見つめ、悠木はリモコンでテレビを消した。

真っ暗になった画面を見つめた。お疲れさま。明るく掛け合う声が聞こえた気がした。それでも女性キャスターは席を立たないのか。酒や食事の誘いも断り、照明の落ちたスタジオで、一人さめざめと泣き続けるとでも言うのか。

泣くのは遺族の仕事だ。

悠木は吐き出すように呟いた。

不意に、ベッドに横たわる安西の姿が目に浮かんだ。

遷延性意識障害……。植物状態ということだ。絶対に起きますよ。悠木は気休めを口にしたが、現実問題、意識が戻るのは希有なケースに違いない。

だからと言って安西が死んだわけではない。ならば……。

妻の小百合は、息子の燐太郎は、一体いつ泣けばいいのだろうか。

「あ、パパ」

悠木は慌てて上体を起こした。

居間の入口で、パジャマ姿の由香が眠たそうな目を擦っていた。ひどく幼く見えた。四年生の中では大きいほうだが、スポーツ少年団のバレーボールチームでは身長が足りずに万年補欠だという。

「どうしたの？　トイレ？」

自然と声が裏返る。

「ノド渇いたから——パパ、帰ってたんだ。いつ？」

「さっきだよ」

「お帰りなさい。お疲れさまでした」

由香は学芸会のようなお辞儀をした。

目の奥にツンと痛みを感じて、悠木の返事と笑顔は少し遅れた。

「はい、ただいま——いいえ、どういたしまして」

「タイガース、今日も勝った？」

「うーん、どうだったっけ。あ、そうだ、誰かが負けたとか言ってたな」

「そうなんだ。何対何？」

「さあてなあ、そこまでは聞いてないぞ」

「ふーん」

次の言葉を探しながら、由香の瞳は油断なく悠木の機嫌を窺っていた。つかまり立ちを始めた時分から、淳に手を上げる悠木の姿を見続けてきた。『強い子の顔色を見て行動する傾向があります』。初めて由香が持ち帰った通知表を目にした時、悠木は体の芯に震えを感じたものだった。

「真弓さん、打った？」

「どうだろう。パパ、聞いてないんだ」

「バースは？」

「ゴメン。全然知らないんだ」

「そっかあ。パパ、忙しいんだよね、飛行機の事故で」

「そうなんだ」

「いっぱい死んじゃったんだよね」

由香は大人っぽく眉間に皺を寄せた。

「うん。五百二十人もだよ」

「かわいそう……」

「そうだね」

悠木は精一杯、悲しい顔を作った。他人の悲しみを、そのまま悲しい出来事として刷り込みたい。せめて由香の心には。

「でも、助かった子もいるんだよね」

「うん！　パパ、本当に嬉しかったよ」

「あたしも」

「そうかあ。優しいな由香は」

「そうでもないけど」

由香ははにかんだ。

悠木はちらりと壁の時計を見た。

「すごい時間だよ。もう飲んだの?」

「うん。麦茶飲んだ」

「だったら寝なさい。明日があるんだから」

「はーい。じゃあパパ、おやすみなさい」

「はい、おやすみ。楽しい夢見るんだよ」

由香は胸の前で小さく手を振りながら階段に消えた。

悠木はソファに体を戻した。満面に張りついていた笑みは、引き際に顔のあちこちをゴワゴワとさせた。

由香は一歩も居間に入ってこなかった。

悠木は首を左右に捩《ね》じり、ネクタイを緩めた。だが、外してしまいはしなかった。迷っていた。社に戻って宿直室で寝るか。その心の声は次第に獰猛《どうもう》な唸りを帯び、今にもソファから悠木を追い立てそうだった。

16

翌八月十五日朝――。

北関の編集局長室には、粕谷局長以下、追村次長、等々力社会部長、亀嶋整理部長ら局内の主だった幹部が顔を揃えていた。

入室した悠木に声を掛ける者はいなかった。日頃いい関係を保っていた亀嶋でさえ顔を強張らせた。日航全権デスクの任を解く。等々力が口を開けばそんな話の展開になるかもしれないと悠木は内心覚悟していたし、自分のほうから返上を申し出ることも頭のどこかで考えていた。が、会議の関心は別のところにあった。

「さて、今日の紙面建てだ。どうするのがベターか知恵を出し合ってくれ」

粕谷局長はそう切り出し、皆の顔を見回した。

確かに知恵が必要だった。今日制作する紙面には三つの大きな柱を取り込まねばならなかった。一つには、発生四日目を迎えた日航ジャンボ機墜落事故の続報。そして、戦後四十年の節目となる終戦記念日行事。さらには、中曾根首相の靖国神社公式参拝――。

厄介なのはその靖国公式参拝だ。「郷土宰相」の英断とも蛮行ともつかぬ行動を紙面的にどう扱うか、地元紙として頭の痛いところだった。墜落事故発生以来、すっかり影の薄かった守屋《もりや》政治部長とデスクの岸が上席に着座しているのはそのためだ。

「やはり、今日は中曾根でアタマを張るべきでしょう」

機先を制するように守屋が言った。

その口ぶりに「政治部臭」を嗅ぎ取ったのだろう、等々力が社会部長の顔で守屋を見据えた。

「日航をトップから外すってことか？　まだ落ちて四日なんだぞ」

「取りあえず今日は肩に寄せろ。『材木屋のやっちゃん』が、歴代首相として戦後初の公式参拝をやる。ウチとすりゃあ、これをトップにしないわけにいかんだろう」

「お祭り感覚でものを言うな」

「お祭り？　どういう意味だ」

同期入社の二人は睨み合った。

「首相になって初のお国入り、ってのとは次元が違うってことだ。公式参拝を持ち上げるのはヤバい。野党や宗教団体だけじゃない、中国や韓国だって騒ぐ」

「それがどうした。日本国内のことを外にとやかく言われる筋合いはない。一国の代表が英霊に頭を下げてどこが悪いよ」

「政教分離はどうなる？　参拝方式を変えたからって憲法違反の疑いは否めんだろうが」

「そういうこともひっくるめてネタがでかいと言ってるんだ俺は。日航と比べても遜色《そんしょく》ないはずだ」

「五百二十人死んでるんだぞ」

「前橋大空襲じゃ何人死んだよ？」

「下らんことを言うな」

「等々力、お前のほうがお祭り感覚なんじゃないのか」

「どういうことだ？」

「事故の大きさに舞い上がってるってことだ。だがな、世界最大の航空機事故だとか言ったって、所詮はもらい事故だ。日航は純然たる県内ネタじゃないってことを忘れるな」

悠木は守屋の顔を見た。

所詮はもらい事故。いずれは誰かが言い出すと思っていたが、よもや社会部と政治部の縄張り争いの最中に転がり出るとは思ってもみなかった。

悠木は視線を手元に戻した。守屋に対する反発は感じていたが、それだけだった。日航機事故が軽んじられた。踏みにじられた。そうした身内意識に通ずるような感情の類いは湧いてこなかった。

いずれにしても、今日一面トップを中曾根に譲れば、日航機事故に対する局内の熱は急激に冷めるだろうと悠木は思った。事故の大きさに舞い上がっている。守屋の台詞は大部屋の空気を正確に言い当てていたし、「お祭り感覚」も決して的外れな指摘ではなかった。局員の誰もが、「もらい事故」から敢《あ》えて目を逸らし、「世界最大」を自己発奮の材料として睡眠時間を削ってきたようなところが確かにあった。

守屋と等々力の応酬はじきにやんだ。

互いに牽制しただけだ。大手紙とは違って、組織の小さい北関に政治部対社会部といった根深い対立構図はない。悠木のように生粋の社会部記者というのは稀な存在で、局の幹部に座る者は在籍期間の差こそあれ両方の部を踏んできているからだ。

北関で対立と呼べるのは、編集対営業部門。社長派対専務派。あとは、「福中」の色分けを巡る幹部同士の疑心か。普段は潜在化しているが、誰が福田派で誰が中曾根派かというレッテルは、社内で揉め事が起こった際、問題を拗《こじ》らせる原因となることがままある。

現在の編集局は、粕谷が就任早々に「等距離外交」を表明したこともあって、政治色は希薄になっている。が、社内問題はともかく、同じ衆院群馬三区で元首相と現首相が鬩《せめ》ぎ合っている現実は、日々の新聞作りに微妙な影響を及ぼすものだ。ましてや、「角福戦争」のただなかにあった十三年前の自民党総裁選で、中曾根が田中角栄の支持に回って福田を裏切って以来、「福中」に関する記事には慎重の上にも慎重を重ねての姿勢を余儀なくされている。たったいま議題に上っている公式参拝の取り扱いにしても、「福中」問題抜きに議論できる話でないことは出席者全員がわかっていた。

粕谷が溜め息で一同を注目させた。

「守屋、仮に中曾根で一面トップを張るとして、どうやって作る?　内容が内容だ、等々力が言ったように、ただ持ち上げるってわけにはいかんだろう」

「もちろん、批判的な野党談話は載せます」

「だったら、叩くためにわざわざトップにしたようにとられんか?　朝日や毎日とスタンスが同じだと中曾根サイドに思われるぞ」

「それはそうですが」

守屋は少し考え、続けた。

「全体の印象としては、中曾根がでかいことをやったという感じにはなるでしょう。見出しを配慮すれば問題はないと思いますが」

粕谷は腕組みをした。

「トップでやった場合、福田サイドはどう受け止める?」

「それはまあ、無批判、と感じればへそを曲げるかもしれませんね」

「そいつはかなわんな……」

北関は「角福戦争」で苦い経験をしている。当時、編集局長だった白河社長の指示で中曾根批判を避けたところ、三区内の市町村で軒並み部数が減ったのだ。それだけではない。同じ年の十二月に行われた総選挙で、福田は十七万八千二百八十一票というかつてない大量得票で中曾根に圧勝した。その数字は、当時の北関の発行部数に近かった。「福田党」を怒らせると怖い。北関の幹部はまざまざと思い知らされたのだ。

粕谷は追村次長に顔を向けた。

「どう思う」

「まあ、トップでいいんじゃないかと思いますけどね」

追村に、いつもの歯切れの良さはなかった。自衛隊嫌いなのだから本音はアンチ中曾根に決まっているが、白河社長が親中曾根なのでジレンマに陥っている。追村を「隠れ福田」と踏んで質問した粕谷にしてみれば、肩透かしを食わされた恰好だった。

粕谷はまた溜め息をつき、独り言のように言った。

「結局、飯倉《いいくら》さんに聞かんとならんか……」

部屋に微かな緊張が走った。

飯倉専務は一昨年まで編集担当重役を兼務していた。任を解かれたのは、県内の政財界に働き掛け、白河社長と土田副社長の追い落としを画策したと疑われたからだった。真偽のほどはわからないが、噂はその後も実《まこと》しやかに流れている。今度は内側を固めようとしている。社内の営業部門をまとめ上げて不穏な空気を醸成し、虎視眈々、社長の座を狙っているという。半年前、白河が倒れ、車椅子生活になってからというもの、その噂はさらに強まり、社内事情に疎《うと》い悠木の耳にも繰り返し吹き込まれていた。

見た目の紳士然とした姿から「インテリやくざ」と綽名されるその飯倉専務が、北関で最も福田に近い存在と言われている。

粕谷は「調停屋」そのものの顔を守屋に向けた。

「飯倉さんは今回の参拝について何も言ってきてないか」

「ええ。電話一本ないです」

編集担当を外されてからも、飯倉はちょくちょく大部屋に電話を寄越しては、「福田の見方」や「福田の反応」を伝えてきていた。揺さぶり。腹いせ。逆情報収集。局幹部の受け止め方は様々だったが、「飯倉情報」によって福田サイドの考えを知らされることも多かった。それは、福田番の記者が上げてくる「秘書情報」よりも数段深く、福田の本音に近かった。

「なぜ今回に限って言ってこない？」

「わざと静観してるんでしょう」

答えたのは追村だった。飯倉の名を聞かされて目が覚めたのだろう。目元で癇癪玉を破裂させている。

「静観？　なぜだ？」

粕谷が訊くと、追村はまくしたてた。

「後でどうとでも使えるネタだからですよ。こっちがトップで打てば、中曾根を持ち上げたと文句が言える。肩に落としたら落としたで、今度は中曾根を庇ってそうしたといちゃもんをつけられる。専務は後出しジャンケンをくれてくるつもりなんですよ。まさしくインテリやくざの手口だ」

粕谷は憂鬱そうな顔で頷いた。頭には、来月の局長会議の光景が浮かんでいるに違いなかった。

「極力ツケ込まれないようにしたい。追村、お前の結論を言え」

「やっぱりトップは外せんでしょう。守屋が言ったように野党談話を載せ、解説もプラスして毒消しをするってことです」

「解説？　共同を使うのか」

「共同の解説はきつ過ぎます。青木にぬるいのを書かせればいい」

「いや、どっちにしても解説は危険だろう。書いたことすべてが社の考えだと思われちまう。主観が混じるものは載せんほうがいい」

「まあ、確かにそうですが……」

言い掛けたまま追村は思案顔になった。

全員が黙した。これぞという案は出てきそうもなかった。飯倉専務の思惑が読めないことが、方針決定の判断を鈍らせているとも言えた。

粕谷はソファの背もたれに体を預け、部屋全体を見渡した。

「上毛はどう作ってくると思う？」

「このまま日航で押してくるんじゃないでしょうか」

亀嶋整理部長が言った。

粕谷は意外そうな顔を亀嶋に向けた。

「なぜそう思う？」

「ウチの大部屋を見てればそう思いますよ。みんな日航に夢中になってますからね。ここで今日は中曽根をやれって言っても、ちょっと盛り上がらんでしょう」

亀嶋の発言は議論の本質を無視したものに違いなかったが、それだけに粕谷の頭にすんなり入ったようだった。

「それも一理あるな……」

「でしょう？　新聞は生き物ですからね。流れってやつを大切にしないと」

粕谷は一つ頷き、悠木を見た。

「お前はどう思う？」

悠木は無言で粕谷を見つめ返した。

話を振られるのは予想していたが、回答は用意していなかった。昨日までならば、迷うことなく「日航で行くべし」と言ったろう。だが、後輩の原稿を潰されたうえ屈伏を余儀なくされたゆうべの一件は、悠木の胸に無力感を植え付け、それは時間の経過とともに広がって日航機事故に対する意欲の大半を侵食していた。追村や等々力の冷やかな視線が、おいそれと意見を述べられない空気を作ってもいた。自分は既に、日航全権デスクとしての信任を失っている。悠木はそう自覚していた。

「どうした？　お前の意見を聞いてるんだ」

粕谷の顔と声には期待感が覗いていた。悠木の返答次第では亀嶋の案に乗ってもいい。そんな他人任せの腹が読み取れた。

悠木は追い詰められた気持ちになった。こう言うしかあるまいと思い、言った。

「どっちがトップでも構わないと思います」

粕谷の表情はたちまち失望に変わった。

結論が出ぬまま、粕谷の何度目かの溜め息とともに会議の終了が告げられた。

「夕方、もう一度集まってくれ。俺は飯倉さんと会ってくる」

17

大部屋は閑散としていた。

局長室を出た悠木は、亀嶋整理部長の背中を追った。昨夜のことを謝っておきたかった。日航の「お詫び広告」を紙面から外せと怒鳴りつけた。理由はともかく、「大部屋の良識」とでも言うべき亀嶋に当たり散らしたのは、悠木自身、常軌を逸していたとしか思えなかった。

「カクさん――」

振り向いた亀嶋の表情は険しかった。

「何だい?」

悠木は小さく頭を下げた。

「すみません。ゆうべはどうかしてました」

「いいよ」

「以後気をつけます」

亀嶋は鼻から荒い息を出した。

「そんなことはいいって言ってるだろ。それより、さっきのアレ何だよ?」

「えっ……?」

「会議だよ。どっちでもいいって言いぐさはないんじゃないの。あんたがこの事故の責任者だろう。最初からずっとやってるんじゃないか。可愛くないのかよ」

喉元に苦い汁を感じつつ、悠木は自分のデスクに戻った。

可愛くないのかよ――。

そう言える亀嶋を心のどこかで羨んでいた。疑ってもいた。どうやれば他人事にああまで思い入れることができるのか。

入社以来、亀嶋は整理部一筋だ。記者のように表を出歩くことはない。ずっとこの大部屋にいて、来る日も来る日も「今日」と取っ組み合いをしている。だからかもしれない。外で生身の人間と接する機会がないからこそ、この部屋に舞い込んでくるニュースの体温を感じ取ろうと五感を研ぎ澄ましているのかもしれなかった。

どっちがトップでも構わないと思います――。

胸が微かに疼いた。

悠木は短い息を吐くと、机の上をざっと片づけた。まだ十一時前だが、既に共同から大量の事故関連記事が送られてきていた。その記事の山に埋もれていた大判の写真が目にとまった。遺体安置所に充てられた藤岡高校体育館の内部の写真だった。ゆうべマスコミに公開されたが、本社にネガが到着するのが遅れて朝刊に入れ損ねた。

白い柩が整然と並んでいる。その上に名札と花束が置かれている。市民体育館で身元確認作業を終えた五十一遺体のうち、四十三遺体がここに収容されたのだ。

写真を見つめるうち、悠木はハッとした。

これは……。

昨夜は気にもとめなかったが、中央の扉の両脇に二つの花輪が写っていた。キャビネ判に引き伸ばされた写真だから、花輪の寄贈者の名前まではっきり読み取れた。右側が「元内閣総理大臣福田赳夫」。左は「内閣総理大臣 中曾根康弘」。

思えば二人の地盤だった。群馬三区は高崎市を中心に県内の西部地域を占めている。日航機が墜落した多野郡上野村も、遺体が安置されている藤岡市も、ともに三区のエリア内なのだ。

奇異な写真だ。改めて見つめてみてそう思った。そう、花輪が体育館の外でなく、館内の壁に立てられているからだ。マスコミが写真撮影を許可された場所の正面に――。

またしても、喉に苦い汁が込み上げてきた。

「おはようございます」

明るい声とともに、湯呑み茶碗が差し出された。礼を言う間もなく、もう依田千鶴子はスカートの裾を翻《ひるがえ》していた。大きなトレイの上には隙間なく茶碗やコーヒーカップが載っている。そろそろ局内に人が増えてきたということだ。

悠木は湯呑みを口に運んだ。苦い汁は消えてくれたが、すぐに原稿を読み始める気にはなれなかった。

机の上の朝刊を捲った。一発で目当てのスポーツ欄を開いた。こんな時、この職業に就《つ》いて長くなったのだと感じる。

阪神はやはり負けていた。巨人相手に三対四。真弓は四打数一安打――。

「ホントに優勝するかもな」

声に顔を上げると、政治部デスクに岸が戻ったところだった。すれ違い様に千鶴子から受け取ったらしく、特大のマグカップを手にしていた。

「負けたんだぜ、昨日も」

悠木が言うと、岸は阪神ファンを気取って口を尖らせた。

「五連勝の後の二敗だ。痛くも痒くもないさ」

「そうこうするうち奈落の底へ。いつものパターンじゃないのか」

「この隠れ巨人め」

追村次長の口真似をして岸は笑った。ご多分に洩れず、群馬も読売の凄まじい拡販攻勢に晒されている。北関の社内で巨人ファンだなどと口にしたら売国奴呼ばわりされるのがおちだ。

「けど、お前のところの下の……えーと、由香ちゃんか。確か阪神ファンだって言ってたよな」

「真弓ファンだ」

「そうそう、日本中の女房と娘はみんな真弓ファンだ」

岸はまた笑ったが、マグカップをデスクに置くと、真顔になって声を潜めた。

「なあ、由香ちゃんはどうだ？」

「何がだ？」

「お前のこと、汚いとか言いださないか」

悠木はビクッとした。

「何だよ、藪から棒に」

「いやさ……」

岸は顔を顰《しか》めて舌打ちした。

「ほら、よく言うだろ。初潮の影響だかなんだか知らないが、娘は五、六年生ぐらいになると父親を嫌うって」

「カズちゃんがそうなのか」

会ったのは一度きりだが、写真は飽きるほど見せられている。

「下の史子《ふみこ》もだ」

「幾つになった？」

「中一と小六。まったく哀れなもんさ。俺なんかバイ菌扱いだ。家に帰ると、二人してヒキタテンコーみたいに姿を消しちまう」

冗談めかした物言いとは裏腹に、岸の表情は消沈していた。

「この先ずっと、ってわけじゃないんだろ」

悠木は言った。気遣い半分、情報を得ておきたい気持ちも働いていた。

「みんなそう言うけどさ、何の保証もないからなあ。ずっとあのままだったらどうするよ。ホント、泣きたくなるぜ」

「ん」

「まったく、あんなに可愛がって育てたのによ。やっぱり男がいいよな。お前のところが羨ましいよ」

悠木の頭は別の話題を探した。が、一瞬岸が速かった。

「淳君、ウチのカズと一緒だよな。でっかくなったろう?」

「ああ、図体だけはな」

言って、悠木は目を逸らした。

「まあ、お前のところは由香ちゃんも平気かもな。あの子はめちゃくちゃいい子だ」

「そんなことはないさ」

「いい子だよ。けどな、ウチのカズやフミだって四年生の時までは——」

岸が言い掛けた時、追村次長がこちらに歩いてくるのが目に入った。

「おい、岸」

追村は、岸の机の角に尻をのせた。

「さっきはお前の意見を聞き損ねちまった。一応、聞かせとけ」

悠木は座っていた事務椅子を半回転させて横を向いた。会話の窮地を救われた恰好になったが、佐山の原稿を潰した張本人に感謝する気はない。

岸は中曾根寄りの発言をしているようだった。無理からぬことだ。岸は以前、中曾根首相の外遊に特派員として同行したことがある。

岸の自宅の居間に飾ってあった、首相と岸のツーショット写真が思い出された。政府専用の特別機の機内で撮られたものだ。官邸サイドの記者サービスというわけだが、その写真を目にした悠木は、こんなものを自慢げに飾りやがって、と岸の権威意識を内心軽蔑したものだった。が、さっき岸から娘の話を聞かされて、その思いが幾らか変化した。首相とのツーショット写真は、テレビの上に、娘たちの写真と並べて飾ってあった。来客に見せつけるためのものではなかったのかもしれない。岸は、日々家族に見せていたのではなかろうか。男なら誰だってそうだ。せめて自分の女房や子供ぐらいには尊敬されていたい——。

「まあ、日航もちょっと食傷気味だしな」

声に目だけ向けると、追村が歩きだしたところだった。

食傷気味……。

嫌な言葉だと悠木は思った。

大部屋には、続々と局員が集まり始めていた。まもなく締切のタイマーがセットされる。

どっちがトップでも構わないと思います——。

悠木は落ち着かなかった。こんな中途半端な気持ちで「今日」を迎えるのは初めてのことだった。

18

昼食は地下の社員食堂で済ませた。

大部屋に戻った悠木は、デスクについて受話器を取り上げた。県警の佐山と川島のポケベルを呼んだ。

応答を待つ間、朝刊の日航関連記事に改めて目を通した。

一面。トップの主見出しは《百二十一遺体収容　身元確認は五十一人に》。ソデは《原因は尾翼付近の破損か》。頁を次々捲っていく。悠木がトップ用に提案した連載企画『墜落の山・御巣鷹』の初回原稿は、第二社会面に回されて惨めな姿を晒《さら》していた。怒りと自責の念がぶり返す。しかし、だからといって今さら一面に復活させることもできない。連載企画は、いわば「死産」してしまったようなものだった。

先に電話を寄越したのは佐山だった。

〈呼びましたか〉

距離を感じさせる冷えた声だった。

事務的に用件を告げた。

「そっちからは何が出る？」

〈県警が例のアシスタントパーサーから事情聴取しました。五十行ほど書きます〉

「早かったな」

〈日航に先手を打たれましたから。幹部はかなり怒ってました〉

「そうだろう。あれは捜査妨害だ」

〈そうですね〉

よそよそしい佐山の返答が嫌な間を作った。

「今、県警か」

〈ええ、記者室です〉

「川島はそこにいるか」

〈いえ、出てます〉

「顔を見たら連絡するよう言ってくれ。やつはポケベルの反応が遅い」

〈わかりました〉

悠木は置いた受話器を見つめた。佐山が取材意欲をなくしていることは明らかだった。無理もない。渾身の現場雑観をあっさりと踏みにじられたのだ。

テレビ画面には、政府主催の全国戦没者追悼式の様子が映し出されていた。川島の気弱な声を聞いたのは、その追悼式典も終わろうかという頃だった。

〈川島です……〉

「原稿は何時ごろ出る？」

〈えっ……？〉

「連載の第二回だ。あんな形になっちまったが、潰れたわけじゃない」

〈あ、それなら神沢が書きます〉

悠木は一瞬耳を疑った。

「どういうことだ？　お前に書けと言ったはずだ」

〈………〉

「お前がサブだろう。何で三番手の神沢が先に書くんだ？」

〈それは……〉

川島は口を濁した。

聞かずとも想像はついた。神沢は佐山とともに北関で御巣鷹山の一番乗りを果たした。一方の川島は山に入ったものの力尽き、現場を踏まずに撤退した。そのことがサブと三番手の力関係を逆転させたのだ。

「川島、お前が書け」

〈………〉

「五時までに出せ。いいな」

悠木は一方的に電話を切った。

川島は北関を辞めることになるかもしれない。悠木はそう思った。仕事ばかりか、ポジションまで下の者に食われてしまった記者は生き残れない。

悠木は顔を上げた。

テレビの前に人だかりがしている。すぐに靖国だとわかった。モーニング姿の中曾根首相が厳かな足取りで神社本殿の階段を上がっていく。藤波官房長官と増岡厚生大臣を伴っている。階段の最上階で足を止め、深く一礼した。

画面を見つめる粕谷局長の表情は硬かった。トップを日航にするか靖国で作るか、まだ決めかねている顔だ。

電話が鳴った。

相手は玉置《たまき》だった。北関の記者で唯一の工学部出身者だ。藤岡支局の戸塚と配置替えして、上野村入りしている運輸省航空事故調査委員会のメンバーをマークさせている。と言っても、玉置が大学で航空工学を学んでいたというわけではない。特ダネを期待するというよりは、北関一社だけが重要情報を摑み損ねる「特オチ」を防ぐために配置してあるというのが本当だった。

が、玉置は驚くべきことを口にした。

〈事故原因が大体わかりました〉

すぐには言葉が出なかった。それが本当ならば大スクープになる。

悠木は椅子を引いた。

「言ってみろ」

〈圧力隔壁が破壊されたんです〉

初めて聞く用語だった。

「何だそれは？」

〈与圧隔壁とも言うんですが、航空機の後ろのほうにある半球状の壁です。この壁で客室内の気圧を支えています〉

「それで」

イメージが湧かないまま、話の先を促した。

〈上空の高いところを飛行する時は、客室内の気圧を高めます。つまり、外気と比べて室内が高圧になっているわけです。当然、隔壁には中から外に向けて相当の荷重が掛かることになります〉

悠木の脳裏には七三分けの生真面目そうな顔が朧げに浮かんでいた。群大工学部出身。前橋市政担当の三年生記者。知っているのはそれだけだ。

「難しいことは後でいい。とりあえず、結論を言ってみろ」

〈要するに、その荷重が隔壁を破壊したということです。隔壁が破れ、客室内の空気が内部から尾翼を吹き飛ばしたんだと思います〉

思います……？

悠木は声を落とした。

「事故調の調査官から聞いたんじゃないのか」

〈あ、ええ……。調査官たちが『隔壁』と口にするのを聞いたんです〉

「取材したんじゃなく、立ち聞きしたってことだな？」

〈ええ、まあ……〉

「隔壁が破れた、とは言わなかったのか」

〈そこまでは言いませんでした〉

自然と肩が落ちた。

すべては玉置の推測にすぎないということだ。しかし、万一ということもある。

「今夜、宿屋に忍び込んで調査官にぶつけてみろ」

〈それは、ちょっと難しいです。各社が大勢張ってますから、抜け駆けはできない状況です〉

「無理にでもやってみろ」

発破を掛けて受話器を置くと、悠木は隣の政治部デスクに顔を向けた。

「岸――」

「何だ？」

「ウチは運輸省のクラブに誰か加盟してるのか」

「いや、いない。前は入ってたこともあったんだがな」

「そうか……」

ならば、やはり上野村に泊り込んでいる事故調のメンバーを当たるしかない。玉置一人に任せておいて大丈夫か。

悠木は地方部デスクに足を向けた。寝癖であちこち突っ立った剛毛が山田のトレードマークだ。

「なあ山田、前橋の玉置ってのはデキるのか」

「玉置ですか……ちょっと摑み所のない男でね。まあ、可もなし不可もなしといったところです」

悠木はデスクに戻り、電話に目を落とした。

佐山しか聞く相手はいなかった。玉置の記者としての資質。力量。獲得情報の信頼度――。

迷ううち、背後から名前を呼ばれた。

粘っこい声だった。悠木は内心舌打ちして振り向いた。伊東販売局長がすぐ後ろに立っていた。

「ちょっといいかい？」

「何でしょう？」

「十五分ほど付き合ってくれないかなあ」

伊東は口髭を撫でながら言った。

悠木は難しい顔を作って壁の時計を見やった。

「そんじゃあ十分でいいからさあ。安西君の件でちょっとね」

悠木は顔色を変えた。

「病状に変化でも？」

「いやあ、そうじゃないんだけどさあ」

ネチャネチャ言いながら、伊東はドアのほうに顔を向けた。

二人で廊下に出た。

自動販売機コーナーのソファで話すのだとばかり思っていたが、伊東はその前を通り過ぎて階段を下りた。その自信あり気な態度と身勝手さが悠木を不安にさせた。やはりこの男は、死んだ母の秘密を知っている——。

伊東は一階に部屋を用意していた。営業の人間が商談で使う小さな応接室だ。促されて、悠木はソファに座った。伊東が何かを企んでいるのは確かなことに思えた。

「いやあ、まったく参っちゃったよ。安西君の抜けた穴は大きくってさあ。いまね、三人掛かりで埋めてるんだ」

悠木はしばらく黙って聞いていた。案の定、伊東の話に用件と呼べるものはなかった。

これ見よがしに悠木は腕時計に目を落とした。

「もう十分経ちました。用がなければ戻りますが」

伊東は慌てるでもなかった。

「まあまあ、そう急ぎなさんな。ちゃんと話すからさあ」

「今日はべら棒に忙しいんです」

その言葉を待っていたかのように、伊東は身を乗り出して指を組んだ。

「中曾根の参拝でかい?」

悠木は見開いた目で伊東を見つめた。

専務派の斥候《せっこう》。そんなフレーズが脳裏を駆け抜けた。

伊東は糸のように目を細めて笑った。

「ほら、ウチもアレと一緒だから——ビルの谷間のラーメン屋」

衆院群馬三区。「福中」の狭間で常に苦戦を強いられている小渕恵三の口癖だった。その小渕の立場を北関に準《なぞら》えた伊東は、糸の目のままで言った。

「ウチの紙面はどう扱うの?」

悠木はもう驚かなかった。

つまり、そういうことなのだ。伊東は、飯倉専務から編集局の動きを聞き出すよう命じられて悠木を呼び出した。

怒りと悔しさが同時に突き上げていた。なにより、自分が「情報源」として専務派に選ばれたことが悔しくてならなかった。

なぜ俺なんだ?

見くびられたということか。

編集局のはみ出し者と踏まれたか。

それとも、伊東の部下である安西とつるんで山に出掛けていたからか。

確信めいた思いが胸に浮かんだ。おそらくそうだ。安西も専務派の一人だった。伊東のことを「命の恩人」と崇めていたではないか。右腕のような存在だったに違いない。悠木は、その安西と親しくしていたから目を付けられたのだ。自分が知らぬ間に「専務派」のレッテルを貼られていた――。

「どうしたね、そんな怖い顔してさあ」

「……」

「で、どうなの? 参拝はトップ記事にするわけ?」

悠木は伊東の細い目を見据えて言った。

「そんなことを聞いて何のメリットがあるんです?」

決まっている。福田サイドに流すのだ。いや、実際には福田の威を借る狐どもに吹き込む。明日の朝刊が出る前に、こんなふうな記事が載りますよ、と茶坊主するのだ。取るに足らない情報だが、新聞記者をしていればわかる。愚にも付かないC級D級の情報を潤滑油にして仲間を形成している連中がいる。ちっぽけな情報を流してちっぽけな恩を売る。その繰り返しが義理を生み、果ては信頼や信用に化けるのだ。

悠木は席を立った。

見上げて、伊東が言った。

「それはそうとさあ、昨日は随分と派手にやったらしいね」

「何がです……？」

「社長室だよ」

すべてお見通しということか。

「君もわかったろう？　白河ってのは最低の男だよ。あんな色狂いに会社を任せておけないんだ」

「………」

「白河がいる限り、君の出世だってないわけさ。いやあ、昨日みたいなことやったら、秋には栃木に飛ばされるかもなあ」

悠木は伊東を見下ろした。

「自分を売り飛ばすよりはましでしょう」

悠木は踵を返し、ドアに向かった。とりわけ粘っこい声が追い掛けてきた。

「君さあ、昔、中新田町に住んでなかったかい？」

悠木は足を止めた。

ゆっくりと首を回した。獲物を見つけた猫のような丸い目がこっちを見ていた。

直視できず、悠木は目を逸らした。

刹那、母の白い背中が見えた。勝手口から背中を丸めて出ていく、ずるい目をした男たちが見えた。

19

午後四時を回って、大部屋は騒がしくなってきた。

悠木は自分のデスクで原稿を捌いていた。

《遺体収容二百七十一人》《百一人の身元を確認》《日米合同調査スタート》《安全抜きで合理化競争》《国家公安委・日航の刑事責任の有無究明に重点》

お前んちの母ちゃんさあ、パンパンなんだってなあ――。

やはりそうだった。昔、公園で出会ったあの高校生が伊東だったということだ。

昂《たかぶ》りは収まりつつあった。

伊東は言いすぎた。ことによると秘密を知られているのではないか。そう思っている間が最も恐ろしいものなのだ。知られているのだとはっきりわかってしまえば恐怖の大半は過ぎ去ったも同じだった。死んだ母親が淫売であろうが何であろうが、もはや四十になった男の弱みにも瑕疵《かし》にもなりようがなかった。

悠木は次の原稿を手元に引き寄せた。赤ペンを入れる手は止まらなかった。

心の奥底に葛籠《つづら》を抱いていた。その中には悠木を破滅させる穢《けが》れが詰まっていると思い込んでいた。長い歳月、怯えて生きてきた。必死で葛籠を隠し、蓋を押さえつけてきた。だが、開いてみれば、中に詰まっていたのは哀しみだけだった。戦後の混乱期に夫に蒸発され、乳飲み子に泣かれ、ずるい目をした男たちに縋り、そして、誰一人葬式に現れてもくれぬ生涯を過ごした憐れな女が横たわっていただけだった。

悠木はペンを動かし続けた。

《ボイスレコーダーの分析急ぐ》《苦闘示す航跡》《機長、必死のエンジン操作》《ジャンボ機総点検始まる》

「悠木さん」

声に顔を上げると、整理部の吉井が心配そうな顔で立っていた。今日の一面担当だ。

「そろそろ決めてくださいよ。日航と参拝、どっちがトップになるんです?」

悠木は首を伸ばした。局長室のドアは閉じていた。部長以上の幹部が籠もって、朝の続きをやっている。

「まだみたいだな」

「早く決めてもらわないと困るんですけど」

「こっちもだ。まあ、もう少し待ってろ」

「しかし、何で中曾根なんです? 日航でやればいいじゃないですか」

悠木は眩しそうに吉井を見た。三十半ばのベテラン整理マンだが、童顔で小柄だからまだ若者といった風情だ。

「三日四日でトップを外したら、日本中の新聞社に笑われますよ」

「笑われる……？」

「そうですよ。少なくとも、他社がトップを外すまでは意地でもウチは続けたほうがいいですよ。なんてったって地元なんだから」

地元紙の意地……。

微かに胸が騒ぐのを感じた。

「悠木さんから上に言ってくださいよ。全権デスクでしょ」

「名前だけだ」

悠木は自分の発した言葉に傷ついた。

話に乗れない自分がもどかしかった。かと言って、胸を張って言える言葉は、心のどこからも湧き上がってきそうになかった。

こうなりゃ二種類作っておくしかねえや。吉井はブツブツ呟きながら戻っていった。

悠木は力のない息を吐き、壁の時計に目をやった。間もなく五時だ。サブキャップの川島はまだ連載の原稿を寄越していなかった。

戻しかけた目が、隣のデスクで止まった。

人の足を見たからだ。胴体と繋がっていない足だった。「フォーカス」か「フライデー」の写真に違いなかった。社会部デスクの田沢が雑誌を捲っている。御巣鷹山の特集だ。田沢が手を止める都度、無惨な死体が目に飛び込んできた。

「今日発売のか？」

悠木が声を掛けると、田沢は雑誌を突き出した。

「参考にしろ」

「参考……？」

田沢は写真を指で弾《はじ》いた。

「こいつがズバリ日航機事故ってことだ。新聞じゃ太刀打ちできねえ」

「どうしてだ？」

田沢は、ハッ！　と一つ笑った。

「わからねえのか？　みんなそうだ。五百二十人死んだって聞いた時から死体を見たがってたんだ。新聞が、悲惨だ悲惨だと馬に食わせるほど書いたって、このたった一枚の写真にはかなわないだろうが」

どこまでが本気かわからなかった。日航デスクに指名されず、腹いせで言っているのか。

「泣かせもワンパターンなんだよ。毎日毎日、遺族の金太郎飴じゃねえか。誰があんな記事読むよ？　誰も読みゃあしねえよ」

「青臭いことを言うな」

悠木は溜め息混じりに言った。

「何だと……？」

「田沢、お前、本気で読者を泣かせたくて泣かせを書いたことがあるか」

田沢が何かを言いかけたが、悠木は目で制して続けた。

「人の死をとことん悲しく伝えたがるのはマスコミの性癖みたいなもんだ。読者が読もうが読むまいが、書いて、作って、配るのが新聞だろうが。五百二十人死んだら五百二十本泣かせを書く。そういう仕事じゃねえか」

言いながら、悠木の心は寒々としていた。

「見ず知らずの他人のために泣くやつだっているかもしれん。死体を見たがるか、泣かせを読みたがるかは読者の勝手だろう。こっちが考えても始まらねえ」

「随分と冷めてるんだな。らしくねえ」

「田沢」

「何だ?」

「俺はいつでも下りる。この事故やりたかったら上に言え」

田沢は腕を組み、悠木の目を見つめた。

「社長と揉めたんだと?」

「早いな」

「お下がりは御免だ」

「こんな事故、二度とないぞ」

「でかすぎてつまらん。いいから、最後までドン・キホーテをやってろ」

冷たく言い放って、田沢は背中を向けた。

悠木は椅子に座り直した。

ドン・キホーテ。この席に座っているのが自分でなかったら、うまいネーミングだと膝を打ったに違いなかった。

悠木は事故原因に関する原稿の束を手元に引き寄せた。

《運輸省調査委「R5ドアは原因ではない」》《尾翼接続部欠陥で「共振」の可能性》《尾翼リンク損傷の可能性》《垂直尾翼つけ根から脱落》《つけ根に異常な力・後遺症説や乱気流説も》《水

平尾翼も損傷か？》《米連邦航空局「老朽化早い大型機」》《8の字飛行三十分のナゾ》《残骸調査に全力》

読むのに時間が掛かった。「隔壁」の文字を探したが、どこにも出てこなかった。玉置に担《かつ》がれた。そんな思いが膨らんでくる。

続いて、遺族関係の原稿に取り掛かった。

《遺体損傷激しく身許確認難航》《遺体、次々と故郷へ》《遺族に焦りと絶望感》《まだ乗客三人の家族と連絡つかず》《警官の制止振り切り遺族が現場へ》《お盆の朝の対面悲し》

悠木は原稿を仕分けし直した。

《身元確認難航》《遺体の帰郷》。この二つの要素を同じ面に組めば、内容を殺し合うだろうと思った。一面トップでやるのなら、《身元確認難航》のほうがインパクトがある。肩ならば、《遺体の帰郷》で泣かせを作る——。

悠木は目線を上げた。

局長室を偵察に行った岸が戻ってきたところだった。

「決まったか」

悠木が訊くと、岸は曖昧に頷いた。

「一応中曾根で行くみたいだ。ただ、内容をどうするかでまだ揉めてる」

「局長は飯倉と会ったのか」

「いや、今日は休みなんだと」

「雲隠れか」

「そうかもな。家も留守電だそうだ」

「ジョーズやエイリアンと同じだ。出てこないから怖い」

岸は破顔して言った。

「余裕だな、おい。日航は出揃ってるのか」

「共同電はな。そっちは？」

言いながら、悠木は《遺体の帰郷》の束を引き寄せた。「一面肩」でほぼ決まりの感触を得たからだ。

「こっちは東京の青木待ちだ。苦労して書いてるだろうよ。口ほど筆力がないからな」

悠木は小さく笑った。

「なあ、悠木」

「ん？」

「ホントにいいのか」

「何がだ？」

「日航が肩で」

悠木は岸の顔を見た。真顔だった。

「俺が決めることじゃない」

「だな」

二人が視線を外した時、田沢の尖った声がした。

「ちょっと、勝手に入っちゃ困るんですよ」

大部屋の入口で、髪の長い、三十前後の女が愛想笑いを浮かべていた。小さな男の子の手を握っている。

田沢は立ち上がっていた。

「部外者は立入禁止なんですよ。出ていって下さい」

「す、すみません」

母親はおずおずと頭を下げた。

「あの、新聞を一部わけていただけないかと思いまして……」

「じゃあ、下に行ってくださいな」

追い立てるように田沢が歩み寄った。

「下には誰もいらっしゃらなくて――」

母親の言葉には耳に馴染みのない微かな訛りがあった。服装は地味だが、目元の化粧が濃いのが遠目でもわかった。連れている五、六歳の男の子は、母親が苛められていると思ったのだろう、瞬きのない真っ直ぐな目で田沢を睨み付けていた。

その目がふっと悠木に向いた。

悠木は笑みを作ろうとして、が、一瞬にして顔中の筋肉が強張った。

「階段を下りた右側です。新聞の販売機がありますから。コインで買えます」

「ご丁寧にどうもすみませんでした」

母親が部屋を出ていく。男の子の目が悠木から逸れた。

悠木は足が竦《すく》んでいた。

あの目を知っている……。自分もあんな目をしていた頃があった。母さんは僕が守る。布団の中で切なく誓った日があった。

父は二度と帰らない。そう自覚した日だった。

熱風が胸を吹き抜けた。

悠木はデスクの上の新聞を鷲摑みにした。今日。昨日。一昨日。十三日の分まで掻き集めて社の封筒にねじ込んだ。さっき仕分けした原稿の仮見出しが目を刺した。《遺体の帰郷》——。

猛然と走り、階段を下った。下りきったところで母子に追いついた。

「これ、どうぞ」

悠木が封筒を差し出すと、がま口を手にした母親が驚いた顔を向けた。

思った通りだった。化粧ではなかった。目元には、泣きはらしてできた隈《くま》がくっきりとあった。

悠木は目を伏せて言った。

「十三日から今日までの新聞です。お持ち帰り下さい」

「あ……」

突然、母親の目から、信じられないほど大粒の涙が溢れでた。

母親は震える手でがま口を開こうとした。その手を幾つもの涙が打った。

「……ありがと……ございます……」

「お代はいりません。どうぞ」

悠木は母親の胸に封筒を押しつけた。

ロビーのガラス扉を透かして、黒塗りの寝台車が見えていた。

母親は何度も頭を下げ、去っていった。

男の子は最後まで悠木を睨み付けたままだった。

悠木は階段を上がった。だが、大部屋に入れなかった。泣くのは遺族の仕事だ。何度言い聞かせても駄目だった。

悠木は階段を下りた。一段一段ゆっくりと下りながら思いを巡らせた。

北関の看板が目にとまったのだ。

だから、運転手に車を止めてもらったのだ。

あれはどこのお国言葉だったろう。

どこの県にも地元紙がある。彼女の故郷にだってきっとある。地元で起こった出来事なら、他のどの新聞よりも詳しい。だから、彼女は北関で車を止めてもらった。夫を奪ったこの日航機事故が、どこよりも詳しく載っていると信じて――。

悠木は顔を上げた。

ネクタイで目元を何度も拭い、階段を駆け上がった。

大部屋に入った。岸と田沢が無言で悠木を見つめた。構わずデスクに戻り、引き出しから写真を摑みだして局長室に向かった。

ドアを押し開いた。

粕谷局長。追村次長。等々力社会部長。守屋政治部長。亀嶋整理部長。すべての目が向いた。

悠木はいきなり言った。

「トップは日航でいきましょう」

部屋は沈黙した。

ややあって粕谷が口を開いた。

「いや、トップは中曾根で――」

遮って、悠木は言った。強く。

「それじゃあ、インテリやくざを黙らせられんでしょう」

悠木は、手にしていた写真をテーブルの真ん中に置いた。遺体安置所の写真だ。二つの花輪。二つの名前――。

「この大きさで載せます。これなら福中双方の顔が立つはず」

呆気にとられた顔が並んでいた。悠木はその一つ一つを見つめ、言った。

「日航をトップから外すわけにはいきません。五百二十人は群馬で死んだんです」

最初に顔を崩したのは、言わずもがな末席の亀嶋だった。

20

午後六時。ようやく明日の朝刊一面の割り付けが決まった。

トップには日航機墜落事故の続報を当て、中曾根首相の靖国神社公式参拝は、記事の扱いをやや縮小して左肩に寄せることになった。決定というより、それは決着に近かった。たった一枚の写真で「福中バランス」をとる。悠木が提案した奇策は粕谷を喜ばせ、追村と等々力も異論を唱えないという消極的な形で賛同した。

「今日も日航でアタマ張るかんね！」

亀嶋が発した掛け声は、編集局の大部屋を少なからず沸かせた。大半の局員は日航機事故にのめり込んでいたし、裏事情はどうあれ、郷土宰相絡みのビッグニュースをトップから外すという判断は、なにやら北関の意気地を見せたようで小気味よかった。

悠木が自分のデスクに戻ると、依田千鶴子が夕飯の出前注文メモを手に待ち構えていた。

「悠木さん、何にします?」

「ん――じゃあ、楽々亭の冷し中華を頼む」

「冷し中華ですか……」

千鶴子は注文メモに目を落とした。その目が「仲間」を探してウロウロしている。

「俺だけか」

「ええ。みんなクーラー病ですからね」

注文の品がバラつけば、それだけ出前の届く時間が遅くなる。

「多いのは何?」

「えーと、今日の一番人気は五目チャーハンですね。お仲間が八人」

「それでいい」

悠木は椅子に腰掛け、席を外していた間に溜まった原稿を手元に引き寄せた。局長室に入っていた時間は二十分足らずだったが、五百二十人の死者を出した世界最大の航空機事故は、今日も休むことなく関連記事の量産を続けていた。

悠木は赤ペンを握った。

《残る遺体の捜索に全力》《上野村・全村民挙げて支援態勢》《NTT・遺族用に臨時電話三百四十台を開設》《取材記者二人が重体。疲労で脱水症状》《運輸省・航空四社に尾翼の一斉点検命令》《米調査団・今日御巣鷹山の現場へ》

瞼《まぶた》はまだ熱を帯びていた。

新聞を大切そうに胸に抱き、幼い息子の手を引いて寝台車に乗り込む母親の姿を、悠木は当分の間忘れられそうになかった。罹災した夫の亡骸を故郷に連れて帰る途中、「地元紙」を買い求めに北関本社に立ち寄った。その土地で起こった事故なのだから、その土地にある新聞に一番詳しく載っている。母親は当たり前のこととしてそう考えていた。

当たり前のこと……。

彼女に教えられた。詳報。まさしくそれこそが地元紙の存在理由なのだ。

ポンと肩を叩かれ、悠木は振り向いた。亀嶋の、弾むように歩く後ろ姿が離れていくところだった。

悠木は鼻で笑い、ふと思って壁の時計に目をやった。

午後六時半――。

幾分和らいでいた気持ちが、再び強張っていくのがわかった。連載企画『墜落の山・御巣鷹』の原稿がまだ届いていない。五時までに出すよう川島に命じてあった。何度かポケベルを呼んだがナシのつぶてだ。書かない気か？　ならば、川島は編集局内に籍を失う。

悠木は原稿に目を戻した。

《群馬県警・アシスタントパーサーから事情聴取》《農大二高ナイン・父奪われた級友に二回戦突破を誓う》《午後三時半、降雨でヘリによる遺体収容作業中断》《第三管区海上保安本部・相模湾で回収の尾翼部品を群馬県警へ搬送》

一通り原稿に目を通すと、悠木は右隣の机に顔を向けた。

「岸――」

「ん？」

岸が耳だけ寄せた。目と赤ペンは原稿から離れない。青木が書いた公式参拝の解説記事は既に真っ赤になっていた。

悠木は引きつけるように強く言った。

「国際面に空きはあるか」

「なんで？」

今度は顔が向いた。

悠木は数本の原稿を突き出した。

「向こうの調査団とボーイング社の関連記事だ。載せてくれ」

「それはフロント用だろう？」

「一面は遺族関係を目一杯突っ込みたいんだ。空いているんなら貸せ」

「ちょい待ち……」

岸は手元の出稿表に目を落とした。本来の担当である一面は日航全権デスクの悠木がみているので、事故発生以来、岸は国際面と国内政治面を受け持っている。

「まあ、短いの二、三本なら入るな」

「頼む。それと、こっちは運輸省関係だ。内政面に入れてくれ」

「はあ？」

岸は呆れ顔になった。

「なんだって散らすんだ？　一面か社会面にまとめりゃいいだろうが」

「面を増やさないと収容しきれん。毎日、三分の一は捨ててるんだ」

原稿を仕分けしながら悠木は言った。

岸は苦笑いを浮かべた。

「悠木、そりゃあ全部は無理だ。店が開けるほど原稿が来てるんだからな。一升枡には一升しか入らないって言うだろ」

「全部入れようなんて考えてない。できるだけ、だ」

「けど、他の面の都合だってあるんだぜ」

岸が不満げに言うと、悠木は尖った目をして返した。

「少しは腹を括ろうぜ、って言ってるんだ俺は」

「何だよそれ?」

「朝日や読売のほうが面を割いて派手にやってるじゃねえか。ウチが半端な作りやってていいのかよ」

「そうかあ? ウチも結構いい戦いしてるんじゃないのか」

本当のところはわからなかった。各社の報道合戦は熾烈《しれつ》を極めていたが、どこの社が情報量でリードしているとか、内容が充実しているとか、誰にも把握できていなかった。事故が大きすぎたということだ。墜落から丸三日、御巣鷹山との格闘や津波のごとく押し寄せてくる膨大な情報の処理に追われ、実際問題、他社の紙面を点検したり、玉石混淆《ぎょくせきこんこう》の情報をいちいち吟味している余裕などなかった。だが——。

少なくとも、北関が「勝っていない」ことは確かだった。

全国紙が地方の支局に常駐させている記者の数は知れている。「局地戦」であれば、地元紙は地の利を生かした人海戦術によって全国紙を圧倒できる。しかし、今回の日航機事故報道で、地元紙である北関の優位性が保たれているかとなると甚だ疑問だった。北関と共同通信を合わせれば、事故取材に当たっている記者は相当数に上るが、過去に例を見ない巨大航空機事故は、「局地戦」ではなく「全面戦争」を引き起こした。すべての全国紙が総力を挙げ、東京や近県からありったけの記者を群馬に送り込んできていた。人だけではない。ヘリコプター。通信機材。現場記者の衣食住をサポートする後方支援態勢。それはまさしく「戦争」の構えであり、このまま長期戦になれば、資力も人的余裕もない北関がじり貧になるのは自明だった。

「むざむざ負けちまうわけにはいかないだろうが」

岸の胸に原稿の束を押しつけ、悠木は席を立った。

「山田――」

「はい?」

末席の地方部デスクで首が伸びた。

「地域版にこいつをぶち込んでくれ」

悠木が言うと、慌てて山田が寄ってきた。

「何ですって?」

「上野村のネタだ。北西部版に頼む」

悠木が指さした原稿の仮見出しを見て、山田はさらに慌てた。

「だって悠木さん、これ、日航絡みの記事じゃないですか」

「構わないだろう。村役場や消防団が活躍してるって話なんだからな」

山田は寝癖の残る頭をボリボリ掻いた。地域版は県内を五つのエリアに区分けし、もっぱら近隣の催し物や「珍しい花が咲いた」といった類のミニニュースを収録している。

「勘弁して下さいよ。もう今日組みの北西部版は出来上がっちゃってるんですよ」

「降版したのか」

「いえ、まだ降ろしてはいませんが」

「だったら、すまんが差し替えてくれ」

「おい、悠木」

岸が横から口を挟んだ。

「そこまでやるんだったら上を通せ」

「ああ、明日話す」

煩《うるさ》そうに言って、悠木はまた壁の時計に目を向けた。受話器を取り上げ、川島のポケベルの番号をプッシュする。

「応答があったら呼んでくれ」

岸に頼んで、悠木は席を離れた。整理部のシマへ行き、一面担当の吉井に数本の原稿を渡した。

「やりましたね、悠木さん。やっぱりこうでなくっちゃね」

日航がトップになって、吉井は上機嫌だった。指定用紙には大まかなレイアウトの線が引かれ、その上に、見出し候補を書きなぐったザラ紙が散らばっている。《難航する遺体確認作業》《無言の帰宅悲し》《「墜落の航跡」解明へ》《不眠不休の収容作業》《御巣鷹山に無情の雨》――。

「主見出しは決まったのか」

悠木が聞くと、吉井は「シャク」と呼ばれる新聞制作用の特殊な物差しで自分の額をピシャリと叩いた。

「あと十五分下さい。これだ、ってやつを捻り出しますから」

「急がなくていい」

言った後、悠木は吉井の耳に顔を寄せた。声を殺す。

「ことによると、遅くに抜きネタが飛び込むかもしれん」

「モノは？」

吉井の声はさらに小さかった。

悠木の頭には玉置の顔と「隔壁」の二文字があった。

「事故原因絡みだ」

吉井の顔色が変わった。

「じゃあ、全面差し替えになりますね」

「万一、飛び込んでくればな。おそらくないが、一応頭に入れといてくれ」

「了解」

「誰にも言うな」

「わかってます」

自分のデスクに戻りかけた悠木は、途中で足を止めた。読者投稿欄『こころ』を担当する稲岡《いなおか》と目が合ったからだった。文化部記者が長かった男で、来年の誕生日に定年を迎える。

稲岡のほうから声を掛けてきた。

「よう、悠木君、大変だね」

「いえ」

「こっちにもどっさり来てるよ、事故のことについて」

その言葉は悠木を稲岡のデスクの前まで引き寄せた。読者の投稿も「詳報」の一つと考えていい。

「どんなのが多いです？」

「色々さあ」

稲岡は葉書や封書をぺらぺら捲った。

「まずは四人生存で感動したってやつだな。それと、空の安全を守れって偉そうなのから、警察や消防に対する激励。一番多いのはやっぱり遺族への同情だね。ま、ほとんどが常連組からのものだけど」

投稿欄の常連が綴る遺族への同情。想像しただけで悠木は憂鬱な気分になった。常連が悪いと言っているのではない。彼らこそが新聞の最たる理解者であり、頼もしい支援者でもある。しかし、その一部に質の悪い輩《やから》が混じっていることもまた確かなのだ。

彼らは何かに憤ったり感じ入ったからペンを執るのではない。常にペンを握り締め、鵜の目鷹の目で「書く材料」を探している。借り物の意見と文章を駆使して、すべての事象を「愛」と「正義」で括ってみせる。日航機事故は恰好の材料に違いない。五百二十人の死。その何倍もの数の遺族の悲しみ。彼らはここぞとばかり存分に善意のペンを揮《ふる》ったのだろう。

いや……。あの母親の涙を目にして「詳報」を決意したのだった。「いい人」になりたがっているのは、悠木とて同じかもしれなかった。

「稲岡さん」

悠木は机に両手をついた。

「常連以外の投稿で日航特集を組めませんか」

「常連なし？　うん、そりゃあまあ、本数は何とか足りてるけど」

「この事故で初めて投稿したっていう読者はいますか」

「いるいる。主婦や高校生。女子中学生からも来てたな」

「それで組んで下さい」

「えーと、常連は一本もなし……?」

稲岡は困ったような笑みを悠木に向けた。

「いやね、後でうるさいんだよ。特集までやっておきながら、なぜ俺のを載っけなかったのかってさあ」

よく耳にする話だった。

仲間うちで投稿が採用された回数を競っているのだ。採用時に贈られる、北関のロゴの入ったボールペンの数で「位」が決まる。そのボールペンの束を勲章気分で胸ポケットにぎっしり詰め込み、常連の懇親会で自慢話に花を咲かせる――。

「無視すればいいでしょう」

普通に言ったつもりだったが、稲岡は一瞬、怯えたような表情を覗かせた。悠木の態度に社会部特有の高慢さを嗅ぎ取ったのかもしれなかった。その昔、文化部を拡充しようと運動した稲岡は、社会部の連中に散々やり込められたと聞く。文化部記者がブン屋ヅラするんじゃねえ。たまには現場で死体でも拝んできやがれ――。

「わかったわかった。ニューフェイス中心で作ってみるよ」

言いながら稲岡は顔を整えた。

「今日はもう降版しちゃったから、明日にでも派手にやるかな」

「そうして下さい。お願いします」

悠木はことさら丁重に頭を下げた。

机の上の封書が目に入った。ピンク色のこぢんまりとした封筒だった。丸っこく、初々しい少女の字で『こころ様』と宛て先が書かれていた。

何を思い、何を書いたのか。

それは、北関へのラブレターにも思えて、デスク席に戻る悠木の背中に小さな追い風を吹かせた。

21

大部屋に夕飯の出前が届き始めていた。

トイレから出てきた悠木の前に、整理部の市場《いちば》がいきなり飛び込んできた。今日の第二社会面担当。走ってきたから、手にした仮刷りが脚の横でひらひらしている。

「悠木さん、早く出して下さいよ」

連載企画の原稿のことを言っている。仮刷りは、右肩の部分が白紙のままぽっかり空いていた。

悠木は歩きながら言った。

「もう来ると思う。少し待ってくれ」

「えっ？　原稿、まだ悠木さんのところに上がってきてないんですか」

市場は悠木の背中に張りつくようにしてデスクまでついてきた。顔が紅潮している。

「だってもう七時十分ですよ」

「今日の降版予定は？」

「遅くとも八時半には降ろしたいんです」

「八時半？　なんでそんなに早いんだ？」

「後が詰まってるんですよ。特報面の座談会が延びちゃったりしてて」

「わかった。急がせる」

「ホントにお願いしますよ。制作の連中にドヤされますから」

悠木は市場の顔を見た。本気で怖がっている顔だった。二十五、六歳のはずだ。去年までは館林支局で記者をしていた。北関の場合、若くして整理部に配属になるのは、局の幹部が「オール・ラウンダーな記者に育てたい」と寵《ちょう》している優秀な者か、一度は外勤に出たものの「記者失格」の烙印《らくいん》を押されて送り返されてきた者のどちらかだ。

市場は後者だった。悠木はその理由を耳にしたことがなかったが、「俺の目が黒いうちは絶対外に出さない」と息巻いている幹部が複数いることは知っていた。

これが最後だ。心に念じて、悠木は川島のポケベルを呼んだ。記者失格……。たった今までそこにいた市場の顔と、記憶の片隅にある川島の物憂げな顔とがダブって見えていた。

悠木はチャーハンをかき込んだ。飯粒もスープもすっかり冷めていた。

ふと思った。

燐太郎は晩飯を食っただろうか。

受話器を片付け、安西の自宅に電話を入れた。コール音が響くが誰もでない。悠木は胸を撫で下ろした。おそらく病院へ行っているのだろう。少なくとも、燐太郎はいま一人ではない。

受話器を置くと、すぐにその電話が鳴りだした。川島か玉置のどちらかだろうと思った。

「悠木だ」

〈あ、玉置です〉

「どうした、もう当たったのか」

〈いや、それがですね、事故調の人たち、東京に帰ってしまったんです〉

「帰った？」

〈ええ。午後から雨が降ったものですから〉

「だったら――」

東京への追跡取材。一瞬思ったが、得策ではないと打ち消した。運輸省に手づるのない北関が向こうで動けば、すぐさま全国紙の連中に気取られる。

悠木は音のない溜め息をついた。

「明日は来るのか」

〈来ます。アメリカとの合同調査がありますから〉

「じゃあ明日の夜、勝負を掛けろ」

〈ええ。まあ、トライはしてみますが……〉

警察廻りの経験がないので、まともに夜回りをしたことがない。玉置の受け答えはひどく頼りないものだったが、話が事故原因に及ぶや、一転、舌が滑らかになった。

〈たぶん、隔壁で間違いないと思います。ほら、事故機は七年前にも大阪空港でしりもち事故を起こしているでしょう？ その時の修理ミスだと思うんです。機体だけでなく、隔壁も傷ついて修理したんですよ。それが不完全だった。おそらく金属疲労が発生していた。だから、機内の高圧に耐えかねて隔壁が吹き飛んだ。きっと、その勢いで尾翼も一気に破壊されたんですよ〉

悠木は黙って聞いていた。

たぶん。おそらく。きっと。思います――。

摑み所のない男。可も不可もなし。直属の上司である山田の玉置評が耳に残っていた。

悠木は小さくない疑心を胸に言った。

「しりもち事故のことは共同原稿で読んだ。確かに機体の下部の修理をしたようだが、隔壁のことはひと言も触れてなかったぞ」

〈それは、書いた記者が隔壁のことを知らなかったんじゃないでしょうか。隔壁についての質問が出なければ、日航や運輸省も答えないでしょう?〉

一理ある、とは思った。悠木にしたって、共同の記者に全幅の信頼を置いているわけではなかった。どこの社も同じだ、恐ろしく切れ味のいい記者もいれば、とんでもなくピントの外れた記者もいる。だが——。

記者が隔壁を知らなかった。それもまた玉置の想像でしかない。わからないことを想像で埋めていいのなら、そもそも記者などという職業は不要だろうと思った。玉置の応援に誰を差し向けるか。悠木の頭はもうそっちに飛んでいた。

電話を切り、腰を上げた。

「吉井——」

整理部のシマで童顔の首が伸び上がった。悠木が額の前でバツ印を作ると、シャクを突き上げて了解の意を示した。その向こう、壁際の席で、等々力社会部長が怪訝《けげん》そうな顔をしていた。悠木が送ったサインを目にしたからに違いなかった。

悠木は腰を下ろし、腕組みをした。

玉置の応援……。考えるまでもなかった。県警キャップの佐山を差し向ける。ネタを引いてくる力なら、現在の北関で最も強い。明日、佐山と玉置をドッキングさせ、事故調の調査官に「隔壁」をぶつけてウラを取らせる。悠木はそう決めた。

さしたる高揚感はなかった。北関が世界的な大スクープのネタを握っている。そうした実感を抱くには、玉置情報の根拠はあまりに脆弱で真実味がなかった。悠木の関心は、だから、スクープそのものよりも、むしろ、信憑性の低い情報のウラ取りを命じられた佐山が、どんな反応を示すかのほうにあった。

整理部のシマから声が飛んだ。

「悠木さーん！　まだ来ませんか！」

市場が第二社会面の空白を指でつつきながら叫んでいる。

悠木は壁の時計を見た。七時四十五分。もう限界に近い。ポケベルは諦め、県警の記者室に電話を入れた。

佐山がでた。

「悠木だ。川島はいるか」

〈出てます〉

「どこにいる？」

〈聞いてませんが、議会クラブで原稿を書いているのかもしれません〉

「書いているのは確かなのか」

返事がなかった。

電話の向こうで誰かが声を張り上げている。男の名前と住所を二度繰り返した。県警の広報の人間が記者発表を行っているのだろう。また一人、遺体の身元が確認されたのだ。

悠木はもう一度訊いた。

「川島は書いているのか」

〈……と思います〉

はぐらかされた気がした。悠木ではなく、誰か別の人間に向けて言ったような……。

川島は今、佐山の隣にいる。そんな気がした。

悠木は送話口を右手で覆った。

「書かなければ川島は終わる」

〈……〉

「佐山――本当のところはどうなんだ？」

受話器に荒い息が吹き込まれた。

〈現場のことは現場で考えます。いらん口出しはよして下さい〉

自分が説得する。そう聞こえた。

「わかった。八時十分までに出すように言え。ファックスでいい」

〈つかまれば伝えます〉

「必ず伝えてくれ」

悠木は受話器を戻した。喉元にあったウラ取りの件は留め置いた。その話を始めれば、佐山が川島の背を押す時間がなくなるだろうと思った。

いや……仮に今の時点で一行も書いていないのだとすれば、もはや手遅れだった。

悠木はデスクの上の原稿の山を崩した。連載企画の枠と行数が合いそうな原稿を数本選びだした。思わず溜め息が漏れたが、ほとんど口をきいたことのない川島に対して湧き上がる感情は希薄だった。

悠木は左隣の社会部デスクに顔を向けた。

「なあ、田沢」

「……何だ？」

だるそうな声が返ってきた。椅子の背もたれに体を預けてスポーツ新聞を開いている。

「川島って奴、本当に駄目なのか」

悠木が聞くと、田沢は忌ま忌ましそうに舌打ちした。

「からきし駄目だ。下の神沢に完全に食われちまってよ」

「やっぱり御巣鷹山の一件でか」

「いまに始まったことじゃねえんだ、野郎の極細神経は」

悪しざまに言った田沢の顔は、スポーツ新聞にすっぽり覆われて見えなかった。

悠木は声を落とした。

「何かアテはあるのか」

「教員免許を持ってる」

「そうか……」

「こっちの兵隊だ。気にするな」

「気にしちゃいない」

それきり会話は途絶えた。隣の席で聞き耳を立てていた岸の気配も消えた。

悠木は、デスクのシマの隅に置かれたファクシミリに目をやった。

八時を回った。三分……五分……十分……。

十五分まで待って悠木は腰を上げた。傍らの岸が重たい息を吐いた、その時だった。

ファクシミリの受信ランプが点灯した。

「滑り込みセーフだ」

岸が興奮気味に言った。やはり内心気にしていたとみえる。

田沢は顔の前でスポーツ新聞を開いたままだった。体の角度からして、ファクシミリは最初から見えていたのかもしれなかった。

原稿が吐き出されてきた。整理部から満面笑みの市場が飛んできた。

字面《じづら》は、川島のものだった。悠木は最初の数枚を手にしてデスクに座った。

遺体の搬出作業を描いた内容だ。いたって凡庸な原稿だった。だが、それは首の皮一枚で川島の記者生命を繋ぐ原稿でもあった。

夢中で読んでいたからだろう、背後の声に気づいたのは、デスクのシマで悠木が一番遅かった。

「遅くなってスンマセンでした」

県警三番手の神沢が立っていた。学生のようなTシャツ姿だ。ギラついた目と、ピリピリした空気を漂わせているのは、御巣鷹山から戻った時のままだった。

悠木は椅子を回転させた。

神沢は分厚い原稿を手にしていた。

「何の原稿だ?」

「決まってるでしょ。企画ッスよ」

「明日使う。置いていけ」

言って、悠木は椅子を戻した。

「明日?」

神沢は素っ頓狂な声を上げた。

「なんで今日使わないんスか?」

悠木はまた椅子を回転させ、神沢を見つめた。

「今日組みのは川島が書いた。いま見てるところだ」

神沢は目元に皺を作って、口の中で何か言った。

あの馬鹿――そう聞こえた。

悠木は自分で自分の顔色が変わったのがわかった。

「言いたいことがあるなら言え」

「だって、川島さんは登ってないでしょうが」

「昨日登った」

神沢はせせら笑った。

「そんなの登ったことになりませんよ。初日じゃなきゃ」

初日……。その言い方が引っ掛かった。神沢を含め記者が御巣鷹山に入ったのは墜落の翌日だ。それを神沢は「初日」と言った。まるで既得権でも主張するかのように。

悠木は低い声で言った。

「初日だって二日目だって、登ったことには変わりないだろう?」

「大ありですよ。墜落現場が本当の現場だったのは初日だけなんスよ。県警や自衛隊が入って、二日目には目につくところの死体とか片づけたんですよ。悠木さんだってわかんないでしょう? ずっとこの涼しいとこにいて、登ってないんだから」

「おい、神沢――」

言いかけた田沢を、悠木は手で制した。田沢の部下ではあるが、喧嘩を売られたのは自分に他ならない。

神沢は挑むような目でこちらを見ている。不遜な態度だ。どちらかと言えば気弱そうに見えた二十六歳の三年生記者が、いくら巨大事故とはいえ、現場の山に一度登っただけで、こうまで変貌してしまうものなのか。

「貸せ」

「えっ？」

「原稿がよけりゃあ今日使う」

「悠木さん！」

脇から飛んだ市場の声は悲鳴に近かった。川島の原稿にだってまだ半分ほどしか赤が入っていない。

「すぐだ」

悠木は市場に言い、神沢から原稿を引ったくってデスクに向き直った。

赤ペンは持たずに読み始めた。三枚……五枚……七枚……。手が止まった。目も止まった。その目はたった一つの単語を凝視していた。

悠木は立ち上がった。脇に寄せてあった川島の原稿の角を揃え、市場に突き出した。

「赤を入れてないところは大刷りの段階で見る。先に組んどけ」

「汚ねえなあ！」

神沢が声を上げた。

「最初から勝ち負け決めといてよオ。セコイんだよ、やることが！」

悠木は原稿を手に立ち上がり、空いた手で神沢のTシャツの袖口を引いた。

「ちょっと来い」

一転、神沢は慌てた。

「ど、どこ行くんッスか？」

悠木は「借りるぞ」と田沢に仁義を切り、大部屋のドアに向かった。摑んだTシャツの袖は放さなかった。

ドアを出た。自動販売機コーナーに行き、ソファの一番奥まった場所に座った。神沢が袖を振りほどく。

「なんスか、いったい？」

悠木は、少し離れて座った神沢に体を向けた。

「川島は先輩だろう」

「ハッ、まさか、事件屋の悠木さんがそういうこと言うとは思いませんでしたね。記者に先輩とか後輩とかあるんスか？　ネタを引いてきたモン勝ちでしょうが」

たかだか三年警察を廻っただけの駆け出し記者が一端《いっぱし》の口をきく。

「じゃあ聞くが、お前は何かネタを引いてきたのか」

「何です？」

「山に登っただけだろう。お前、まともなネタも引かずに、この先ずっと御巣鷹自慢で食っていくつもりか」

「ジョーダン。それって悠木さんたちでしょう？　大久保事件と連合赤軍でいまだに食い繋いでるじゃないッスか」

瞬時、こめかみが疼いた。

「俺がいつお前に大久保や連赤の話をした？」

神沢は目を逸らした。

「いつもしてますよ、田沢デスクとか。最後はあさま山荘まで行ったんですって？　どうせ見学してただけなんでしょ、カップヌードルとか啜《すす》りながら」

「そうだ」

「俺が見たのは全然違いますよ。ああいうのを本当の現場っていうんスよ」

「だからか」

「何がです？」

「お前、なんでこんな原稿書いたんだ？」

「こんなって、どんな？」

膝の上で神沢の原稿を捲った。七枚目だ。文中の単語を指さす。「内臓」――。

悠木は神沢の瞳を探った。

「死体の内臓がどんな状態だったとか、読まされる人間の気持ちにもなってみろ」

「ああ、ちゃんと考えましたよ。遺族は読まんでしょう。みんな他県なんだから」

神沢は悪びれるふうもない。

悠木は言った。

「遺族が読んだらどうする」

「読みませんよ」

意識なく拳を握り締めていた。

「一般読者は？　朝刊を夜中に読むのは俺たちだけだ。普通は朝起きて、メシの前やメシを食いながら読むんだ」

「だけど、仕方ないじゃないッスか。本当のことなんだから」

「お前――」

「もう説教はいいって。だいいち悠木さんにああだこうだ言われる筋合いなんかないッスよ。こっちが命懸けで送った現場雑観は落とすし、企画だって二社であんなにショボくしちまって。なんか俺たちに恨みでもあるんスか」

「ない」

「じゃあ、何であんなことになっちゃうわけ?」

「あと十年も社にいりゃあわかる」

「十年早いってこと? もうふざけんなよ。あんたの腹はわかってるんスよ。悔しくて仕方ないんだ。僻《ひが》んでるんだ。俺とキャップしか登れなかったからさあ。そうですよ。俺は凄い経験しましたよ。あんたらがいくら偉そうなこと言ったって通用しませんって。なんせ五百二十人ですよ、五百二十人」

神沢は止まらなかった。見開いてしまった目に異様な光を宿している。

「川島さんのなんか嘘っぱちですよ。俺が書いたのが本当の現場なんスよ。死体だって、内臓のことだって、みんな洗いざらい書いたほうがいいんですって。再発防止が新聞の使命でしょうが。悲惨さをちゃんと伝えなけりゃあ意味ないじゃないですか。ウチで載せないって言うんなら、どっかに持ち込みますって。ホント、やってらんないよ。とにかく凄かったんだから。もう辺り一面死体だらけで、それも、まともなのなんて一つもなくて、あっちこっちに飛び散っ――」

声が消えた。

神沢の首に喉輪が嵌《は》まっていた。

悠木はそのまま神沢の後頭部を壁に押しつけた。だが、それでも神沢はまだ何かを喋ろうとしていた。

悠木は息荒く言った。

「これだけは覚えとけ。お前を調子づかせるために五百二十人死んだんじゃないんだ」

血走った両眼が悠木の両眼を見つめていた。

唐突だった。

神沢の目から、ぽろぽろ涙が溢れだした。驚くほど大粒の涙だった。それは後から後から流れ出た。

悠木は震撼《しんかん》した。

似ていた。息子の手を引いて北関を買い求めに来た、あの母親の泣く様《さま》に。

知らずに喉輪を外していた。

「おっ、おっ……おっ、おっ、おっ……おおおっ……」

神沢の涙は止まらなかった。自分でもなぜ泣いているのかわからないようだった。どうすることもできず、頭を垂れてただ泣いていた。神沢の中で何かが繋がり、何かが溶けだしていた。

悠木はソファから動けなかった。

墜落現場が本当の現場だったのは初日だけなんスよ。

真実、そうだったのだ。

神沢は見たのだ。

五百二十人の死者を出した日航ジャンボ機墜落事故の本当の現場を——。

22

日付は十六日に変わっていた。

大部屋は、帰り支度をする局員がわずかばかりいるだけで、テレビの音声がはっきり聞き取れるほど静かだった。事故発生後、四回目の朝刊を送り出した。まもなく、輪転機が轟音を立てて廻りだす。

悠木はデスクの上の残り原稿をチェックしていた。耳には、亀嶋整理部長が帰り際に掛けていった陽性の台詞があった。もうこの際、日航で連続トップ記録つくろうや——。

「軽くいくか」

隣の岸がお猪口《ちょこ》の手で言った。

「いこう」

悠木は即答した。

家に帰りたいような、そうでないような気分だったから、天秤の片方の皿にひょいと分銅を置かれたような気がした。

まともな紙面ができた。そんな思いが、悠木の心を少しばかり浮き立たせてもいた。昨日までは五里霧中だった。降って湧いたような巨大事故に呑み込まれ、翻弄《ほんろう》され、自らの存在のちっぽけさを思い知るばかりで、新聞作りをしている実感がまるでなかった。

今日は違った。あの母親と会って変わった。紙面のそこかしこに悠木の「手」と「思い」が入った。あの事故を飼い馴らせるなどと自惚れるつもりもないが、手綱には触れた、指先が掛かった、そんなささやかな自負心と達成感が悠木の胸にあった。

「悠木、もう出られるか」

「とっくにＯＫだ」

灯の落ちた階段を二人で下りた。

「そういやあ、神沢はどうしたよ」

岸が思い出したように言った。

「宿直室に行ったきりだ。あのまま寝ちまったんだろう」

「何か話したのか」

「ああ、ぽつりぽつりな」

「大丈夫そうか」

「と思う」

「丸二日食ってなかったとはなあ……」

「ん」

「そういう現場だったってことか……」

「だろう」

悠木は暗い足元に気を向けながら神沢を思った。

御巣鷹山で生まれて初めて死体を見た。神沢はそう吐露した。宿直室で素の顔に戻ってからのことだった。ぼんやりとした表情で訥々《とつとつ》と語った。これまで人の死と遭遇したことがなかった。祖父母は健在だ。警察廻りになって三年、事件や事故の現場は散々踏んだが、不思議なことに死体を目にする機会がなかった。死体を見たい。ずっとそう思っていたのだとも言った。死体を見たこともないサツ記者なんて恰好がつかない。下の者に示しがつかない。そんな思いが強かったのだという。願望は想像を絶する形で叶い、そして、神沢は御巣鷹山で壊れた――。

外は、顔を包み込んでくるような熱っぽい空気だった。

「ひやあ、この時間になってもかよ」

岸が解放感たっぷりに言った。

申し合わすでもなく、二人は安中《あんなか》県道を小走りで横切り、通りの角の「総社飯店《そうじゃはんてん》」に足を向けた。在日韓国人の夫婦が昔からやっている小さな焼肉店だ。この界隈でこの時間から飲み始めようというなら、まずここしか頭に浮かばない。

「や、悠ちゃんはサムライだなあ」

悠木の顔を見るなり、「おやっさん」は皺に沈んだ目を見開いた。悠木が日航機事故のデスクになったことを小耳に挟んでいたのだろう。その忙しい最中によく飲みに出る気になったものだと感心している顔だ。

悠木は軽口を返さなかった。すぐ右手の座敷に、等々力社会部長の姿を見つけていたからだった。デスクの田沢と向かい合ってビールを飲んでいる。

岸の横顔を見た。惚《とぼ》け顔だ。

悠木は舌打ちした。昨日、悠木と等々力は局内で派手にやり合った。騒ぎを耳にしていたはずの岸が、そのことには一言も触れず、知らぬ顔を決め込んでいるのでおかしいとは思っていたが、なるほど、裏で手打ちの会を企画していたというわけだ。

「まあ、座ろうや」

邪気なく言って、岸は悠木を座敷に促した。

「くだらねえ真似しやがって」

悠木は押し殺した声で言った。このまま帰ってしまおうとも考えたが、それはそれで尻尾を巻いて逃げるようで癪《しゃく》だった。

等々力のほうも、突然現れた悠木をブラウンのレンズの奥から意外そうに見つめた。田沢は承知していたようだった。部長をここに誘う役を岸に頼まれたのだろう。グルには違いないが、田沢に限って、悠木と等々力を握手させようなどと考えるはずがない。さては、酒席で二人の関係がさらに拗《こじ》れることを期待しての臨席か。

「ビン？」

おやっさんがカウンターの中から声を掛けてきたので、悠木は「ナマにして」と答えた。等々力と田沢はコップでやっている。悠木は長居をする気はなかった。

店内の空気は田沢の期待に十分応えそうなものだった。悠木は無言で座敷に上がり、等々力とテーブルを挟んだ、斜め向かいの座布団にどっかと腰を降ろした。

昔はこのメンツでよく飲んだ。等々力は県警のサブキャップ。悠木、岸、田沢の同期三人組はまだ駆け出しの兵隊記者で、日々、等々力と、その上の追村キャップに怒鳴られていた。

おやっさんが生ビールのジョッキを持ってきた。

「少し焼くかい？」

「じゃあ、ホルモンお願い」

応じた岸に、等々力が顔を向けた。

「お前にしては名案の部類だな」

「はい？」

岸がわけも判らずニコリとした。

等々力は真顔で言った。

「座敷なら土下座もしやすいってことだ」

悠木はキッと等々力を見た。

そっぽを向いている。顔がやや赤らんでいるが、酔っているわけではなさそうだった。等々力と田沢はともに「十時あがり」だった。既に二時間ほど飲んでいる計算になるが、ビールで酔っぱらうようなヤワな男ではない。

「謝る理由がありません」

悠木はぶっきらぼうに言った。

等々力が何も言いださなければこちらも黙っていようと思っていたが、のっけから昨日の土下座話を蒸し返されて悠木の腹も固まった。

等々力が金縁眼鏡を外した。

「あるだろうが、ゆうべの暴言だ」

「ま、とりあえず乾杯だけ」

岸が勢いよくコップを突き出したが、それを無視して等々力は続けた。

「悠木、お前、俺に向かって何て言ったか覚えてるか」

「大体は」

二人はテーブルの対角で睨み合った。構わず、おやっさんが鉄板にホルモンを並べていく。

「大体じゃ話にならんな」

煙の向こうで等々力が言った。冷静な口調だ。

「次長が御巣鷹山の企画を一面から外した。お前は、俺が外したと勘違いして食って掛かってきた。若い連中が大勢いる前で俺のことをテメェ呼ばわりした――事実関係はこうだ。違うか」

悠木は目線を鉄板に落とした。

「なぜ謝らん？　非は明らかにお前にあるだろう」

「なあ、悠木」

岸が口を挟んだ。

「確かにそこのところはお前が悪いと思うぜ。早とちりだったんだからな」

「黙ってろ」

等々力が岸を睨んだ。その目を悠木に戻す。

「お前、何か思い違いをしてるんじゃないのか」

「思い違い？　どういうことです？」

悠木が聞き返すと、等々力は手にしていたコップのビールをあおり、言った。

「僻み根性もいい加減にしやがれ――お前は昨日そう言った。あれはどういう意味だ？」

悠木も生ビールのジョッキを口元に近づけた。

「言葉通りの意味ですよ」

一口飲み、続けた。

「部長は前の日、佐山の現場雑観を無にした。世界最大の事故を羨《うらや》み、僻んだ」

「なぜ俺が僻む？」

等々力は、田沢からのビールを受けながら言った。

「部長にとっちゃ大久保連赤がすべてだからですよ」

「当たり前だ」

「日航はデカすぎた。大久保連赤は完全に霞んじまったんだ」

二人同時にビールをあおった。

等々力が先にコップを置いた。

「それが理由で俺が佐山の原稿を潰した、っていうわけか」

「俺に輪転機の不調を教えなかった」

「それが思い違いだって言ってるんだ」

「だから、その思い違いっていうのは何です?」

「輪転のことを教えてたとしてどうなった? その頃、佐山と神沢は御巣鷹山の上だったんだ。ウチには無線もない。どのみち、お前は締切が早まったことを連中に伝えられなかったろうが」

「俺はね」

悠木はジョッキを空けた。

「理屈じゃなく、腹の中の話をしてるんですよ」

「誰の腹だ?」

「理屈から言いましょう――輪転の不調は夕方にはわかってた。その時に俺が聞かされてれば、共同を拝み倒して無線を数秒借りて、御巣鷹にいた共同の記者に伝言を頼んだ――締切りは延びない――それだけ佐山に伝えればよかった。佐山は逆算して早く山を下りる。零時前に雑観は届き、翌朝の北関には佐山と神沢の名が太字で載った」

「そううまく事が運んだと思うか? 共同は一秒だって無線を貸さなかったかもしれん。よしんば借りられたとしても、山の上で共同の記者と佐山が会える保証はなかった。急いで下山するといったって真夜中の山だ、果して零時に間に合ったかどうかもわからない。要するに、よほどの奇跡でも起こらない限り、北関に佐山の雑観が載ることはなかったってことだ」

語るに落ちた——。

口の中で言ったつもりが声になっていた。

「何だと?」

等々力が目を剝《む》いた。

「ちゃんと説明しろ。何が語るに落ちたんだ?」

もはや悠木も引く気はなかった。

「いまあんたがゴチャゴチャ言ったことですよ。あんたはあの晩も腹の中で同じことを考えた。俺に輪転の件を伝えなくても、後でどうとでも言い訳ができると思った」

「あんたはよせ」

「確かに奇跡でも起こらなけりゃ佐山の雑観は載らなかった。だが、奇跡が起こる可能性はゼロじゃあない。だから、あんたは——」

「あんたはよせと言ったろう!」

「そっちが売った喧嘩だろう! 最後まで聞け!」

「うるせえんだ、小僧!」

「あんたはその奇跡の芽を摘んだ。大久保連赤が可愛いばっかりに佐山の雑観をパーにしちまったんだ」

「悠木ィ!」

等々力はテーブルに拳を落とした。

悠木は胸を突き出した。

「なぜ邪魔をした？　若い連中に勝たれたくなかったからか？　あんたらが——俺たちが——大久保連赤で惨敗したからか」

等々力の目が二倍ほどにも見開いた。

岸もそうだった。田沢も首を回して悠木の横顔を見た。

等々力の口がゆっくりと動いた。

「俺たちが……負けた……？　何に……？」

話が一線を越えたことはわかっていた。

「大久保連赤」で負けた——悠木も初めて口にすることだった。

岸が怖いものでも見るような顔で言った。

「悠木、言えよ。何に負けたんだ？」

「決まってるだろう。朝毎読と産経だ」

「勝ったろう……？」

「そいつは都合のいい記憶ってやつだ」

「勝ったじゃねえか。ウチは散々抜いたぜ」

今度は田沢が言った。こめかみに青筋が立っていた。

悠木は田沢を見た。

「何本かはな。だが、その何倍も抜かれた」

岸が首を捻った。

「その逆だろう? そりゃあ、何本かはやられたさ。けど――」

「本当に忘れちまったのか」

悠木は、岸と田沢を交互に見た。「負けた」と口にすることはタブーなのだと悠木はずっと思っていた。だが、違うのか。岸も田沢も本気で「勝った」と信じ込んでいたというのか。

悠木は宙を睨んだ。

「お前らが言ってるのは大久保の前半だ。確かに最初はバンバン抜いた。だが、事件が大きくなって他社の本社の連中が乗り込んできてからは引っ繰り返されたじゃないか。肝心なネタはみんな書かれちまった。それでも大久保はまだいい。連赤はくそみそにやられた。中央で警察庁ネタがボロボロ出て、こっちは手も足も出なかった。完敗だった――北関は東京に負けたんだ」

座敷は沈黙した。

夕方、神沢が悪態をついた通りだった。事件の終盤、北関の警察廻りは勇躍「あさま山荘」に乗り込んだ。だが、ただ遠くから見学していただけだった。その前年に発売されたカップヌードルの旨い作り方を覚えたのが唯一の収穫だった。神沢はすべてを直感で見抜いていたのだ。

田沢が口を開いた。

「あさま山荘で何もできなかったのは確かだが、あれは長野の事件だ。やられても仕方ねえ。けど、榛名や妙義のアジトの件はいい勝負をしたはずだぜ」

「共同がな。俺たちは何もできなかった。山の中をウロウロしてただけで、まともなネタは書いてねえ。体はきつかった。寒さと眠気で本当に死ぬかと思った。だから俺たちは錯覚したんだ。中央の記者連中と対等に戦っていたって――」

ピシャッ。

悠木は顔を背けた。

コップのビールを浴びせられていた。等々力だった。赤鬼のような形相で悠木を睨んでいた。真一文字に閉じていた口が開き、怒声が迸《ほとばし》った。

「悠木ィ！　作り話も大概にしやがれ！」

「作り話じゃない」

言いながら、悠木は半袖シャツの袖口で顔のビールを拭った。

「本当のことですよ、全部」

「貴様！　北関を貶《おとし》めやがって――そんな奴は即刻辞めろ！　北関を去れ！」

「辞めたじゃないですか」

「何？」

「高橋さんも、野崎さんも、多田羅《たゞら》さんもみんな連赤のすぐ後に辞めた。読売や産経に引き抜かれて北関を出ていった。完敗したって認めてたからですよ。なのに勝った勝ったと騒ぐ北関に失望したんだ」

「黙れ！」

「聞け！」

悠木は沸騰した。

「俺たちはなぜ負けたのかを徹底的に話し合うべきだった。下には負けない方法を教えなきゃならなかったんだ。それを自慢話ばっかり十何年もダラダラ続けてきやがって。そんなヒマがあったらまともな会議重ねて、とっとと無線機でも何でも入れりゃあよかったんだ。わかってるのか？　いまだに北関は大久保連赤の時代とこれっぽっちも変わってねえ。間違いなく負けるぜ、今回の日航も」

けたたましい音とともに、等々力の前のビール瓶が二、三本まとめて倒れた。

殴り掛かってくる。悠木は身構えた。

が、等々力は動かなかった。その体がゆらりと揺れた。眼光は悠木の目に食い込んでいる。いや、その瞳の焦点もフラついていて、今にも悠木を逃しそうだ。

酔ってる……？　まさか、これしきのビールで等々力が……。

弱くなった。そういうことか。

気が削がれた。悠木は等々力の視線を外し、ジョッキのビールをあおった。

鉄板でホルモンが炭になっていた。

岸は神妙な顔で腕組みしていた。田沢もそうだった。

悠木は焼酎に替えた。飲んでも飲んでも酔わなかった。

しばらくして、千鳥足の等々力が悠木の隣に回り込んできた。目を合わさず、悠木のコップにドボドボと焼酎を注いだ。半分はこぼれた。

「……読売に行った多田羅の奴……その後どうしたか知ってるか」

「いえ……」

「逝っちまったんだよ。さんざっぱら地方のドサ回りをやらされてな、最後は八戸で体をぶっ壊しちまった」

等々力は尖らせた口で焼酎をチビリと飲んだ。

「俺にもな……当時引き抜きの話があったんだ」

初耳だった。

「どこです？」

等々力は視線をずらした。岸と田沢が額を寄せて何やらボソボソ話している。

「誰にも言うなよ」

「言いませんよ」

「朝日だ」

言う前から、等々力はことのほか嬉しげに顔を歪めていた。

「なぜ行かなかったんです？」

「仕方ねえだろう。白河のオヤジに犬を押しつけられちまったからな」

吐き出すように言った等々力は、今度は自嘲気味に笑った。

悠木も鼻で笑った。「犬奉行」は社内では知られた話だった。当時、編集局長だった白河が、飼い犬の産んだ五匹の子犬を、これぞと思う部下に配った。粕谷。追村。等々力。そして、現政治部長の守屋《もりや》。広告部長で出た暮坂《くらさか》……。優秀な記者が次々と辞めていく。白河は焦燥に駆られていたのだろう。お前は俺の右腕だ。そんな含みを持たせて子犬を当てがったに違いない。

「あれは巧い作戦だった……犬ってやつは可愛いからな。社で白河のオヤジにカチンときても、家に帰るとオヤジの分身が足元にじゃれついてきやがる。生き物だからなあ……捨てちまうわけにもいかねえ。もっとも、みんなもう死んじまったみたいだが、オヤジは子犬一匹で五年も十年も完璧に人事管理をしたってわけだ」

「完璧じゃないでしょう。暮坂さんは専務が撒《ま》いた餌に釣られて広告にいっちまった」

「そうじゃねえ。暮坂はオヤジに追い出されたんだ」

「追い出された……？」

「やつは福田に近づきすぎた。やつの兄貴が県議に出るって話がいっときあってな、福田の支援を得ようと裏で動いたのがオヤジの逆鱗に触れたのさ」

悠木は無言で頷いた。ありそうな話だとは思ったが、興味は湧かなかった。

しばらく黙り込んでいた等々力が不意に声を上げた。

「夢や幻を食うみたいな、そんな仕事はしたくなかったんだ」

悠木は首を傾げたが、すぐに気づいた。等々力はまだ「朝日」のことを話したがっている。

「国だ、世界だと相手がでっかくなったって、記者がやってる仕事はみんな一緒だってことだ。コツコツ調べ、コソコソ人に話を聞き、それだけだ。でっかい相手からネタを取れば、でっかいニュースになるさ。だがなあ、でっかい仕事をしたわけじゃない。ちっぽけな相手から、ちっぽけなネタを取るのと同じ仕事だ。記者がやってることなんてのはみんな――」

話が堂々巡りになっていた。呂律《ろれつ》も怪しい。等々力の瞳にはもはや実体がなかった。

社に戻って寝よう。悠木がそう思った時だった。等々力が乱暴に悠木のネクタイを引いた。

「聞いてるのか、コラァ」

等々力の顔は真っ青だった。

「悠木ィ、覚えておけえ。地元紙の記者がなあ、負けたなんて言ったら終わりなんだ。どれだけ負けようとなあ、死んでも負けたなんて言っちゃあならないんだ」

本音を晒《さら》して、等々力はごろりと畳に寝転がった。

その顔を見下ろしていた。

母の言葉が頭に浮かんでいた。

酔わなきゃ本音を言えない人を信じちゃだめだよ。そういう人は本当の人生を生きていないからね――。

昔、等々力も同じ意味のことを言っていた。

飲んだら笑え。酔ったら歌え。話は明日だ――。

ふっと酔いが回るのを感じた。

昔などではない。たった十何年か前のことなのだ。

悠木はぐるりと店の中を見渡した。

カウンターの奥で、おやっさんがミイラのような姿で居眠りしていた。

あの頃は、おやっさんも若かった。おかみさんも元気で夜中も店に出ていた。二人にチャンヒという名のめっぽう可愛い娘がいて、ベタ惚れした岸が生きるの死ぬのと大騒ぎをした。田沢はカウンターの上に飛び乗って山本リンダの真似をした。おかみさんに韓国語で怒鳴られたが、隙を見て何度でもやった。等々力がはやし立てていた。追村も手を叩いていた。時折、粕谷も顔を見せて散財した。みんなで「北関の歌」をがなった。あれはどこかの大学の応援歌か何かが元歌だったろうか。肩を触れ合わせ、声を張り上げて合唱した。

みんな笑っていた。

悠木も笑っていたと思う。

幸せだった。父と兄と、我が家までもを、いちどきに手に入れた気がしたものだった。この店にはすべてがあった。たくさんの笑顔と弾む会話に満ち溢れていた。

等々力が鼾《いびき》をかきはじめた。

岸と田沢はまだ難しい顔を突き合わせている。

悠木は腰を上げた。

一体いつ失ってしまったのか——。

よろける足で店を出た。耳鳴りに混じって歌が聞こえた。

東に　坂東太郎　大利根の河原を望み
北に　名月　赤城山を仰ぐ
ここ関東平野　総社の地に
燦然《さんぜん》と輝くは
我が　北関東新聞社である
軟派よ　去れ
硬派よ　来たれ
いざ我　書かんかな　抜かんかな
命尽きる　その日まで

23

悠木は天井を見つめていた。

煙草の脂で黄ばんでいる。いや、悠木の視界そのものが黄色味掛かっているのかもしれない。

大部屋のソファにいることはわかっていた。ここに倒れ込んだ時には、窓の外はもう白んでいた。ならば四時頃まで飲んだということか……。それとも五時近かったか……。

夢を見ていた。

安西耿一郎の夢だった。病室に見舞いに行ったがベッドは蛻《もぬけ》の殻だった。壁に殴り書きが残されていた。「嘘つき」。夢の中で悠木は思った。衝立岩を一緒に登る約束を破ってしまった。だから安西は一人で谷川に向かったのだ、と――。

「そろそろ起きますか」

顔の真上に、依田千鶴子の笑った顔があった。垂れた髪が悠木の鼻先に触れそうだ。

「あ、ああ……何時だ?」

「もう十時です――何か飲みます?」

「いらん」

「お水とか?」

「いや、いい」

悠木は、千鶴子が腰を伸ばすのを待って上体を起こした。夏掛けを掛けていたのに気づいた。宿直室に寄った記憶はないから千鶴子の気配りだろう。

悠木は首を回した。

社会部長席――。

空席だった。当たり前だ。時間が早い。このだだっ広い大部屋に今いるのは、悠木と千鶴子と、あとはビル清掃会社の従業員だけだった。

「農二は?」

悠木は聞いた。テレビは点いているが、ここからでは遠くてスコアが見えない。

「すっごく勝ってますよ」

千鶴子は嬉しそうに言い、手にしていた雑巾をチアガールが使うポンポンのように振った。

甲子園は、今日の第一試合が群馬代表農大二高の二回戦だった。ナインの一人の父親が、この試合の応援に行くため羽田から123便に搭乗し、罹災した。

「神沢は？」

悠木が聞くと、千鶴子は机を拭いていた雑巾の手を止めた。

「帰ったみたいですよ。宿直室にはいませんでした」

「そうか……」

ぼんやり考えるうち、別の話を思い出した。

「依田——」

「はい？」

「お前、秋異動で外勤に出るんだと？」

「あ、聞きました？」

千鶴子の顔がパッと輝いた。

「聞いた。前橋支局らしいな」

「もう私、嬉しくて嬉しくて」

「お前、幾つだ？」

「えーっ！」

「覚悟しといたほうがいい。毎日あちこちで聞かれるぞ。北関初の女記者だからな」

「初じゃないですよ。文化部の平田さんがいますから」

「あれは記者じゃない。ホステスだ」

悠木は突き放すように言った。

「やるならちゃんとやれ。チヤホヤされるのは最初だけだ。じきに飽きられる」

「は、はい……」

会話の間中ずっと覗いていたビーバーのような前歯が消えていた。

悠木はソファから腰を上げた。自分でもわかるほど汗臭かった。クーラーの冷気はまだ部屋全体に行き渡っていない。

「悠木さん」

「ん？」

千鶴子はぺこりと頭を下げた。

「いろいろ教えて下さい。お願い致します」

「何もない」

記者連中の素っ気なさには慣れている。千鶴子はたじろぐでもなく、デスクに向かう悠木の背中を追ってきた。

「本当は、警察を最初に担当するといいんですよね」

「そうだ」

「あ……でも……」

悠木は、原稿を仕分けする手を止め振り向いた。

「何だ？」

「あ、いえ、何でもありません」

「何だ？」

「ええ、一応っていうか、一週間だけ警察の記者クラブで研修するんです」

「だから？」

「あの……キャップの佐山さんてどんな人です？」

言いながら、千鶴子は勝手に赤面した。佐山は三十半ばだが、いまだに独り身だ。

「知ってるだろう？」

悠木が言うと、千鶴子は顔の前で忙しく手を振った。

「だって、警察廻りの人たちって、滅多に上がってこないんですもん」

悠木は宙に目をやった。昨日の佐山の台詞が耳にあった。現場のことは現場で考えます。いらん口出しはよして下さい――。

おそらく、悠木が佐山の立場だったとしたら、川島を見捨てていた。這い上がる意思のない人間に何本ロープを垂らしてやろうが無駄なのだ。意思ある人間は、ロープなどなくても必ず這い上がってくる。

千鶴子は答えを待っている顔だった。

「佐山は――」

幾つか浮かんだ形容詞の中から選んだのは、悠木自身、意外なものだった。

「あったかい男だ」

千鶴子を喜ばそうとしたわけではなかった。できる記者。できない記者。それ以外の表現で部下を評したのは初めてのことだった。

「あ、悠木さん」

声に顔を向けると、広告部の宮田が大部屋に入ってきたところだった。「登ろう会」の宮田、といったほうが悠木にとっては身近な感じがする。

「あの」

宮田はもうそこまで来ているのに、傍らの千鶴子が呼ぶので、悠木はきつい視線を向けた。いつまでもベタベタと——。

「二十七歳です」

千鶴子が唐突に言った。真剣な顔だった。

「私、二十七歳です。このチャンスを絶対逃したくありません。どんなことがあっても頑張ります。ご指導、よろしくお願い致します」

何もない——喉まで出掛かったが呑み込み、千鶴子の後ろ姿を見送った。

入れ代わりに、宮田の顔が近づいた。難しい顔だった。

「どうした?」

「いえね、さっき、外回りの途中で安西さんのところに寄ってみたんですが……」

宮田は隣の椅子を引き寄せながら話を始めた。安西のことだろうと想像はついていた。病状が悪化したのかと悠木は構えたが、しかし、宮田の話はまったく予想外のものだった。

病室に安西の昔の山仲間が見舞いに来ていたのだという。末次《すえつぐ》と名乗ったその男が語ったところでは、以前安西はザイルパートナーを衝立岩で亡くし、それ以後、山岳界の表舞台から姿を消した——。

「悠木さん、知ってました?」

「いや……」

動揺と呼べるほどの波立つ思いが、悠木の胸に広がっていた。

「だけど、悠木さんと行くはずだったんですよね、衝立岩に」

「ああ」

「なぜパートナーを亡くした山に……」

そういうことだ。悠木は自分を落ちつかせようと腕を組んだ。

下りるために登るんさ——。

悠木は宮田を見た。

「その末次って男はもう帰ったのか」

「図書館に行ったと思います」

「図書館……？」

「県立図書館の道順を聞かれたんです。会ってみます？　間に合うと思いますよ、三十分くらい前のことですから」

悠木は立ち上がった。

「どんな風体だ？」

「ああ、すぐにわかります。すごく小さい靴を履いてましたから」

「何？」

「小学生が履くような大きさです」

悠木は思い当たった。その顔を見て宮田が頷いた。

「きっとそうです。足の指を全部、凍傷でなくしてるんだと思います」

24

北関から県立図書館までは車で十五分ほどの距離だ。

悠木の運転は慎重だった。黄色いレンズを透かして物を見ているような感覚はまだ続いていたし、額の辺りには、起きた時にはなかった鈍い痛みがあった。

小さい靴――実際にそんな手掛かりで人を探せるものかと疑わしく思い始めていたのだが、しかし、悠木は車を駐車場にとめる前に、もう末次を見つけていた。図書館の玄関を入る、固太りの男の背中を車の中から目撃した。靴が見えたわけではなかったが、その男は、上下に体が揺れる独特の歩き方をしていた。

悠木は駐車場から小走りで玄関に回り、一階フロアに入って辺りを見回した。末次とおぼしき男は、手すりを頼りに階段を上り始めたところだった。

「末次さん」

声を掛けると、真っ黒に日焼けした人懐っこそうな丸顔が振り向いた。四十半ば。丁度、安西と同じ年回りに見えた。

悠木は歩み寄った。名刺を差し出し、安西と宮田の名を交じえて簡単に自己紹介をした。

「ごめんなさい。僕は名刺がなくって」

それが自慢でもあるかのように、末次は無邪気に笑った。「山屋」に幾つかのタイプがあるとするなら、安西と同じ「豪放磊落型」に分類されそうに思えた。靴は左右ともに小さかった。靴の長さのバランスからして、やはり両足の指がないのだろうと察しがついた。

四階に軽食も出す喫茶室がある。悠木はそこに誘ったが、末次は二階に寄ってから行きたいと言った。安西が、死んだザイルパートナーのために作った追悼集が郷土史料として二階に所蔵されている。せっかく群馬までやってきたのだから久しぶりに目を通したいという。

「いやね、僕の手持ちのは焼けちゃったんですよ。半年ほど前に家が火事になってしまいましてね」

そんな凶事すら末次は笑って話した。

二階のカウンターで司書に用件を告げると、数分待たされて、「鳥」と題した追悼集が手元に差し出された。相当に古い。大きさはA4判ほどで、かなりの厚みがある。製本されたものではなく、光沢のある緑色の紐《ひも》で右端が綴《と》じられていた。

階段を上る末次の足取りは、ことのほかゆっくりで、だから喫茶室につく前に大方の話は聞けた。「その事故」があったのは十三年前だった。衝立岩の雲稜第一ルート。トップで登っていた安西が核心部であるハングの手前で足を滑らせ、落石を起こした。「ラク！」。下方でザイルを確保していたセカンドの遠藤貢《えんどうみつぐ》に危険を知らせたが、運悪く大きめの岩が遠藤の額を直撃した。即死に近かったという。遠藤は誰にも最期の言葉を遺すことなく、安西の胸の中で息を引き取った——。

悠木はその山岳事故をぼんやりと記憶していた。もう北関に入社して記者をやっていた。取材にはタッチしなかったが、若き名クライマーの死を大きく報じた紙面は目にした。しかしまさか、その相方が安西だったとは。

喫茶室でアイスコーヒーの食券を二枚買った。

「知らせを受けた時は信じられませんでしたよ。なにしろ、遠藤は岩ではピカ一、それに殺しても死ぬような男じゃなかったんです。前の年にはチョモランマを、つまり――」

「ええ、わかります。エベレストですね」

「そう、遠藤はエベレストのサミッターになったんです。気温は常に氷点下、酸素は地上の三分の一という世界です。頂上を踏んだ時、彼が何をしたと思います?」

「いえ……」

「サポートについたシェルパの話ですけどね、遠藤は記念写真も撮らず、旗も立てなかったそうです」

「じゃあ、何を?」

「空を見ていたそうです」

「空を……?」

「晴れた日、厳冬期のエベレストの上には、ツルの一団を見ることがあるそうです」

末次の顔と声は神妙なものになっていた。

「遠藤はそのツルの姿を探していたんでしょう。彼が登ったのは厳冬期ではなかったから見ることはできなかったと思いますが、地球上で最も高い場所に立っていながら、自分の上を飛んでゆく鳥を見たがっていた。もっと高いところに登りたい。鳥たちのように――遠藤はそんなことを考えていたのかもしれません」

「鳥」――追悼集のタイトルの意味が悠木にもわかった。

末次は続けた。

「安西も遠藤に負けないほど山が好きでした。あんなことがなかったら、きっと、一、二年のうちにはエベレストのサミッターになっていたと思います」

悠木は、その末次の言葉を嚙みしめた。安西は「山屋」だった。本物の——。

「本当に不運な事故としか言いようがなかったです。安西は「山屋」だった。本物の——。


「本当に不運な事故としか言いようがなかったです。山に安全な場所というのはありませんけど、しかし、安西と遠藤にしてみれば、衝立岩はウォーミングアップ代わりだったわけです。いや、だからこそ衝立は恐ろしいとも言える。あの遠藤の命を奪い、安西からは山を奪ってしまったんですから」

末次は「鳥」を手にした。感慨深そうに表紙を見つめ、言った。

「この綴じ紐は、事故の時、二人を結んでいたザイルなんです」

悠木は目を見張った。

「安西はそのザイルを解いてこの綴じ紐を作ったんです。どんな気持ちでそうしたかと思うと今でも胸が痛みます。もう二度と誰ともザイルは組まない。山には登らない——そう決意したんでしょうね」

悠木はぶるっと身震いした。

言おうか言うまいか、しばらく逡巡《しゅんじゅん》した。

固唾《かたず》を飲み下し、悠木はテーブルに身を乗り出した。

「実は——」

「何です?」

「私は安西に誘われていました。一緒に衝立に登る約束をしていたんです」

「本当ですか……!」

末次は瞬きを止め、悠木をまじまじと見つめた。

「あなた、山は？」

「まるっきりの素人です。ゲレンデで真似事をしただけで」

末次は考え込んだ。しばらくそうしていたが、答えは出てきそうになかった。

悠木はさらに身を乗り出した。

「一つ聞いてもいいですか」

「ええ、もちろん」

「下りるために登る――この言葉の意味、わかりますか」

「下りるために……登る……？」

末次は首を捻った。

「山の世界に、そういう名言のようなものがあるわけではないんですね？」

「聞いたことがありません。それ、誰が？　安西がですか」

「そうです」

末次はまたしばらく考え込んだが、諦めたように顔を上げ、溜め息を漏らした。

「あの事故から十三年も経ってますからね。苦しみ抜いた末に、安西が辿り着いた境地なのかもしれませんね。残念ながら意味はわかりません」

「そうですか……」

悠木は吐き出した息とともに肩を落とした。

末次はこれから浜松まで戻るという。予定している新幹線の時間が近かった。

「あと一つ教えて下さい」

悠木は早口で尋ねた。

「クライマーズ・ハイというものは本当にあるんですか」

「あります。結構、恐ろしいものですよ」

「恐ろしい……？」

悠木は意外な思いにとらわれた。

「興奮が乗じて恐怖心がマヒしてしまうようなことですよね？」

「ええ、そうです」

「怖さを感じなくなるんでしょう？　だったらなぜ恐ろしいんです？」

「解けた時が恐ろしいんです」

末次は眉を寄せて言った。

「ひょんなことで、そのクライマーズ・ハイが解けた時が恐ろしい。心の中に溜め込んだ恐怖心が一気に噴き出しますからね。岩壁を攻めている途中で解けてしまったら、そこからもう一歩も登れなくなります」

悠木は身を固くしていた。

〈興奮状態が極限まで達しちゃってさ、恐怖感とかがマヒしちゃうんだ〉

〈ダーッと登っていって、ハッと気づいた時には衝立のカシラさ。めでたしめでたし〉

なぜ安西はその先を話さなかったのか。

ただ単に、山経験のほとんどない悠木を安心させるためにそうしたのか。

わからなかった。頭が混乱していた。安西のことを一度にたくさん知りすぎ、安西のことがまったく見えなくなっていた。

だが、知りたかった。安西を再び衝立岩に駆り立てたものは何だったのか。

そして、安西はなぜザイルパートナーに悠木を選んだのか。

25

ＪＲ前橋駅まで末次を車で送り、その足で県央病院に向かった。朝起きて、安西の夢を見たと気づいた時からそうする気でいた。

数分前まで助手席は賑やかだった。いやあ、タクシー代助かっちゃったなあ。車中の末次は最初の豪放磊落型に戻っていた。安西夫婦の馴れ初めや、安西が北関に入社した経緯などをおもしろおかしく語った。自分のことは何も話さなかった。どこの山岳会に加盟しているかも、これまでどんな山に登ったのかも。そして、小さな靴が既に語り始めていた凄絶な山行のエピソードさえも。車を下りる時、末次はふっと真顔になって言った。安西が目を覚ましたら電話を下さい。

悠木は思った。末次という男は、安西や遠藤に山を教えた人間ではなかったか。

悠木が病室のドアをノックしたのは正午近かった。

「どうぞ——」

応じた小百合の声には快活な響きがあった。どこか救われた思いで入室すると、すぐに燐太郎の顔が目に飛び込んできた。ベッドから少し離れたパイプ椅子に腰掛け、黄色いゴムボールを弄《もてあそ》んでいた。よう、と声を掛けると、思春期の少年らしい中途半端な会釈をした。頬を赤らめたのは、二日前、一階のロビーで悠木にむしゃぶりついた記憶が蘇ったからだろう。

「すみません、お忙しいでしょうに」

悠木はたじろいだ。それほどまでに小百合の表情は明るかった。いや、単に明るいのではない。場違いな感想だろうが、「綺麗になった」が当たっているような気がした。

悠木はベッドサイドに立った。

安西は今日も目を開いていた。瞳の輝きは驚くばかりだ。顔色も決して悪くない。声を掛けたい衝動に駆られたが、反応がないとわかった時の落胆を思うとなかなか言葉が出てこなかった。

遷延性意識障害。イメージが湧かない。やはり、「植物状態」が言い当てた表現なのだろうと思う。

「悠木さん、どうぞ座って下さい。いまお茶淹れますから。あ、冷たい物のほうがいいかしら？麦茶とか、オレンジジュースとかもありますけど」

「お構いなく。すぐにお暇《いとま》します」

「そんなあ、ゆっくりしてって下さい。安西がガッカリしますから――ねえ、あなた」

艶っぽく言って、小百合は安西の頬をそっと撫でた。

悠木は困惑していた。

二日前の、無理して作っている笑顔とは明らかに違った。病室内を甲斐甲斐しく動くさまには、活気のようなものさえ感じられる。

だから思わず尋ねた。

「いい検査結果でも出ましたか」

「あ、まだ何もわからないんです」

表情は曇ったが、それだけだった。小百合は冷蔵庫から麦茶をだしてコップに注ぎ、ニッコリ笑って悠木に差し出した。

覚悟が決まった。そういうことだろうか。

だが、たった二日で……。

小百合はかなりの頻度で安西に視線を向ける。微笑みかけることもある。末次は「二人は大恋愛の末に駆け落ち同然で結ばれた」と時代掛かった言い方をしていた。夫婦仲がいいことは悠木も知っている。だが……。

悠木は何やら居心地の悪さを感じていた。自分が二人の邪魔をしている。そんな気になってきたのだ。

燐太郎に振り向いた。所在なげだ。

十三歳。遠藤貢が死んだ三月後に生まれた。それもこれも末次から聞かされた話だった。

話題を見つけて声を掛けた。

「農二は勝ったんだろ？」

「あ、はい。九対一で」

「へえ、ずいぶん頑張ったんだな」

「はい。打ちまくりました」

話に乗ってきている感じだ。

悠木は、燐太郎が手にしているゴムボールに目をやった。

「君も野球好きなの？」

「いえ、別に……」

「ちょっとやろうか、キャッチボール」

「えっ？」

燐太郎は病室の中を見回した。

悠木は笑った。

「外だよ、外。芝生のところがあったろう」

「あ、はい」

隣太郎はどぎまぎした顔だ。

悠木は腰を上げた。小百合はこっちに背を向けて、安西の手をおしぼりで拭いていた。

「奥さん。ちょっと燐太郎君を借りますよ」

「すみません。お願いします」

小百合は嬉しそうに言って頭を下げた。その姿がまた、人払いを果せたことを喜んでいるように目に映って悠木は戸惑った。

悠木は頭を切り替えた。そうそう長居はしていられない。キャッチボールの後はそのまま社に向かうつもりだから、車中思いついたことを実行に移した。

「奥さん、安西が使っていた手帳とかはありますか」

「ええ、あります。倒れた時も持っていましたから」

「それ、二、三日、貸していただけないでしょうか」

「構いませんけど、なぜ?」

小百合は一瞬訝《いぶか》しげな表情を覗かせた。

悠木は言葉を選んで言った。

「安西が倒れた時のことですけど、ちょっと様子がわかりづらいですよね。真夜中の二時だったのに一杯も飲んでいなかったとか。ですんで、私なりにちょっと調べてみようと思いまして」

「そうですか……ありがとうございます」

さほど刺激しないで済んだようだった。小百合は迷いのない足でロッカーのほうに向かった。

安西の当夜の足取りを調べようと思ったのは本当だった。仕事だったのか、そうではなかったのか。酒も飲まずに歓楽街で何をしていたのか。しかも、倒れたのは、悠木と衝立岩に登る約束をした日の前夜だったのだ。

さっき末次から聞かされた様々な逸話もある。そうしたものとの繋がりも含め、安西の行動の謎を繙《ひもと》いてみたいと考えていた。

「これですけど」

小百合が黒革の手帳を差し出した。

「お借りします」

悠木は手帳の中身を見ずにズボンのポケットに差し入れた。ドアの外で、不安げな表情の燐太郎が待っている。

「さあ、やるか」

「はい」

エレベーターで一階に降り、通用口から外に出た。芝生とばかり思っていた緑は一面雑草の広場だった。

「ほい、よこせ」

悠木が二人の距離をとりながら明るく声を掛けると、燐太郎がゴムボールを放って寄越した。

あまり運動神経はなさそうだ。投げ方がぎこちない。

二度、三度、ボールをやりとりするうち、淳が幼かった頃、やはりこうしてよくキャッチボールをしたことを思い出した。

「じゃあ、カーブ行くぞ」

「えっ?」

「ちゃんと捕れよ」

悠木はゴムボールに指を深く食い込ませてサイドスローで放った。ボールは燐太郎の手前でクックッと左に曲がり、正面で捕れると思って構えていた燐太郎の脇を通過していった。

燐太郎はそのまま動かなかった。一拍遅れて首が回り、ボールの行き先を確かめた。戻した顔に上気した笑みが広がっていた。

「すごい」

「だろう?」

悠木も自慢げに微笑んだ。

燐太郎がボールを拾いに走り、遠投のような投げ方で返してきた。

「今度はドロップだ」

「ドロップ?」

「いまどきはフォークとも言う」

おどけてみせ、さっきと同じ要領でボールがひしゃげるほど指を食い込ませると、今度はオーバースローで投げた。

燐太郎は胸の辺りに両手を構えた。が、ボールはクククッと大きく沈んで、狙い澄ましたように燐太郎の股間にぶつかった。

「あ……」

燐太郎の体が「くの字」に折れた。手は股間を押さえている。ゴムボールだ、痛くはないはずだ、そう思った時だった。

顔を真っ赤にした燐太郎が声を上げて笑った。つられて悠木も大声で笑った。

それから、どれくらいボールをやりとりしただろう。

悠木のベルトでは、ポケベルが鳴り続けていた。

燐太郎は聞こえないふりをしていたのだと思う。

あと五分。そして、また五分。

悠木は、燐太郎のささやかな我が儘に付き合う心の余裕があった。

日航全権デスク——本当の意味で、その任を引き受けた気がしていた。

詳報を旨とする。

勝てる時には勝ちにいく。「大久保連赤」の轍は決して踏まない。負けた時には、負けた理由と悔しさを、後に続く者たちに引き継ぐ。

悠木はまたドロップを投げた。脳裏には淳の暗い顔があったが、慌てふためく燐太郎の姿は、いっとき悠木を父親の顔にさせた。

26

テールリッジからアンザイレンテラスまでの行程は、衝立岩の真下を歩く感覚だ。

悠木は、前を行く燐太郎の背を追って、一歩一歩、岩盤を踏みしめながら進んでいた。左肩を掠めるようにして、衝立岩の垂壁が天に向かって立ち上がっている。その質感は圧倒的だ。

燐太郎が足を止め、衝立を見上げた。ルートを観察しようとしているらしい。首が辛そうだ。懸命に反らした体が、背後に倒れてしまうのではないかと心配になる。真上を見る、とはそういうことなのだ。

「あとほんの少しです」

悠木に言って、燐太郎はまた歩きだした。

その言葉通り、五分も歩かないうちに灌木帯に差し掛かり、そこを登り詰めると視界が開けてアンザイレンテラスに到着した。二人がこれからアタックする雲稜第一ルートの取付点だ。

さっそく、登攀《とうはん》準備を整える。九ミリザイル二本。カラビナ。ハーケン。アブミ。細引ロープを輪にしたシュリンゲ。クライミング・グローブ――。

「十五分後に取りつきましょう」

燐太郎が落ちつき払った声で言った。

「わかった」

悠木は内心胸を撫で下ろした。ここまでの行程で息が上がってしまっていたからだった。それに、「これから衝立をやる」という覚悟もまだ固まっていないような気がしていた。

悠木は一度填《は》めたクライミング・グローブを外した。深呼吸をして、ゆっくりと周囲を見回す。

「しかし、アンザイレンテラスとはよく言ったもんだな」

アンザイレン――互いにザイルを結び合う。ここでその作業を行い、パートナーの心を一つにして、いざ登攀となる。

悠木は、先に小さく笑ってから口を開いた。

「そうそう、君の名前はそのアンザイレンになるはずだったんだよな。安西連太郎を詰めて安西連——君のお母さんが反対してなかったら今頃アンザイレンテラスにアンザイレン君がいたわけだ」

「悠木さん、その話、誰から？」

「えっ？」

燐太郎の真顔を見て、却って悠木のほうが驚いた。

「聞いたことなかったかい？」

「いえ、そうではなくて、母が反対したというところです」

「反対したんだろう、お母さんが？　安西はそう言ってたよ」

「母から聞いた話は違いますけど」

燐太郎は表情を曇らせた。

「連太郎にしたいと父が突然言いだし、母は黙って頷いたそうです」

「その話、本当かい？」

燐太郎は頷き、話を続けた。

「父は市役所に出生届を出しに行って、二時間ほどで戻ってきたそうです。で、名前を変えた、燐太郎にした、そう母に告げたんです」

悠木は狐に摘まれた思いがした。

「さっぱりわからないな。どういうこと？」

燐太郎は少し悲しげな顔になった。

「きっと、父さんはその二時間の間に決めたんだと思います。息子は山に連れていかない、決して山を教えないって」

「あ……」

悠木は思い当たった。

遠藤貢――彼を死なせてしまったからだ。その不幸な事故の三月後に燐太郎が生まれた。安西は迷っていたのだ、山を続けるか、やめるか。燐太郎。その名こそが安西の出した結論だったということか。


燐太郎は静かに言った。

「父はずいぶん苦しんだと思います。僕とどう付き合っていいかわからなかった。父さんの愛情の表現は山を教えることしかなかったと思うんです」

「父」と「父さん」が渾然としていた。

「僕も苦しかったです。父の態度がぎこちなくて、いつも不安な思いでいました。父の抱えていた辛さはわからなくても、持て余されている、ということはわかってしまうんですね」

「安西は愛してたさ、君のこと」

悠木は思わず言葉を挟んだ。

燐太郎は素直に頷いた。

「そうだと思います。でも、その思いを僕に伝えられなかった。そして、伝えられないまま眠ってしまったんです」

「うん……」

「だから僕はもうどうしていいかわからなかった。やがて、母も遠くなっていってしまいましたから」

悠木は遠い記憶を辿っていた。

あの日、病室で目にした小百合の華やいだ様子が思い返された。

大恋愛の末に駆け落ち同然に結ばれた夫婦。だが、安西の所属していた北関の販売局は夜の接待が仕事のような部署だった。安西は平日は飲み、日曜祝日は「登ろう会」を率いて山歩きをしていた。蜜月時代などとっくに風化し、アルバムの中の思い出に変化していたとしても、駆け落ちまでして一緒になった小百合の心のどこかに置いてきぼりを食わされた寂しさが潜んではいなかったか。

安西は眠りにつき、小百合は、再び安西との蜜月を手に入れた。死んだのではなく眠っていたことが、狂おしいまでに安西を愛させたのだと思う。

燐太郎は遠くを見つめて言った。

「あの頃、僕は悠木さんだけが頼りでした。会いたくて会いたくてたまらなかった」

燐太郎の言葉には、悲しさも恨みがましさもなかった。ただ懐かしさだけがあった。

「今日は俺が君に頼るさ」

悠木は衝立岩を見上げた。

凄まじい光景だ。

覆い被さってくるかのようなオーバーハング帯。この逆層の壁は、まるで天空に住む巨人の屋敷から迫《せ》り出した庇《ひさし》だ。目指す雲稜第一ルートは、頭上にのしかかる最初の関門、第一ハングを乗り越して、さらに上部へ延びている。そこはまた、落石によって遠藤貢が命を落とした場所でもある。

悠木はごくりと唾を呑んだ。

「岩に触ると落ちつきますよ」

燐太郎が静かに言った。

悠木は無言で頷き、そっと手を伸ばした。

触れた。冷たい。そして無機質な感触。これまで登ったゲレンデの岩の感触とはどこか違う。高さ三百メートルの垂壁にかかる圧力がそう感じさせるのか。生まれて初めて衝立岩と対峙する緊張ゆえか。だが――。

恐ろしさだけではなかった。

手のひらを通じて、岩の重厚なエネルギーが伝わってくるようだ。しばらくそうしているうち、不思議と心が静かに、そして、澄んでいくような気がした。

「やろう」

自然と言葉が口をついて出た。

「やりましょう」

燐太郎は穏やかな表情で悠木を見つめた。

風が吹いた。

悠木は岩肌から手を放し、もう一度、衝立岩を見上げた。

拒絶。そして、誘惑――。

あの日、覚えた感情に似ていた。

日航機が墜落して五日目だった。

昭和六十年八月十六日。それは、北関が世界最大のスクープに果敢に挑んだ日だった。

27

ハンドルを握る手には、まだゴムボールの柔らかな感触が残っていた。

社の駐車場に車を滑り込ませながら、悠木はメーターのわきのデジタル時計を見た。午後二時十三分。ベルトのポケベルがまた鳴り出していた。

階段を一段抜かしで上がり、編集局の大部屋に入った。デスクにつくなり、隣の岸が丸くした目で悠木を見た。

「おい、俄雨《にわか》にでも降られたか」

悠木のYシャツは湿っていない部分のほうが少なかった。

「ああ、久しぶりにキャッチボールをした」

「この炎天下でかよ?」

呆れ顔で言われてみて、さほど暑さを感じていなかったことに悠木は気づいた。燐太郎を励ましたつもりでいたが、夢中でボールを放っていたのは、むしろ悠木のほうだったかもしれない。

「それよか、ポケベルの連発は何だ?」

「それだ」

岸は短く言って、悠木のデスクの端を顎で指した。

原稿の山に紛れて気づかなかったが、社製の文鎮の下に、伝言メモが十枚ほど挟まれていた。一番上に玉置の名があった。「至急、連絡を取りたい」――。

事故調。圧力隔壁。破壊。幾つもの単語が頭の中で点灯した。

悠木は電話を手元に引き寄せて玉置のポケベルの番号をプッシュし、その指で県警の佐山のポケベルも呼んだ。

受話器を置き、他の伝言メモを捲《めく》り始めた悠木は、ふとその手を止めた。

隣のデスクを見る。

岸は原稿に目を落としていた。手にした赤ペンが時折動く。

「岸」

「ん？」

表情のない顔が向いた。

「電話番をさせちまって悪かったな」

「もう席を外すなよ。日航デスクは、行列のできる店みたいなもんだからな」

顔つきや受け答えは普通でも、全体の印象というのは誤魔化せないものだ。

昨夜の飲み会が尾を引いている。「北関は大久保連赤で中央紙に惨敗した」。等々力社会部長の鎧に切り付ける思いで口にした台詞だったが、その場にいた岸や田沢までもが驚くほど過敏に反応した。記者時代の思い出を汚された。もしそんな受け取り方をされたのだとしたら、その思い出の多くを共有してきた同期なだけに、わだかまりを払拭するのはかなり難しいことのように悠木には思えた。

目の前の電話が鳴った。

〈佐山です。呼びましたか〉

「ああ、呼んだ」

てっきり玉置からだと思って出たので、悠木は一瞬言葉に詰まった。

「……今、県警クラブだな？」

〈そうです〉

佐山の声は昨日同様、冷えていた。

「話がある。上がってこれるか」

〈遺体確認のサツ発表が続いてますが〉

「誰かいないのか」

〈森脇しかいません〉

「しか」と言われても仕方あるまい。先月外勤に出たばかりの一年生記者だ。

「そこは森脇でいい。引き継いで上がってこい」

〈電話じゃ済まない用事ですか〉

「済まない」

強く言った。

「二十分で来い。こっちは三時半から会議になっちまうからな」

〈……わかりました〉

佐山とやりとりをしている間に、機報部の赤峰が共同配信の原稿をどっさり置いていった。

《遺体収容やっと六割》。仮見出しが目を刺す。

悠木は届いた原稿を大まかに仕分けし、もう一度、玉置のポケベルを呼んでから伝言メモに目を戻した。何枚か捲ったところで首筋が硬直した。目に飛び込んだ名前に、体が勝手に反応していた。

「望月彩子《もちづきあやこ》」――。

電話が欲しいとの伝言だった。高崎局番の連絡先が記されている。午後一時の着信。用件は書かれていない。

望月亮太の関係だろうと察しはついた。胸に重苦しいものが広がった。交通事故死。それが自殺に類するものだったとの思いは動かない。だが、きっかけは悠木が与えた。その事実もまた動かしようがなかった。

望月の母親の名は「久仁子《くにこ》」だと正確に記憶していたから、悠木の脳裏には、望月の月命日に霊園で目にした女の顔が浮かんでいた。望月の従姉妹とおぼしき二十歳《はたち》前後の若い娘。悠木をきつく睨み付けた。おそらくは彼女が「彩子」なのだろう。随分と前の出来事に感じられたが、月命日はたった四日前のことだった。その日の夜に123便が墜落した。事故を境に、日にちや時間の感覚がすっかり狂ってしまったのだと改めて思う。

だが、いったい何の用だ……?

悠木は首を伸ばして編集庶務のシマを見やった。伝言メモの字が依田千鶴子のものだったからだ。用件は何か。相手が言わなかったのだとしても、電話の受け答えで得た印象ぐらいは聞いておきたかった。

席に千鶴子の姿はなかった。机の上が綺麗に片づいている。

「岸、依田はどうした?」

「あ?　ああ、チーちゃんなら午後から前橋支局に行ったよ」

朝方目にした、千鶴子の華やいだ表情が記憶の片隅に残っていた。

「異動は九月イッピだろう?」

「さっき、工藤さんが局長にねじ込んで、前倒しを呑ませたって話だ。玉置と田仲を日航で取られちまってるからな。彼女の手が空いてる時間は支局を手伝わせるってことになったらしい」

悠木は頷いた。

前橋支局長の工藤は「パニック屋」だ。もう五十に手が届くが、少しでも仕事が嵩張ると、意地も見栄もなくすぐに本社に泣きを入れてくる。

支局まで電話で追い掛けるのは気が引けた。悠木は白紙の頭のまま、メモの番号を指で辿った。先方の電話は留守電になっていた。不在を告げる録音テープは既製ではなく、彼女自身が吹き込んだもののようだった。凛としていて、その分、穏やかさに欠ける声——。

社名と名前を棒読みで言い、またこちらから電話を入れるとメッセージを残した。向こうから突然掛かってくるのを恐れてそうしたようなところがあった。

シャツが汗で湿っていたせいだろう、クーラーの冷気がいつもよりきつく感じられた。千鶴子が不在だからかもしれない。膝掛けを欠かさない彼女なら、とっくに冷風の目盛りを絞っている。

悠木はシャツの襟元を合わせ、片手で他の伝言メモを検《あらた》めた。半分以上が玉置からのものだった。燐太郎とキャッチボールに興じたことを少しばかり後悔し始めていた。社に戻るのが遅れたがために、玉置と完全に擦れ違ってしまった。ポケベルの返事はない。上野村は辺境の地だ。普段なら電波の悪い場所にいるとみなすところだが、時間をおかずに四回も五回も連絡を寄越したことを思えば、玉置は既に、事故調の調査官と接触を果たし、「隔壁原因説」のウラ取りに成功したと考えることだってできる。

想像はしてみるが、だからと言って、玉置という記者に対する信頼感が増すわけではなかった。いずれにせよ、電話を待つしかない。そう自分に言い聞かせて、悠木は残りの伝言メモに目を通した。

急ぎのものはなかった。広告の宮田が連絡を寄越していた。「山屋の末次」に会えたかどうかを確認したかったのだろう。

その末次は言っていた。安西耿一郎は衝立岩でザイルパートナーを亡くしている。自らを責め、山岳界から身を引いた――。

急《せ》き立てられているような気持ちになった。

悠木は腰を浮かせ、ズボンのポケットから手帳を取り出した。県央病院で小百合から預かった安西の手帳だ。黒革の表紙に、金文字で今年の年数が入っている。

開いてみて驚いた。どの頁も真っ黒だった。そう形容していいほどに、細かい字でびっしりと行動予定が書き込まれている。

「8月12日」を見た。

早朝から接待ゴルフの予定が入っていた。瞬時に当日の記憶が蘇った。汗染みで涎掛けのように見えた赤いTシャツ。口の回りを一周する泥棒髭までテカテカと光っていた。あの日こそ、まさしく「炎天」だった。安西は何も言わなかったが、あの暑さの中、県営ゴルフ場で一ラウンド回ったあと、社の食堂に現れたということだ。いや、ゴルフだけではない。その日の午後から夕方に掛けて、販売店回りが五カ所も入っていた。さらに……十二日の枠の隅に小さな書き込みがあった。目を凝らす。「ロハ」と読めた。

悠木はぼんやりとした瞳に瞬きを重ねた。

ロハ……？　「只」を意味するロハだろうか。

手帳に目を戻した。「8月13日」。そこだけ青色のペンで記してあった。「衝立岩再登」。筆圧の強い文字を、小学校の教師がつけそうなハナマルで二重三重に囲ってある。

小百合の言葉が思い返された。

あの人、すごく楽しみにしてたんです。悠木さんと山に行くのを――。

不意に訪れた感傷を振り切り、悠木は手帳の日付を遡った。書き込みの大半は販売店主に対する接待の予定だった。販売局の日常的な仕事とはこうしたものかと思わず唸る。酒。麻雀。カラオケ。ゴルフ。温泉。釣り。河川敷のバーベキューやボウリング大会まで企画している。随所に、聞き覚えのあるスナックやクラブの店名が記してある。「ロハ」も散見した。六月七日に初めて登場して、次第に頻度を増し、八月になると数日おきに書き込みがなされている。やはり、接待に使っていたスナックか何かだろうか。しかし、他の店と異なり、「ロハ」だけは決まって日付欄の枠の隅に書かれていて、そのせいか、特別な記号に思えたりもする。

「ロハ」に対する関心はすぐに薄れた。八月の書き込みの中に、思いがけない名前を幾つも発見したからだった。「大隈《おおくま》」「磯崎《いそざき》」「織部《おりべ》」。北関の人間ならば誰しもピンとくる。それらは県内有数の企業経営者たちの名であり、同時に北関の顧問や監査役を務める社外重役の面々でもある。書き込みから察するに、販売局長の伊東が同席のうえ、高級クラブを何軒もハシゴした――。

視界が暗くなった。

単なる噂ではなかった。白河社長を追い落とすべく、専務派による根回しが夜な夜な行われていたということだ。次の役員会を睨んでの多数派工作であろう。飯倉専務の右腕と目される伊東。その伊東を「恩人」と慕う安西。彼らが社外重役を一人、また一人と取り込んでいくさまを、日時と場所と名前の羅列でしかない無機質な書き込みが、生々しく浮かび上がらせていた。

嫌悪をもよおす一方で、悠木は、安西がクモ膜下出血で倒れた原因の一端を垣間見た思いがしていた。相当にハードなスケジュールだ。とりわけ、この三カ月余りは、連日連夜、接待と根回しに忙殺されていた。いくら安西が酒好きとはいえ、深夜までただ相手のために飲み、機嫌を取り続ける酒席が負担にならないはずがない。休みは月に一日しか取っていなかった。〈ひどいな、とは思っています。あんなに働かされて……〉。この段になって小百合のこぼしたひと言が真に迫ってきた。しかも、安西はその貴重な休日を「登ろう会」の山歩きに充てていたのだ。

社員食堂での、安西の様子が改めて思い出された。書き込みによれば、前夜も接待で飲んでいた。そして、炎天下のゴルフ。なのに疲れた素振りはまったく見せなかった。仕事や根回しのことなどおくびにも出さず、いつもと変わらず瞳をキラキラ輝かせ、翌日に控えた衝立岩登攀について嬉しそうに語っていた。群馬総社発午後七時三十六分。駅での待ち合わせを約束して別れた。だが、安西は駅へは行かず、深夜二時過ぎ、飲み屋が犇《ひしめ》き合う城東町の道端で倒れた……。

「ロハ」が再び脳裏を掠めた。飲み屋だとするなら、そこへ行ったと考えるのが自然だ。だが、そうだとするとおかしなことになる。あらかじめ「ロハ」に行く予定を組んでおきながら、悠木と七時三十六分の待ち合わせをしたことになって話の辻褄が合わない。早い時間に店に寄り、そうすれば約束の電車に間に合うと考えていたのか。ことによると、安西は最初から衝立岩を登る気がなかったということか。いや、一度は登る決心をしたが、いざ明日という段になって気持ちがぐらついたのかもしれない。だから、食堂で悠木と別れてから、「ロハ」の予定を入れた。急に仕事が入って行けなくなった。あとで悠木にそう言い訳をするために。

衝立岩でザイルパートナーを亡くし、それから十年余の歳月を経て、安西は北関に「登ろう会」を作った。その思いがわからない。山への未練がそうさせたのかもしれないし、もし安西が友の死から一歩も抜け出せていなかったのだとしたら、遊び半分の会を率いることで、生粋の山屋である自分に対して贖罪だか自虐だかの時間を課していたということも考えられる。いずれにしても、悠木が会のメンバーに加わったことで安西の日常は揺らいだ。岩登りをやりたいとせがまれ、悠木と連れ立って榛名のゲレンデに出掛けるようになった。そこで何を思い、いかなる心境の変化があったのか。衝立をやろう。言いだしたのは安西だったが、過去の経緯を知った今となっては、その内面に吹き荒れたであろう葛藤の嵐を思わずにはいられない。

悠木は背後のドアに振り向いた。

紙面作りの主力部隊である「三時出」の局員がどっと入ってきたところだ。大部屋は、にわかに騒がしくなった。

田沢の仏頂面も左隣のデスクに現れた。その姿に気づいた瞬間、岸が覗かせた安堵の表情を悠木は見逃さなかった。岸のほうも悠木と二人だけの時間に気詰まりを感じていたのだ。

田沢は、悠木と目を合わそうともしなかった。ショルダーバッグを机に置くと、間の席にいる悠木の頭越しに岸に声を掛けた。

「市役所に寄ったら、記者室に依田がいたぞ」

「ああ、前倒しで行ったんだ」

「大丈夫かあいつ。見たこともないような怖い顔をしてやがった。十行のお知らせ記事が書けずによ」

「最初はみんなそうさ」

「あの程度のは出た日に書けるだろう」

「お前ならな」

仲良しごっこをやっていろ。

胸を吹き抜けた疎外感は、その胸の奥で棘のある言葉に擦り替わった。と、田沢の顔が悠木に向いた。

「販売の安西が倒れたらしいな」

悠木は、ああ、とだけ答えた。四日遅れ。他局の情報が入ってくるまでには概してそれぐらいのタイムラグがあるものだ。

「ドロちゃんが？　それホントかよ？」

岸は心底驚いたようだった。殺したって死なない。確かに安西はそんなふうに見える。

「市の消防本部の人間が、支局長に耳打ちしたんだとよ。クモ膜下で倒れて、県央に運び込まれたって話だ」

「クモ膜下……！」

「ああ、走ってて倒れ込んだらしい」

安西が走っていた……？

悠木は田沢を見た。

「その話、固いのか」

「見てた人間がいたそうだ」

「おい、そんなことより、大丈夫なのかよ、容体は？」

岸の顔は、半分は悠木に向いていた。

「過労死だ」

手帳の書き込みを見て思ったことが、そのまま言葉になって出た。

岸は頰を引きつらせた。

「過労死って、よせよ悠木。生きてるんだろう?」

「当たり前だ」

怒ったように言って、悠木は腰を上げた。こちらに向かって歩いてくる佐山の姿を目にしたからだった。

大した面構《つらがま》えになっていた。強気一辺倒の日頃の顔とは明らかに違う。御巣鷹山から下りてきた直後の強張りや脅えの翳《かげ》も消え失せていた。

出来上がった「事件屋」の顔だった。

それを目の当たりにして、悠木は初めて実感した。北関はいま、世界中を駆けめぐる最大級の抜きネタに挑もうとしている――。

28

廊下の自動販売機コーナーに佐山を待たせ、整理部への指示を幾つか出してから大部屋を出た。

佐山はソファの隅で紙コップのコーラを手にしていた。百円ぽっちのものでも悠木からは奢《おご》りは受けない。そう言っているように感じられた。

悠木は一人分のスペースを空けて腰を下ろした。

「神沢は今日出てきたか」

「御巣鷹に登ってます」

「またか」

「毎日登ってます。日課です。いずれいい記事を書くと思います」

知らなかった。

「川島はどうした？」

「話って何ですか」

「川島はクラブに出てるのか」

「遺品のほうを当たらせてます——早いとこ、話の中身を教えて下さい。クラブの森脇が心配なんで」

悠木は頷き、若干膝を詰めた。辺りを窺い、佐山に顔を戻した。

「前橋支局の玉置のことだ」

「玉置がどうかしましたか」

「どんな記者だ？」

佐山は答えず、コーラの紙コップを口元で傾けた。デスクに現場は売らない。顔にはそう書いてある。裏を返せば、玉置は取り立てて褒めるべき部分のない記者だということだ。

「奴がネタを引いてきた」

「何のネタです？」

「事故原因だ」

佐山の眉がピクッと動いた。

「圧力隔壁というのを知ってるか」

「機体の後部にあるお椀型の壁ですね。機内の気圧を一定に保つための」

「詳しいな」

「県警と同じです。なぜ飛行機は空を飛ぶのか、のところからやってます」

「その隔壁が与圧に耐えかねて破れ、垂直尾翼が吹き飛ばされた——玉置はそう言ってきている」

「ネタ元は?」

「事故調の調査官だ」

佐山の瞳孔が開くのがわかった。

「ただし立ち聞きだ。しかも、玉置が耳にしたのは隔壁の単語だけだ。それが破壊されたとか、尾翼を飛ばしたとかいうのは、奴の推論だ」

小さな間を挟んで佐山が口を開いた。

「玉置は工学部あがりでしたね?」

「そうだ。だが、航空工学をやってたわけじゃあない」

佐山は考え込む顔になった。

その横顔を覗き込んだ。

「ガセネタかもしれん」

「いや……」

佐山は顔を上げて言った。

「ネタは当たっている。そう踏んで詰めるしかないでしょう」

その答えは悠木を安堵させた。

「ウラ取りを頼む。現地に飛んで調査官を当たってくれ」

「俺がですか」

佐山は初めて悠木の顔を見た。

「玉置にやらせればいいでしょう。奴のネタなんだから」

若さが出た。佐山の声には悔しさが滲んでいた。

悠木はさらに膝を詰めた。

「玉置にウラが取れると思うか」

佐山は黙り込んだ。

「ネタの大きさを考えろ。俺はこいつを確実にモノにしたい」

「……………」

「お前がやれ。北関のサッキャップはお前なんだからな」

佐山は微かに頷いた。

世界的なスクープに自分も関わりたい。事件記者としての、至極当たり前の欲がそうさせる。

悠木は膝を打った。

「よし、さっそく飛んでくれ。明るいうちに着いて、調査官の宿を確かめておいたほうがいい」

「玉置は今どこに？」

「探してる。取り敢えず役場に行け。奴がつかまり次第、そう伝えておく」

「誰を詰めます？」

言った佐山の目が鋭さを増した。

「ネタがネタだ。頭にぶつかれ。首席調査官だ」

「藤浪鼎《ふじなみかなえ》」

「そいつだ。時間は遅くともいい。宿のトイレか脱衣場で締め上げろ」

二人は目を合わせた。端から見れば、睨み合ってると映ったかもしれない。

佐山が生唾を呑み下した。

「わかりました。やります。ただし、こいつはあくまで玉置の引きネタです。俺は黒子《くろこ》でいい。その点、くれぐれも」

悠木は、久方ぶりに爽快な台詞を聞いた気がした。

「無論だ。玉置は社長賞をぶら下げて三日は飲み歩く」

佐山は白い歯を覗かせ、だが、すぐに口元を引き締めて立ち上がった。

「行きます」

「頼んだぞ」

仕事が二人の距離を縮めた。ただの仕事ではないからだ。

悠木は大部屋に向かって歩きだした。

鼓動が速まっているのがわかった。世界的スクープを北関が発信する。現実味を帯びたミッションが、たった今スタートを切ったのだ。

ドアのところで、岸と出くわした。玉置から電話が入ったという。

悠木は廊下を振り向いた。佐山の姿は既になかった。舌打ちをしてデスクへの足を速めた。もう三分電話が早ければ、この場ですべての段取りがついたろうに。

机に寝ころんでいた受話器を取り上げた。

「悠木だ」

〈ああ、やっとつかまった〉

玉置は嬉しげな声を出した。

「何度も探してくれたみたいだな。動きがあったのか」

〈ええ。隔壁で決まりです！　いま原稿を書き始めようと――〉

「待て」

玉置の語尾に声を被せた。

「どこから掛けてる？」

〈えっ……？〉

「電話の場所だ」

〈釣り宿の公衆です〉

「小さな声で話せ――いいな」

脅しの声になっていた。

〈わ、わかりました……〉

「で？　なぜ隔壁で決まりなんだ？」

悠木も送話口を手で覆っていた。

〈ええ、それが、事故調の唐沢という人が、僕の大学のゼミの教授と親しくて、だから聞いてもらったんです。そしたら、おそらく隔壁だろうって、そう答えたらしいんです〉

おそらく。だろう。らしい――。

立ち聞きの次は、又聞きだった。それを鵜呑みにして原稿を書き始めたというのか。

「予定稿だな？」

〈ヨテイ……？　何です？〉

悠木は荒い息を吐いた。

予定稿だと言うのならわかる。深夜にウラ取りを終えてから原稿を書き始めたのでは締切に間に合わない。だから、あらかじめ書き上げた原稿を本社に送っておいて、それからウラ取りに走る――。

「わかった。原稿を早く書き上げろ。ファックスでいい。送る前に一本電話をくれ」

〈わかりました〉

玉置の声はまた弾んだ。

悠木にしても、別の頭で、ネタの信憑性が格段に高まったことは理解していた。だから、昂《たかぶ》りと憤りとが胸の中でごちゃ混ぜになっていた。

「それとだ」

悠木は嚙み砕く思いで言った。

「ネタが確かだとしても、所詮は又聞き情報だ。ウラ取りが必要になる。わかるな?」

〈あ、もちろんです。それもちゃんとやりますから〉

「サツの佐山をそっちに向かわせた」

〈ご心配なく。一人でやれます〉

悠木は構わず続けた。

「佐山と役場で落ち合え。お前の持っているネタと知識を洗いざらい話してやってくれ」

小さな悲鳴のような音を受話器が拾った。

〈どうしてです? 僕がやりますよ〉

非難めいた口調に変わった。

〈だって、佐山さん、飛行機のことは何も知らないでしょう? 専門的なことになったら、調査

官の話についていけないでしょうが〉

玉置は、調査官と事故原因について議論でもするつもりのようだった。

夜回り経験のない玉置に説明するのは難しかった。

仕事は数秒でカタがつく。調査官にぶつける質問は一つだ。「事故原因は圧力隔壁の破裂か？」。まともに答える公務員などいない。だから、イエスかノーか、その感触を瞬時に摑み取るのがウラ取りの技ということになる。全県の事件を背負っている佐山は、警察官相手に一年三百六十五日、その仕事をやっている。

「佐山の仕事なんだ」

玉置の声は悄気《しょげ》返った。

〈……わかりました。じゃあ、佐山さんと一緒に行きます〉

「単独でやらす。お前はサポートに回れ。佐山の動きを逐一、本社に連絡しろ」

人が秘密を漏らす時は、相手が一人の時と決まっている。

〈納得できません〉

一転、玉置は食ってかかってきた。

〈そうでしょ？　僕が聞いてきたネタなんですよ。なんで佐山さんにあげなくちゃならないんですか〉

さっきの佐山の台詞を聞かせてやりたかった。いや、ここまで玉置が「自ネタ」に執着するとは思ってもみなかった。ことによると、サツ廻りに置いて叩けば大化けする。

「餅は餅屋だ。佐山に任せろ」

〈でも……〉

「上には、お前の手柄だと売り込む」

〈……〉

「聞いてるのか」

〈……はい〉

「五時前には佐山が着く。このネタが生きるか死ぬかはお前のサポート次第だ。頼んだぞ」

最後は歯の浮くような台詞で丸め込んだ。

岸と田沢は局長室に向かって歩きだしていた。八月十六日組み十七日付の紙面会議が始まる。北関にとって歴史に名を刻む紙面になるかもしれなかった。

悠木は大股で二人の背中を追った。寒い。一瞬そう感じたが、武者震いに違いないと思って気にも掛けなかった。

29

会議は雑談めいた展開になった。

粕谷局長は上機嫌だった。福田と中曾根の均衡を保った今朝の朝刊が各方面に好評だったと言うのだ。

「飯倉専務まで電話を寄越してな、いい紙面だったと手放しで褒めてたよ。奴《やっこ》さん、文句をつけてやろうと手ぐすね引いてたんだろうが、してやったり、だ」

「しかし、こういう時にしれっと電話を入れてくるあたりが、インテリやくざのいやらしいところだ」

追村次長が釘を刺すように言った。

「どうせ何か企んでる。局長、注意したほうがいいですよ」

「わかってる。だが、飯倉さんも、新聞作りに関しては一家言ある人だからな」

「甘いですよ。あの人はもう新聞の中身なんかに興味を持っちゃいない。興味があるのは北関の金看板だけだ」

悠木は何やら落ちつかない気持ちにさせられた。ズボンのポケットには、専務派の多数派工作を裏付ける手帳が収まっている。そうした動きは粕谷クラスの幹部なら先刻承知だろうし、悠木はどちらの派にも与《くみ》する意思はないから、手帳の中身を上に注進する気はなかった。が、今日に限って言うなら、粕谷の楽天にではなく、追村の用心深さに賛意を示したいところだ。

粕谷の笑った目が悠木に向いた。

「しかし、昨日はご苦労だったな。あの写真のアイディアは表彰モンだ」

「いえ……」

悠木は曖昧に頷いた。視線は、入室してきた等々力社会部長の姿をとらえていた。特段変わった様子はない。ブラウンのレンズの奥から悠木に一瞥をくれ、追村の隣に腰掛けて腕組みをした。ゆうべは「総社飯店」で酔い潰れた。悠木が発した台詞をどこまで記憶しているか。

「で、今日の紙面だが――」

粕谷はようやく仕事の話を切り出した。笑みを残した顔は悠木に向けたままだ。

「まずは日航だ。どう紙面展開する?」

「農大二高の二回戦突破を一面トップで打ちます。罹災したナインの父親のエピソードを最大限盛り込んで作るつもりです」

悠木が答えると、正面の追村が眉間に深い皺を作ってみせた。まさか反対する気か。

「他の日航ネタはどんなのがある？」

粕谷に促され、悠木は手元のメモに目を落とした。

「代表取材による生存者の共同インタビュー。日米の合同調査。遺体の収容状況。遺族との対面。二社の連載。遺品の受け渡しも始まりますので、そっちの様子もカバーします」

「なるほど。だいたいそんなところか」

「ええ」

悠木は即答した。外が明るいうちから特ダネをひけらかす間抜けはいない。局内の人間がすべて味方とは限らないのだ。他社に情報が漏れたことだって、悠木が知るだけでも二度や三度はある。

「そろそろ日航離れも考えたほうがいいんじゃないのか」

やはり追村が口を挟んできた。何が気に障ったのか、既に目元で癇癪玉を弾けさせている。

「今日は日航がトップでいい。甲子園と遺族ネタの合わせ技一本だからな。だが、紙面が日航で硬直化していることは否めん。明日以降、強いネタがない時はトップ落ちさせるべきだろう。他にも県内ネタで大きく扱う記事は幾らもあるしな」

追村はジロリと悠木を見た。

「今朝の朝刊はひどく鼻についた。内政面や国際面が日航だらけだった。それだけじゃない。地域版にまで日航ネタが侵食してるっていうのはどういうことなんだ？　悠木、説明してみろ」

先手を打たれた恰好だった。同時に、追村の苛立ちの理由が知れた。紙面を「日航漬け」にするな。浅く広くニュースを拾え。それは、新聞制作上、極めて常識的な指摘と言ってよかった。

だが、悠木は頷かなかった。「詳報」に拘《こだわ》る、一点豪華主義とも言うべき今回の編集方針を変える気は毛頭なかった。五里霧中だった日航機事故報道で、初めて手応えを得た紙面だ。しかも、そのきっかけをくれたのは遺族だった。追村に睨まれたぐらいで、むざむざと引き下がるわけにはいかない。

悠木は強弁した。

「地元紙が情報量で他紙に後れをとったら話になりません。使える紙面はすべて使いました。今日以降も、当分の間続けるつもりです」

「自惚れるな！」

追村は尖った顎を突き出した。

「勝手な真似は許さんぞ。お前、いったい何様だ？　勘違いするなよ、日航全権デスクは日航事故だけのデスクだ。北関の紙面全体のデスクじゃない。それぞれの面には、その日にぶち込まなきゃならん記事がある。それをボロボロ落としてどうする気だ！」

悠木も頭に血が上った。

「重要なニュースを落とすなんてことは考えていない。埋め草的な記事を削って、そこに日航を入れるって言ってるんですよ」

「トーシローが。埋め草を読みたい読者もいるんだ。記事のバリエーションが減ったら、新聞の体裁が壊れちまうだろうが」

「ですが――」

「いいんじゃないですか。この際、体裁なんかどうでも」

横から口を出したのは、亀嶋整理部長だった。

「どういう意味だ？」

追村の声が一オクターブ下がった。職責は追村が上だが、歳と勤続年数なら亀嶋のほうが勝っている。

「だから、日航でやれるところまでやってみようってことですよ。中央紙はもちろん、上毛にも負けちゃならんと思います。他社の一面から日航が消えた後も、一週間ぶっ通しでアタマを張り続けるぐらいの気構えと愚直さが欲しいんですよ」

単なる助け船ではなく、亀嶋が本心からそう言っていることは話を聞くうちわかった。

「ウチはどうも中途半端なところがあると思うんですよ。群馬の地元紙なのに、栃木や埼玉の北のほうに進出して大コケしてみたり、三年前のあれだってそうでしょう？ 中身のない夕刊出して、半年でぽしゃっちまった。今回は腹を括ってやりましょうや。こんな事故、死ぬまで新聞作ってたって、二度と経験できませんしね。整理部の人間も乗りに乗ってるし、このまま突っ走って他社を圧倒すれば新聞協会賞だって夢じゃないんじゃないですか」

追村は沈黙した。癇癪玉が顔全体で不完全燃焼を起こしている。

「まあ、亀嶋の言うことも、いいところを突いてはいるがな」

粕谷が、どっちつかずの物言いで収めに入った。場の空気は亀嶋に軍配を上げているが、だからといって、あまり亀嶋に肩入れした発言をしたら、今度は追村の大爆発を誘発するのではないかと危惧している顔だ。

悠木も似たような思いだった。

今日組みの新聞では、一般記事の紙面の他に、読者投稿欄の『こころ』でも日航特集を組むつもりだ。だが、その話を持ち出すのが難しくなった。追村を怒らせた張本人である悠木がここで言い出せば、間違いなく会議は大荒れになる。下手をすると、「詳報」の方針そのものが潰される恐れがあった。

等々力の存在も不気味だった。腕組みをして俯き加減でいる。一言も口をきかずに無関心を装っているが、悠木と追村が再度衝突して収拾がつかなくなれば、最終的には追村の側に回るに相違あるまい。

岸と田沢も黙している。果して二人はどう出るか。

分の悪い賭に思えた。

悠木は頭を切り換えた。「詳報」とは別の、もう一つの腹案を議題に乗せるべきかどうか思考を巡らせた。

「じゃあ、そろそろいいかな?」

粕谷は会議を閉じたがっている。

悠木は慌てて口を開いた。

「一ついいですか」

「何だ?」

もう滅多なことは言うな。調停屋の目がそう言っている。

悠木は小さく頷き、言った。

「北関を遺族の待機場所に配りたいと思うんですが」

「遺族の待機場所? 藤岡のか」

「ええ。市内の東中学の体育館などで、二、三千人の遺族が検視待ちをしています。そこにウチの新聞を配ってはどうか、と」

「金を取るのか」

「まさか。無料でサービスします」

「部数は？」

「千部。いや、五百もあれば」

「簡単に言ってくれるなあ」

「遺族は芋洗いの状態で、情報も満足に入手できていないようです。新聞は喜ばれると思います。地元紙の記事は詳しい。遺族はみんなそう思ってるでしょうし」

自然、言葉が熱を帯びた。

「まあ、確かにそうだが……」

粕谷は煮え切らなかった。

「やるべきだな」

意外にも、賛同の声を発したのは等々力だった。亀嶋が続く。

「うん、名案だよね。やりましょう、局長。遺族は喜ぶし、それに、北関を他県にアピールする絶好のチャンスですよ」

追村は黙っていたが、表情に叛意はなかった。そのことが粕谷の決心を早めたようだった。

「やるとしたらいつからだ？」

「善は急げでしょう。明日からやりましょうや」

亀嶋が言い、驚く粕谷に悠木が畳みかけた。

「日航は際物ですからね。ぐずぐずしてると待機場所の遺族が減って、配る意味がなくなります」

「そりゃあそうだが、編集の一存じゃ決められんぞ。発送の問題があるからな、販売局の協力を取り付けねばならん。ああ、経理もだ。タダ紙を配るなんて言ったら、連中、暗い顔でたっぷり泣き言を言うだろよ」

ひとしきり愚痴めいた話をして、粕谷は会議の終了を告げた。

悠木は、席を立つ等々力の顔を見つめ、目礼を送った。気づかなかったのか、等々力は反応を示さずそのまま退席した。

いずれにせよ、一つ借りができた。

「ん？　まだ何かあるのか」

執務机に戻った粕谷が、ソファの悠木に声を掛けた。局長室には二人だけが残っていた。

悠木は執務机に歩み寄った。局内で「夜の街」のことを聞くなら、粕谷をおいてほかにない。調停屋は、言い換えれば気配りが利く、ということだ。そのソフトな人当たりで、若い時分はホステスによくモテたという。馴染みの店は数知れず、丸々と太った今も「パトロール」と称して週に三日は歓楽街を流す。

「局長、ちょっと聞きたいことがあるんですが」

「何だ？　もう面倒なことは御免だぞ」

「飲み屋だと思うんですが、ロハという店、知ってます？」

「ロハ……？」

粕谷は宙に目をやったが、すぐに思い当たった顔になって言った。

「『ロンリー・ハート』のことだろう。詰めてロハ。上電プラザの裏手にあるスナックだ」

やはり接待用の店ということか。

「行かんほうがいいぞ、あの店には」

粕谷が口を尖らせて言った。

「なぜです?」

「黒田美波が働いてるからな」

すぐにはその名が思い出せなかった。

「知らんか? 三月前までオヤジの車椅子を押してた女だよ」

あっ、と小さく声が出た。今いる高木真奈美が来るまで社長秘書を務めていた女だ。

「セクハラがどうのこうの言って辞めたんだ。店に行っても、オヤジの下にいる人間は歓迎されんぞ」

悠木は鼻から息を吐き出した。逆に言うなら、専務派の人間たちには親しみを抱くということだ。

繋がった気がした。安西は、黒田美波と接触するために「ロンリー・ハート」に顔を出していた。目的は何か? おそらくは、白河社長の弱みを聞き出し、追い落としの策略に利用するためだ。セクハラ。その辺りも専務派の狙い目か。

「もういいか? 俺は販売局に仁義を切ってこなくちゃならん。ただでさえ、日航が始まってから連日締切を延ばしてるからな、販売店に新聞が届くのが遅いってんで、伊東のやつがネチネチ文句を言ってきてるんだ。このうえ、現地で無料配付だなんて切り出せば、どれほど厭味を言われるかわかったもんじゃない」

伊東の名に、悠木は鋭く反応した。

「販売には私が話してきます」

粕谷は驚きと嬉しさが半々の顔になった。

「やってくれるか」

「ええ。言いだしっぺですからね。収めてきますよ」

口先だけで言った。

「そいつは助かる。じゃあ、俺は経理を当たるとしよう」

粕谷はネクタイを締め直し始めた。

悠木は局長室を出た。途端、大部屋の喧騒に包まれる。

自分のデスクに戻り、新たに束で届いていた日航関連の原稿を仕分けした。

胸はどんよりとしていた。

邪気のない安西の輝く瞳……。

専務派の尖兵として歓楽街を奔走する裏の顔……。

綺麗事を言っていては組織の中を生きられない。わかっていながら、ふつふつと湧き上がる青臭い感情を、悠木はしばらくの間、野放しにした。

30

悠木が一階の販売局に足を向けたのは五時近かった。

その前に総務局に寄ってきた。同期の久慈をつかまえ、黒田美波のことを聞いた。セクハラとはいったいどのようなものだったのか。フロアの隅の小部屋で問いただしたが、「社内中立」を標榜する久慈の口は固かった。

俺は知らない。本当だ。社長は内側から鍵を掛けちまうから何もわからないんだ。

悠木は半ば目的を達した気がした。白河社長と黒田美波は、社長室という「密室」の中で二人きりでいた――。

販売局のドアは開け放たれていた。

悠木が入室すると、奥の机で伊東局長の顔が上がった。他には誰もいなかった。部屋は手狭で薄暗い。「ブラックボックス」と呼ぶにふさわしい雰囲気だ。ここに入っているのは販売部だけで、新聞発送部には別の大部屋があてがわれている。

「これはこれは……」

伊東はのっそり立ち上がって、開いた手をソファに向けた。

思いがけず豪華なソファだった。用件を切り出す間もなく、伊東が喋り始めた。

「いやあ、今日の一面はよかったねえ。君のアイディアなんだって？　写真一枚で福中のバランスをとるなんて、ちょっとできることじゃあない。飯倉専務も感心してたよ。一本取られた、ってさあ」

相も変わらずネチャネチャと耳障りな喋り方だ。唇の端から唾液が溢れ出るのではないかと、いらぬ心配をさせられる。

「今日は何だい？　わざわざ来てくれたってことはさあ、昨日の話、考えてくれたってことかい」

「昨日の話って何です？」

悠木はきつく返した。

「だからさあ、色狂いの社長に見切りをつけたほうがいいって話さあ」

専務派の一員になれということだ。

「しばらく安西の代わりをやってみないかい？　君、今の編集局じゃあ引いてくれる人もいないわけだろ？　それにさあ、君と僕は昔から知らない仲じゃないんだしさ」

「伊東さん」

悠木は、編集局の用件を後回しにすることにした。

「言っておきますが、俺に脅しは通用しませんよ」

「やあ、そんな怖い顔するなよ。嫌な思いをしたのは君だけじゃないんだからさあ」

言葉の意味を計りかねた。が、悠木はここで母の話をしたいわけではなかった。

「安西は随分と仕事をさせられていたみたいですね」

「人聞きが悪いなあ。させられてたんじゃない。彼は誰よりも働き者だったんさ」

「社外重役に寝業を仕掛けていた――あなたが命じたんでしょう」

伊東の顔色は変わらなかった。目元と唇に薄い笑みを湛えている。

「奥さんがそう言ったんかい？」

一昨日も盛んに悠木に尋ねていた。裏工作の実態が、小百合を通じて悠木に伝わったのではないかと案じていたのだ。

「違います。安西の手帳を見ました」

伊東の顔から笑みが消えた。

「へえ。いいのかい？　そんな無茶なことして」

「奥さんの許可を得ました」

「ふーん。で？　その手帳を上の人間に見せたわけ？」

伊東が探る目で言った。

余程、「見せた」と言ってやろうかと思った。

「私は安西のことを聞いてるんです。彼はあなたのことを恩人だと言っていた。吉川販売店で働いていた安西を北関に引き抜いたそうですね」

図書館で末次から聞いた話だった。

衝立岩で遠藤貢を亡くした安西は、しばらくの間、惚けのように暮らしていたという。多くの山屋がそうであるように、もともとが定職を持たず、アルバイトで食いつなぐ生活を長くしていた。四畳半一間のボロアパート。親の反対を押し切り、家出同然で転がり込んできた小百合を妻にしたが、燐太郎を身籠もるまでは籍も入れていなかった。「大恋愛」は、だから、老舗の和菓子店の一人娘で、しょっちゅう大福を買いにきていた安西に惚れた、小百合一人にとっての物語だったかもしれない。

が、遠藤の死後、安西に立ち直るきっかけを与えたのは紛れもなく小百合だった。「偶然見ちゃったのがショックだったんさ」。安西は末次にそう話していたという。臨月を迎えていた小百合がアパート近くの道で転ぶのを目撃した。ヨロヨロと起き上がった小百合は、両手を腹に当て大切そうに何度も摩《さす》った。その手の甲と膝頭に血が滲んでいた。「小百合の奴、全然気づかないんさ。ポタポタ血が落ち始めてもさあ」。それから間もなくして、安西は求人広告にあった吉川新聞販売店の住み込み従業員となった。朝夕の配達から集金、拡張までこなして広いアパートを借りる金を貯めた。その頃の超人的な仕事ぶりが伊東の目にとまり、北関入社のきっかけになったという話だ。乳飲み児を抱えた若くない夫婦にとって、県内有数の優良企業である北関に誘われた喜びはいかばかりであったか。「命の恩人」。伊東のことをそう崇める安西の気持ちに嘘はなかったろう。

伊東は、その安西の気持ちを最大限に利用したということだ。穿《うが》った見方をするなら、「汚れ仕事」をさせる部下を作るために安西を引き抜いたのかもしれない。安西にしてみれば、どれほど意に沿わない仕事であっても断れない。恩人の言うことだからと目を瞑《つむ》って従ってきた。いや、伊東の命に背いたら北関にはいられない。追い出される。そんな恐れを抱いてもいたか。

「安西はいいようにあなたに使われていた」

「部下だからね。使うよね」

伊東はまた笑みを取り戻した。

「黒田美波を安西にマークさせた。社長失脚のネタを摑むために」

「明るいうちからよそうや、そういう生臭い話は。安西は優秀だったよ。彼があんなことになって一番ショックを受けてるのはこの僕なんだから」

絡んだ視線を解いた。

改めて伊東を見据え、悠木は言った。

「明日の朝刊から藤岡市内に五百部多く落とします」

「え？　聞いてないけど」

悠木は簡潔に編集局の考えを告げた。

伊東は露骨に嫌な顔をした。

「困るなあ。三カ所の待機場所に置いてくるとして、一カ所当たり百七十部もだろう。販売店の配達員はぎりぎりの数でやってるんだ。そんなもの配る余裕はないよ」

「バラで配るわけじゃありません。待機場所の前に束のまま置いてもらえばいい。そこから、読みたい遺族が自由に持っていくということです」

「編集の人間はさあ、何も知らないから簡単に言うけどね。郡部や山間部には北関だけ配ってる専売店はほとんどないんだよ。呉越同舟。朝日や毎日なんかも一緒に扱ってるから、ウチだけ特別なことをしてもらうわけにはいかないんだな」

なんと弱腰な。そう思ったが、悠木の頭にはもう一つの案があった。

「ウチの発送部のトラックが途中で待機場所に落としていく。どうです?」

「それじゃあ、遠回りになっちゃうじゃないか。藤岡へ行くトラックは、そのあと、多野郡の万場、中里、上野村まで上るんだ。販売店にトラックが着くのが遅れらあ」

「五分とか、十分のことでしょう?」

まさか、その一言が伊東を怒らせてしまうとは思ってもみなかった。

「あのなあ、その五分、十分が店にとっちゃ重大事なんだよ。毎日午前一時だ二時だに起き出してるんだ。社員総出で指にゴムサック嵌めてな、一部一部、新聞に折り込み広告を挟み込んで、それが済んだら配達の方面ごとに仕分けしてだ、日々戦争みたいなもんなんだ。十分遅れてみろ、ウチの局には、方々《ほうぼう》の店から火が点いたような怒りの電話が一分おきに掛かってくるんだ」

間延びした口調は消え去っていた。

「それでなくても、ここんとこ、日航のお陰であちこちの販売店で遅れが出てるんだ。編集に締切があるように、こっちにもデッドラインってもんがあるんだ。下手すりゃ、顧客への配達も遅れる。朝飯の後に届くような新聞を新聞だなんて胸張って言えないだろうが」

販売局にもプライドがある。悠木は初めて知った。だが――。

販売のトップ。裏工作の黒幕。二つの顔を同時に晒した伊東への不信感と不快感は相当なものだった。

悠木は伊東の目を睨んだ。

「では、五百部は受けない、ということですか」

「そうは言ってないだろう。日航もそろそろ落ちついてきたんだ、編集が早め早めに版を下ろして輪転を回せばいい。そうすりゃ、待機場所に寄り込む五分や十分、どうとでもなる」

「やってくれるんですね?」

「ああ、そっちがちゃんとやるならな」

了承の確認を取ってから、悠木は話を蒸し返した。

「早く版を降ろせない時もあります」

「楽しんで作ってるからだろう」

「楽しむ……?　どういう意味です?」

「俺たちにはそう見えるんだよ。大勢が眉間に皺を寄せて深刻ぶってやってるが、所詮はニュースをこねくり回して楽しんでるだけのことだ。締切時間が近づけば近づくほどゾクゾクしてくる。そういうことなんじゃないのか」

反射的に眉が吊り上がった。

「事件や事故の原稿はどうしてもぎりぎりになる。最新のネタを入れたいですからね」

「読者はそんなことは期待してない。編集のマスターベーションだ。こっちの身にもなってみろ。お前らが遊び半分ノロノロ作ってるツケが全部回ってくるんだぞ」

「販売店の文句も押さえられないで、何のための販売局です」

思わず言葉が迸《ほとばし》った。

伊東の細い目がゆっくりと開いた。

「何だと……？」

もう止まらなかった。

「毎晩、湯水のように金を使って店主を接待してるのは何のためか、と聞いてるんだ」

「ふざけるなよ！　さっき言ったろう。専売店以外は他紙との競合だ。店主がもう北関を売らないと言いだしたらどうする？　お前らが山奥まで行って一軒一軒配るのか？　新聞は宅配制度が崩れたら終わりなんだ。店主に飲み食いさせて気持ちよく配らせるしかねえんだよ！」

「そっちに都合のいい話はよせ。山奥で他紙が何部出てる？　微々たるもんだろうが。販売店だって北関を売らなきゃ食えないんだ。持ちつ持たれつだ、関係は五分五分ってことだ。なのに弱腰外交を決め込みやがって、年間いくら無駄金を使ってるんだ」

「黙れ！」

伊東がテーブルに拳を落とした。

二人は至近で睨み合った。

伊東の机の電話と、悠木のベルトのポケベルの両方鳴っていた。

悠木が腰を上げ、伊東も立ち上がった。

伊東が目を細めた。

「坊や、あんまり力むなよ。新聞なんてものは大したもんじゃない。試しに、二、三ページ白紙を混ぜた新聞を作ってみな。俺たちがちゃんと売ってやる」

二人同時に踵を返した。

悠木はドアまで歩き、振り向いた。受話器を耳につけた伊東に言った。

「一つ言い忘れてました――今夜の降版もかなり遅くなりますのでよろしく」

31

午後六時を回り、編集局の大部屋は煙草の煙で靄《もや》っていた。

悠木がデスクについてすぐ、佐山から電話が入った。上野村役場に到着して玉置と合流した。役場に行く前に、事故調の調査官が投宿する旅館「たの」を観察。勝手口のドアに鍵がないことを確認したという。

悠木は原稿を読み始めた。

《農大二高圧勝！》《父奪われた球友「君の分まで頑張った」》《校歌に涙・家族待機所でテレビ観戦》《生存者が証言・異常発生に機内はパニック》《「ベルトを切れ」墜落直前、父が絶叫》《もっと生存者いた・検視結果で判明》《身許確認難航・判明は百八十一人に》《機体を切って遺体の運び出し》《しめやかに三十六人の告別式》《遺骨次々と家路に》

「悠木君――」

声に振り向くと、『こころ』担当の稲岡が控えめな拝みポーズをとっていた。

「ごめん。今日はちょっと日航の特集が組めなくなっちゃったんだ」

「なぜです？」

「いや、終戦記念日モノの残りが四、五本あってね。今日が使える限界だろ。内容がいいんで捨てたくないんだよ」

悠木は内心胸を撫で下ろした。追村次長が爆発寸前だったこともあって、『こころ』の件は、結局、上に言いそびれてしまった。一日か二日、冷却期間をおくのがベストだろうと思ったが、自分で提案しておいて稲岡に日延べを申し出るのも恰好がつかないので、そのまま放っておいた。今日、予定通り稲岡が日航特集を組んだら、その時はその時で追村の怒声を浴びようと覚悟を決めていたのだが、稲岡のほうの事情で先送りになるのならそれに越したことはない。

「いつならできます？」

「明日は法律相談の日でスペースが取れないから明後日やるよ。それでいいかい？」

「ええ。お願いします」

悠木は頭を下げた。椅子を回転させて体の向きをデスクに戻した時、頭の芯がグラッと揺れた気がした。

やはり風邪をひいたようだ。

大部屋に戻ってから、額の辺りに熱っぽさを感じていた。寝不足。伊東に対する憤怒。スクープを目前にした昂り。微熱の原因は色々考えられたので風邪だと決めつけずにいたが、先ほどから背筋に悪寒のようなものまで走り始めた。

悠木は席を立ち、フロアを横切った。クーラーの送風目盛りを「5」から「3」に下げ、戻る途中に編集庶務のシマに立ち寄った。薬箱代わりに使われている空き机の引き出しから風邪薬を調達し、水なしで呑み下しながら自分のデスクに向かった。風邪だと意識したからかもしれない。足が若干ふらついているような気がした。取り敢えず締切時間までもてばいい。口の中で言いながら、悠木は再び原稿に向かった。

《日米合同調査団が現地入り》《尾翼落下は下田沖・海流を逆算し推定》《客室天井の一部が漂着》《第四エンジンも発見》

頭のどこかで玉置を疑っていたのだと思う。原稿に没頭していたにもかかわらず、悠木はファックスが動きだす音を聞き逃さなかった。

顔を上げると、隣の岸が腰を上げたところだった。

「おそらくこっちの関係だ」

制するように言って、悠木は立ち上がった。ファックス置き場の机の前に回り込む。案の定、「前橋・玉置」のクレジットが吐き出されてきた。原稿を送る前に一本電話を寄越せ。そう釘を刺したはずだが忘れたか。

前文が流れ始めた。

《五百二十人の死者をだした日航ジャンボ機墜落事故で、運輸省航空事故調査委員会（事故調）は十六日、事故原因を「機体後部にある圧力隔壁が破裂したことによるもの」とほぼ断定した。事故機は七年前にも、大阪空港で「しりもち事故」を起こしており、その際損傷した隔壁の修理ミスが遠因との見方もでてきている。このため事故調は――》

背中がゾクリとした。風邪による悪寒でないことは明らかだった。

ファックスは延々続いた。悠木は、田沢から原稿の出を隠すように立ち、一枚出てくるごとに抜き取っては、裏にして重ねていった。

二十三枚。百十五行の「大作」だった。

悠木は自分のデスクに戻り、赤ペンを手にした。両手、両肩を壁のように使い、原稿を抱え込むようにして読み始めた。

冗漫な原稿だった。力み返ってもいる。事実と憶測とが渾然とし、文脈の破綻が随所に見られる。大手術が必要だった。

まずは不必要な部分をばっさり切った。次いで、危ない箇所を削り、前後を繋げながら文章を整えていく。

読み返し、また手を入れる。さらに無駄を削ぐ。最上級の抜きネタに贅肉はいらない。骨格だけをひたすら際立たせるのだ。

悠木は赤ペンを置いた。

壁の時計に目をやる。午後八時十五分。手直しに一時間を要した。原稿用紙の角を揃えた。十三枚。六十三行。ほぼ半分削った計算だ。

悠木は引き出しに原稿をしまい、受話器を取り上げて内線番号をプッシュした。

整理部のシマの中央、吉井の目の前の電話が鳴り、手が伸びた。

声を殺す。

「悠木だ」

〈あ、はい〉

吉井の視線が悠木に向いた。

「昨日の話、今夜やる」

吉井の表情が強張ったのが、ここからでもわかった。一拍遅れて低い声。

〈行数は？〉

「六十チョイだ。農二のとは別に、もう一枚作ってくれ」

〈わかりました。出稿は？〉

「十時過ぎで見出しは間に合うか」

〈楽勝です〉

「あとでな」

吉井が受話器を置くのを見ながら、空いた手でフックを押した。その指で玉置のポケベルの番号をプッシュする。

十五分ほどして応答があった。

〈玉置です。呼びました?〉

吹っ切れた感じの声だった。

殺したままの声で言う。

「原稿は読んだ」

〈ちょっと長すぎましたか〉

「心配するな。それより、そっちはどんなことになってる?」

〈佐山さんは、裏山でスタンバイしてます〉

「裏山……?」

〈旅館のすぐ裏に、熊笹の群生した小高い山があるんです。旅館の中が多少見えます〉

悠木は一つ頷いた。

「事故調の連中は?」

〈とっくに食事と風呂は終えて、今は旅館の広間で会議をしているようです〉

「他社は?」

〈いつもと同じです。各社とも、旅館の近くでウロウロしています〉

「お前の場所は？　旅館との往復にどれぐらい掛かる？」

〈ちょっと村道を下った先の公衆です。往復十五分といったところです〉

「わかった。余程のことがない限り、しばらくこっちからは呼ばない。次はお前のほうから寄越せ」

〈えーと、どのタイミングで？〉

「佐山が旅館に潜った時だ」

〈わかりました――あ、それと、悠木さんに聞いておくよう、佐山さんに言われたんですが〉

「何だ？」

〈今夜の締切時間です〉

悠木は一瞬言葉をなくした。

そうだった。佐山は締切時間を聞かずに上野村に向かった。現場雑観の件が尾を引いていたか。目線を上げた。八時四十五分。だが、悠木の目は文字盤の「12」から「2」までの間を凝視していた。

悠木はとりわけ小さい声で言った。

「午前一時だ。そっちの状況次第では一時半まで待つ」

〈一時半？　そんなこと出来るんですか〉

「佐山にそう伝えろ」

〈あ、はい。わかりました〉

受話器を置いた。

両サイドに、ただならぬ気配を感じていた。岸と田沢。こそこそ何をやってやがる。空気はそう言っている。

悠木は共同原稿の束を手元に引き寄せた。動悸が速まり、呼吸が微かに乱れている。風邪のせいではない。引き出しの中にある「ブッ」のせいだ。

すべての原稿を見終えたのは九時五十分だった。

あと十分……。悠木は待った。

「十時あがり」の局員がバラバラと席を立った。日航機事故に対応すべく特別のシフトを組んでいるが、それでも局員の三分の一ほどが帰り支度を始めた。残りの局員は「ラスト・オーダー」と呼ばれる。最終紙面が出来上がるまで社屋を出ることはない。

悠木はおもむろに引き出しを開き、玉置の原稿を取り出した。

「岸——社員名簿あるか」

岸は中腰で、バッグに資料を詰めていた。悠木を数瞬見つめ、その目を自分のデスクの本立てに移した。すぐに手が伸びた。

「はいよ」

「すまん」

悠木は目的の頁を開いて文鎮を置いた。

原稿を引き寄せ、前文の最後に赤ペンで書き込んだ。

(玉置昭彦、佐山達哉)

フルネームの署名原稿。北関初——。

悠木は岸を見上げた。

「今夜は何か予定があるのか」

「いや、別に」

「だったらラストまで付き合え」

言って、悠木は玉置の原稿を突き出した。

岸は最初の数枚を読んで顔色を変えた。悠木に向けた険しい目が、ふっと笑った。

悠木は田沢を見た。レジャー面の仮刷りに目を落としている。

「田沢」

返事をしない。

「お前も目を通しておいてくれ。読んだら吉井だ」

反応は確かめずに、悠木は席を立った。

歩きだした時はまだ迷っていた。粕谷局長。追村次長。等々力社会部長。三人のうちの誰に話すか。

昨日だったら、真っ直ぐ局長室に向かっていた。追村と等々力を「飛ばす」。最大級の屈辱を与える。追村に義理はない。等々力は、佐山の現場雑観を潰した。だが——。

悠木は壁際に向かった。

等々力は席にいた。その前に立つ。

「部長」

ブラウンのレンズが上がった。

「何だ?」

悠木は机に両手をついた。顔を近づけ、言った。

「抜きネタを打ちます」

「モノは？」

悠木は睨み付けるように等々力を見た。今度は潰すな。念を送った。

「事故原因です」

レンズの奥で目が見開いた。

「固いのか」

「ほぼ。これからウラを取らせます」

等々力は首を回して壁の時計を見た。

「時間は押しそうか」

「おそらくは」

「段取りを言ってみろ」

「締切を一時間延ばして午前一時に。それでも間に合わない時は一時半まで待つ——現場にはそう伝えてあります」

言葉に、等々力の判断の余地を残した。

等々力は腕組みをした。

「一時半——二版制を組むってことだな」

悠木は頷いた。

第一版は《農二圧勝》でフィルムを作り、輪転機を回す。刷り上がった順にトラックで発送する。そうしなければ、遠隔地の販売店に新聞が届くのが大幅に遅れるからだ。勝負は日付が変わった後になる。佐山からウラが取れたと連絡が入った時点で一旦輪転機を止める。一面を《事故原因は隔壁破裂》のフィルムに差し替え、残りの部数を刷る。佐山が電話を寄越す時間にもよるが、スクープの載った第二版の新聞が配られるのは全県の三割程度。もし佐山の連絡が一時半近くにまでずれ込んだなら、配付は前橋市内のみ。うまくして高崎の一部までだ。

それが問題だった。

「このネタは藤岡と多野郡に二版が届かなければ意味がありません」

「確かにな――だが、藤岡・多野コースのトラックを最後に出すとなると、刷り上がりが二時として、関越を使っても上野村までは二時間掛かる。販売店着は四時を回るぞ」

「やる価値と必要があると思います」

「販売と全面戦争になる」

望むところだ。悠木は目で等々力に伝えた。

沈黙の間があった。

「わかった。一時半がデッドだ」

等々力はきっぱりと言った。

「ただし、一版のほうは零時十五分には降版しろ。抜きネタが行くのは、前橋と藤岡・多野だけでいい」

異存はなかった。

「それと、藤岡・多野コースのトラックを引き止めておく必要があるぞ」

「昔の手を使います」

「あれか?」

「そうです」

「時代が違うぞ」

「他に方法が思いつきません」

悠木は踵を返した。数歩先で背中に声が掛かった。

「悠木──」

首だけ振り向いた。

「局長と次長には話したのか」

「いえ」

レンズの奥の目が微かに揺れた。

昼間の借りは返した。

雑念は消え去り、五感のすべてがスクープに向き合った。

32

午後十一時半を回った。

大部屋は異様な静けさに包まれていた。

誰もがたった一本の電話を待っている。悠木はその人の輪の中心にいた。

分針の動きは速かった。

まもなく日付が変わる。不安の入り混じった多くの目が壁の時計に向いた時、悠木の眼前の電話が鳴った。

張り詰めた声が耳に響いた。

〈玉置です〉

「入ったのか」

〈ええ。勝手口から潜り込みました〉

「事故調の連中は？」

〈まだ会議をしてます〉

「わかった。お前は裏山に戻れ。十五分様子を窺って、またそこから電話を寄越せ」

〈はい〉

旅館「たの」と公衆電話の距離は往復十五分。次の連絡は零時半になる。無論、その前に、佐山が「たの」を飛び出すようなことがあれば、玉置からの連絡は不要になる。

「佐山が旅館に入った」

岸に言った一言は、静寂を貫いて整理部のシマにまで達した。小さなどよめきが起こり、亀嶋が胸の前でガッツポーズをつくって見せた。

ドアが開き、吉井が駆け込んできた。二階の制作局にいたのだ。顔が上気している。筒状に丸めた仮刷りを大切そうに握っている。

第二版の仮刷りがデスクの上で開かれた。

通常なら十枚近く刷るが、今日は三枚だけだ。悠木に一枚。局幹部のいる局長室に一枚。吉井の手持ちが一枚。右上に「持ち禁」の大きな印が押してある。

両脇から岸と田沢が頭を寄せてきた。

《事故原因「隔壁」破裂が有力》

見出しの、破格な大きさの活字は、目を圧するほどの迫力があった。

本文を読む。改めて一行一行チェックしていく。

額に、じわりと脂汗が滲むのを悠木は感じた。

「すげえことになるぞ」

岸が呟いた。

明朝、この紙面が白日のもとに晒される。日本中のすべての新聞が後追い記事を書く。通信社が世界中に発信する。あまたの国の言語に翻訳され、あまたの人種の人間が、北関の発した記事を読む――。

悠木は吉井を呼んだ。

「OKだ」

「はい」

吉井はぎこちない手で仮刷りを丸め、ドアに向かって走った。

振動が尻に伝わってきた。

《農二圧勝》のフィルムを巻きつけた輪転機が回り始めたのだ。

電話が鳴った。悠木は壁の時計を見た。零時半ジャスト。玉置だ。

「どうだ？」

〈佐山さんの姿がチラッと見えました〉

「どこだ？」

〈トイレにいます。広間の近くの〉

「連中は？」

〈まだです。喋ってます〉

「わかった。お前は――」

言い掛けた時だった。

蹴破られた。そんな音がして、大部屋のドアが勢いよく開いた。

伊東販売局長が入ってきた。数人の若い部下を従えていた。

「どういうつもりだ、編集は！」

伊東が怒鳴った。歯茎を剝き出しにして部屋を見渡している。背中向きの悠木にはまだ気づいていない。

「今日も輪転の始動が十五分遅れた。なんでこうなった？ ちゃんと説明しろ！」

しくじった。悠木は眉間に皺を寄せた。

昼間会った時、今夜も降版が遅くなると捨て台詞を残した。だから伊東は警戒し、こんな時間まで社に残って編集局の様子を窺っていたのだ。

「それに、鍵だ！ トラックの鍵をどこにやった！」

悠木は息を殺していた。

鍵はポケットの中だ。藤岡・多野コースへ向かう「5号車」の鍵――。

局長室から、追村と等々力が飛び出してきた。後から粕谷の不安げな顔も続いた。

「出てけ！」

吠えたのは追村だった。火を噴きそうな顔つきだった。

「ここは神聖な場所だ！ 穀潰しの販売が来るところじゃねえ！」

「なんだと貴様！ 社長の太鼓持ちがでけえ口叩くな！」

「だとう？ 飯倉の犬め！」

「てめえらは泥棒猫だ！　鍵を出せ！　わかってるんだ、昔も盗まれたからなあ！」

ドアの付近で罵声が飛び交った。今にも殴り合いになりそうだ。

「悠木、下だ！」

岸が叫んだ。二階の制作局に「日航全権デスク」を移せ――。

得策だ。悠木は頷き、席を立った。手には受話器を握っていた。耳に当てる。まだ繋がっていた。

「玉置――以後、局番は同じの３３０１番に掛けろ」

電話を切り、振り向いた。吸い込まれるように伊東と視線が合った。

「悠木ィ！」

怒声がフロア中に響いた。

「貴様だな？　おい、鍵を返せ！」

悠木は応じず、ドアに向け歩きだした。岸と田沢が両側をガードするような恰好だ。向こうも動いた。若い局員二人が行く手に立ちふさがった。険しい顔だ。

「どけ！」

悠木は、歩を進めながら二人を交互に睨み付けた。二人は怯んだ。悠木は相当に荒ぶっていた。

「止めろ！」

伊東が命じ、部下たちは破れかぶれといった感じで輪を狭めてきた。

岸と田沢が前方に進み出た。露払いをする気だ。整理部の若手が加勢した。

揉み合いになった。こちらが多勢だ。悠木の前には、どうにか歩けるだけの隙間ができていた。

かわし、すり抜け、ドアを出た。その時だった。

「パンパンの伜《せがれ》め！」

悠木の足が止まった。振り向いた先に、伊東の下卑《げび》た笑みがあった。

視界が暗くなった。

納屋の中で震える小さな膝小僧が見えた。

拳を握って走り出していた。次の瞬間、背後から肩を掴まれ、胸や腰には何本もの腕が巻きついた。岸の腕もあった。

「悠木、喧嘩は後だ！」

「放せ！」

もがいたが、強い力で背後に体を持っていかれた。そのまま編集の一団は廊下を走った。真ん中の悠木は、揉みくちゃにされた。足が宙を掻いているような状態だった。販売の連中が追ってくる。階段を下った。騒ぎを聞きつけた制作局の人間が二階の廊下に出てきていた。

「販売を止めてくれ！」

その声に、制作の若手がドアの周囲を固めた。悠木らが雪崩れ込んだ直後、勢いよくドアが閉められた。

「入れるな！」

「鍵を掛けろ！」

「立ち禁の札をさげろ！」

悠木は周りの手を振りほどき、近くの椅子にどっかりと腰を下ろした。

息が上がっていた。

体中の汗腺から汗が噴き出していた。喉がカラカラだ。顔が熱い。もう風邪なのか何なのかわからなかった。

ドアの外で怒号が乱れ飛んでいる。

悠木は椅子の背もたれに体を預け、制作局の部屋を見回した。編集と制作の若手が大勢いる。入ってきてみろ、とっちめてやる。どの顔もそんなふうだ。ここは安全だ。誰もが味方だ……。

ふっと孤独を感じた。

醒めた思いにとらわれた。この場の一体感を薄気味悪く感じた。

親兄弟のような……。

血管や臓物すら共有しているかのような……。

「悠木――」

岸が手招きをしている。制作の作業台の前だ。吉井もいる。第二版のフィルムが出来上がったのだろう。

悠木は腰を上げた。時計を見た。零時五十五分。あと三十分の勝負だ。

歩きだして、ズボンに違和感を覚えた。

鍵を落とさなかったか……。

悠木は慌ててポケットを探った。指先が冷たい金属に触れた。同時に、別の指がざらっとした革の感触を脳に伝えた。

下りるために登るんさ――。

安西の声が頭蓋に響いた。

閃光を見た。

もしも今、静けさを与えられたならば。

思考するに十分な時間を与えられたならば。

悠木は、安西が残した言葉の意味を解き明かせそうな気がした。

33

「3301番」は沈黙していた。

編集局員用として、部屋の中央右寄りに置かれたデスクの電話だ。悠木は腕を組み、脚も組んでいた。周りを二十人ほどの人間が幾重にも取り囲んでいる。人いきれで、その辺りだけ室温が違っていそうだった。

午前一時十五分……。

悠木は席を立った。デッドまであと十五分。ジッとしているのがたまらなかった。胸が焼けるように熱く、今にも大声を張り上げてしまいそうだった。

佐山はどうした。

憤怒とも悲鳴ともつかぬその言葉を、幾度、裡《うち》に向けて発したろう。

悠木は壁際のクーラーに向かって歩いた。目は壁の時計から離せなかった。一時十六分……十七分……。

等々力部長がスチール椅子に腰掛けていた。眼鏡を外している。露《あらわ》になった両眼は、腕時計の針に注がれたまま動かない。

粕谷局長と追村次長の姿はない。まだ外の廊下で伊東販売局長らとやりあっているようだ。微かにその声が耳に届いてくる。

悠木は壁の時計から目を逸らし、等々力を見た。

「家族待機所の五百部はどうなります?」

等々力は目線を上げて言った。

「帰りに落とさせればいい。配る手間はいらないんだ。朝刊の役目は十分果たすだろう」

等々力は腕時計に目を戻し、悠木は壁の時計に顔を向けた。

一時十九分……二十分……。

明日送りだ。仕切り直しをして、明日、もう一度勝負を掛ければいい。

二十二分……二十三分……。

まじないはきかなかった。諦めた時に思わぬ幸運が転がり込む。一線で事件をやっていた頃、そんなことがよくあった。

唇の端に自嘲の笑みが浮かび、だが、瞬時に消え失せた。

電話のベルがそうさせた。

悠木は振り向いた。「3301番」を取り囲んでいる全員が悠木を見ていた。誰も受話器を上げようとしない。

悠木は走った。ひったくるようにして受話器を取った。

〈佐山です〉

静かな声だった。

〈藤浪鼎に当てました〉

「結果は?」

〈サツ官ならイエスです〉

悠木は唸った。

首席調査官の藤浪に「隔壁」をぶつけ、佐山は「イエス」の感触を得た。しかし、藤浪がはっきりと隔壁破壊が事故原因だと認めたのではないということだ。口ぶり。表情。態度。そうしたものから読み取った。藤浪はかなりのいい反応を示したのだ。ポーカーフェイスがお家芸の警察官が同じ反応を見せたのだとすれば「間違いなくイエス」。佐山はそう言っている。だが、相手は初対面の人間だ。事故調という特殊な役職にもある。平素、どんな時にどのような反応を見せる人間なのか、ベースとなる対象資料がない。だから、限りなく「イエス」に近いと感じつつも、佐山の胸には排除困難な幾ばくかの不安があるのだ。

悠木は椅子に腰を下ろし、べったりと汗の張りついた受話器を握り直した。

「百パーセントではない、ってことだな?」

〈ええ〉

「他には?」

〈毎日が動いているようです〉

「わかった」

他社が動いている。それは、自分の持ちネタを是が非でも紙面にねじ込みたい時に記者が口にする常套句だ。普通なら話半分に聞く。だが、佐山の口ぶりに、気負いや焦燥の濁りは微塵もなかった。毎日新聞も「隔壁」を嗅ぎつけている可能性がある。

一時二十六分……二十七分……。

静寂。言葉を発する者はいない。

打てるか？

悠木は自問を続けていた。

おそらくは「当たり」だ。これほどのチャンスを逃す手はない。万一、「隔壁破裂」が事故原因でなかったとしても、現時点で、事故調がそうみていることはほぼ間違いないのだ。当てずっぽうで書く「飛ばし」には該《あた》らない。明らかに「書き得」の部類だ。見出しや記事の表現も「有力」に抑え、断定はしていない。大丈夫だ。打てる。

だが……。決断を下したはずの心がぐらりと傾いた。

死者五百二十人。

単独機事故としては世界最大の惨事。

この記事は世界中を駆け巡る。こんな簡単に事故原因を決めつけてしまっていいものか。確信のないまま記事を書き、確信のないまま紙面化する。果してそれでいいのか。最終的に事故原因が判明するのは一年後か、三年後か。もし間違っていたなら、その長い年月、北関が発信した「虚報」が実《まこと》しやかに流れ続けることになるのだ。

だからどうした？

何を恐れることがある。外れる可能性は極めて低いのだ。みすみす逃してたまるか。佐山や玉置だけではない。日航全権デスクとして指揮を執った悠木の名もまた、この大スクープとともに北関の歴史に深く刻まれるのだ。

時計を見た。分針は真下を向いていた。デッド。

打つ——。

悠木は勢いよく立ち上がった。

カチャ、と床で音がした。

悠木は目を落とした。鍵だ。藤岡・多野コースのトラックの鍵。立ち上がった拍子にポケットから落ちたのだ。

悠木は狼狽した。それがなぜだかわからないまま、今度は膝が震えだした。

輪転機を止めろ。用意してあった台詞が喉元にある。いや、それはもう喉元から口蓋に溢れ出ていた。だが――。

そのひと言がどうしても出てこなかった。

「悠木、やるんだな！」

岸が叫んだ。

皆が口々に叫んだ。

「やろう！」

「やりましょう！　世界に向けて！」

悠木は天井を仰いだ。靴の先が、床の鍵に触れていた。

「5号車」は藤岡・多野コースへ向かう。

遺族が読む。

この朝刊は、藤岡の家族待機所で多くの遺族が読む。

ありがと……ございます……。

幼い息子の手を引いた、あの母親の姿が瞼に蘇っていた。

遺族だ。真実を知りたがっているのは「世界」ではなく、遺族だった。肉親を奪われた遺族は一刻も早く事故原因を知りたがっている。父は、母は、子供たちは――なぜ御巣鷹山で死なねばならなかったのか。

確信の持てない事故原因……。

悠木は屈み、床の鍵を拾った。強く握り締め、歩きだした。

「おい、どこへ行く……？　悠木、ちょっと待て！」

岸の手を振り払った。人垣を押し退け、突っ切った。等々力に呼ばれた。応えずドアへ向かった。鍵を開け、廊下に出た。

多くの目が一斉に悠木に向いた。伊東の血走った眼光もその中にあった。

悠木は、「5号車」の鍵を伊東に差し出した。

「騒がせてすみませんでした。明日、始末書を書きます」

34

今日は　お山が　見えないね
雲は　ないのに　見えないね
雨でも　ないのに　見えないね
ねえ　ねえ　どうして　おばあちゃん
どうして　お山が　見えないの
それはね　坊や
お山が　弔いしてるから

ねえ　ねえ　どうして　おばあちゃん
どうして　お山は　弔いするの
それはね　坊や
ずっと　ずっと　昔から
死人《しびと》の　弔いしてたから
ずっと　ずっと　昔から
お山は　あそこに　あったから

悠木は上半身を起こしていた。

宿直室のベッド……。

枕元の電話が鳴っていた。

悠木は体を反らせて受話器を取った。習慣でそうしただけで、頭はまったく動いていなかった。

〈佐山です〉

無論そうだ。県警キャップの佐山——思った瞬間、脳内のすべてのランプが点灯した。

「ああ、ゆうべはご苦労だったな。いま何時だ?」

〈六時少し前です〉

旅館「たの」に朝駆けして、再度、調査官にぶつかるよう命じてあった。だが、いくら何でも時間が早すぎる。

「随分と早いな……何かあったのか」

〈毎日が書いてます〉

「何を……?」

短い間があった。

〈隔壁です——朝刊で事故原因だと打ってます〉

悠木は目脂《めやに》の張りついた目を瞬かせた。

〈もしもし〉

「……」

〈もしもし、悠さん?〉

「……」

〈俺は、悠さんの判断は間違ってなかったと思います。載せなくてよかった。そう思います〉

言葉は返さず、受話器を置いた。

悠木はすぐにベッドを抜け出した。ズボンをはき、シャツのボタンを指で辿りながら宿直室を出た。階段を下り、編集局の大部屋に入った。不寝番の森脇が、慌てて立ち上がって頭を下げた。県警担当の一年生。一睡もしていないから顔が腫れぼったい。

「毎日は来てるか」

「あ、すみません、いま取ってきます」

森脇は風を巻いて大部屋を出ていった。この早い時間、本社の建物内は無人に近いから、森脇が階段を駆け下りる音と、駆け上がる音のすべてが悠木の耳に届いていた。

軽快な足音が近づき、勢いよくドアが開いた。新聞の束を抱えた森脇がダッシュで駆け寄ってきた。

「どうぞ」

悠木は、手渡された毎日新聞をデスクの上に置いた。

捲る必要はなかった。一面トップだ。

《「隔壁」破裂が有力》――。

奇しくも、北関が昨夜作った第二版と同じ見出しだった。

記事の内容も似通っていた。機体後部の圧力隔壁が破裂し、客室内の与圧空気が噴き上げて尾翼を空中分解させた。そう推論している。そして、隔壁は事故機が七年前に大阪空港で起こした「しりもち事故」の際に傷み、劣化していたのではないか――。

やられた。

題字の辺りに置いていた手が微かに震えていた。ほとんど無意識に、悠木は紙面を鷲摑みにして腕を振り上げた。

新聞が、巨大な蛾のごとく宙を舞った。

少し離れた机で、森脇が目を見開いていた。

悠木はすとんと椅子に腰を落とした。そのまま動けなかった。電話を待った。罵声と怒声を待っていると言ったほうが当たっている。最初に寄越すのは誰か。粕谷局長。追村次長。それとも等々力部長か。

三十分……一時間……。七時を回っても誰からも電話はなかった。

武士の情けか。それともそうか、やはり「もらい事故」だと言っているのか。端《はな》から日航機事故報道のスクープなど誰も期待していなかったということか。

悠木は大部屋を出て、そのまま本社を後にした。県道を横切ろうとしてトラックにクラクションを鳴らされた。駐車場で車に乗り込んだ。高崎方面に向かった。自宅へ？　わからなかった。

悠木はただ、北関から少しでも遠ざかりたかった。

悔いていた。

自分なりに納得して「隔壁」を葬った。信ずるところがあってスクープの誘惑をねじ伏せた。なのに悔いている。惜しいことをしたと臍《ほぞ》を噛んでいる。それが、たまらなく情けなかった。

佐山の声が耳にあった。

「悠さん」と呼んでくれた。悠さんの判断は間違ってなかったと思います――。

ありがとう。

そのひと言が言えたなら、この先ずっと、誇れる自分でいられたろうに。同じ場面を与えられることは二度とない。その一瞬一瞬に、人の生きざまは決まるのだ。

悠木は掌底《たなそこ》でハンドルを叩いた。二度、三度、四度……。アクセルを踏み込んだ。メーターの針はみるみる上がっていった。

家には、淳が一人いた。

パジャマのまま、居間でテレビゲームをやっていた。

「お母さんは?」

「草取り」

淳は振り向かずに答えた。

「由香は?」

「草取り」

公園の草取りだ。団地内で持ち回りでやっている。

悠木はソファに腰を沈めた。しばらくの間、肩幅の広くなった背中をぼんやりと見ていた。

いつものように、淳は苛立ち始めた。膝を揺らし、肩を揺らせた。後ろにいるな。あっちに行け。そう言っている。

今日は、さほど辛くなかった。

「淳――」

「……」

「なあ、淳」

「あ」

淳は振り向かない。肩の揺れが激しくなった。

「お前、やりたいこととかあるのか」

「……」

「将来だよ。何かあるのか」

「ない」

「何もか」

「う」

「俺もそうだったな。お前ぐらいの頃は」

「う」

「腹一杯食いたいとか、そういうことは考えたけどな」

「う」

いつか淳は爆発する。そんな予感がする。

悠木に摑み掛かってくるのか。それとも、金属バットでも振るうのか。

甘んじて受けるだろう。淳に与えた苦しみの量と同じだけ悠木が血を流す。それ以外に、親子になれるどんな方法があるだろうか。

「少し寝るかな」

独り言のように言って、悠木は腰を上げた。

途端、淳の揺れが小さくなった。

悠木は居間を横切って廊下に出た。階段を上がる。

いつもそうして逃げてきた。次はどうにかしよう。もっと突っ込んだ話をしてみよう。一つ屋根の下にいる親子なのだ、それこそ時間は有り余るほどある――。

悠木は階段の踊り場で足を止めた。

本当だろうか。悠木と淳の間に、真実、有り余る時間など存在するのだろうか。

一瞬一瞬に……。

悠木は階段を下りた。廊下を戻り、居間に入った。

足音に気づいて淳が振り向いた。おそらく弓子だと勘違いした。まだパジャマ姿なので何か言われる。淳の顔には、今にも舌を出しそうな悪戯っぽい笑みがあった。その十三歳の素顔は、はにかんだ燐太郎の顔を思い起こさせた。

淳はもうテレビに顔を戻していた。

込み上げる思いがあった。

悠木は言った。

「淳、今度一緒に山に登ってみないか」

35

衝立岩は、澄みきった空に向かって切っ先を伸ばしている。

「お先に」

トップで登る燐太郎の体がふわりと宙に浮き、ハーネスにぶら下げたカラビナがカラカラッと音を立てた。オーバーハングが連続する名だたる逆層の大岩壁。雲稜第一ルートの1ピッチ目は二十五メートルほどの行程だ。難関である第一ハングへは直上せず、やや左寄りにルートをとり、岩の窪んだ部分をフリークライミングで攻める。

悠木は基部のアンザイレンテラスで上を見上げていた。燐太郎に結ばれたザイルを慎重な手で送り出していく。地元山岳会の若きエース。その見事な登りっぷりに見惚れていた。小気味がいい。一定のリズムを刻んだ手足の動きには些《いささ》かの躊躇もストレスもない。重力など存在していないかのように、長身の体がぐんぐん高度を稼いでいく。

「悠木さーん――落ちたらしっかり止めて下さいね」

ピッチの中程で、燐太郎が朗らかな声を降らせてきた。その拍子に、悠木は両肩がスッと軽くなるのを感じた。燐太郎の心遣いに違いなかった。一人でテラスに残され、気負いと不安が体全体を強張らせていた。

「よし、任せとけ！」

悠木は腹から声を出した。

燐太郎の登攀速度は見た目以上に速かった。うっかりすると、悠木が送り出すザイルは適度な弛みを保てず、窮屈に張り詰めてしまうことが多かった。それでも燐太郎は軽快に登り、1ピッチ目の終わりである通称「二人用テラス」に到達した。ちょうど大人二人が立てるぐらいのスペースがあるのでそう呼ばれる。

燐太郎は残置ハーケンを利用して素早く自己確保を施し、悠木を見下ろした。

「どうぞ——最初は体をほぐすつもりで」

「了解。気楽にいく」

言葉とは裏腹に膝頭が震えた。武者震い。そう強弁して悠木は岩に取りついた。

ひんやりとした静寂。

早く起きすぎた朝、台所に足を踏み入れた時の感覚に似ていた。蛇口……冷蔵庫の把手……ガスコンロのつまみ……一夜放っておかれたそうしたものたちのよそよそしさが、岩にもあった。

真上を見る。庇《せ》のように迫り出している第一ハングが視界を圧する。瞬時に脳から追い出す。まずは燐太郎のいる二人用テラスが目標だ。慌てず、急がず、リズムを心掛ける。その昔、安西耿一郎に教わったことだった。

ふっと郷愁にさそわれた。

〈なあなあ、悠ちゃん、ドーンと思い切って衝立をやろうや〉

弾む声は今も耳に残っている。こぼれんばかりの笑顔で安西は言っていた。

〈逃げたら罰金だかんね〉

〈そんじゃあ中年パワーで頑張ろうや。衝立なにするものぞ、ってね〉

安西の笑顔が作り物であったはずがない。あの瞬間、安西は真実、心の底から笑っていたと思う。

だが……。当時、北関の社員として安西が苦悩の底にいたこともまた確かだった。恩義ある販売局長に言いくるめられ、専務派の手足となって動いていた。夜な夜な社外重役を接待し、社長派の切り崩し工作に加担していた。挙げ句には社長の女性スキャンダルを掴むよう命じられ、元社長秘書が勤めるスナックに通い詰めていた。

あの夜……悠木と衝立岩を登ると約束した前夜も、安西はそのスナックへ行っていた。そして店を出た後、深夜の歓楽街の道端で倒れ、「長い眠り」についた。

「ロンリー・ハート」。しばらく後になって、悠木はその店に足を運んだ。元社長秘書、黒田美波はハーフを思わせる面立ちの蠱惑《こわく》的な女だった。度重なる社長のセクハラに堪えかねて社を辞めた。その具体的な話を聞き出そうと安西が店に通っていたことは本当だった。いつも仏頂面で、冗談一つ言わない男だったと美波は評した。安西は必死だったのだ。悠木があの夜のことを尋ねると、美波は隠すでもなくペラペラ喋った。オーナーが同じ姉妹店のホステスを掛け持ちしていて、ロンリー・ハートに顔を出したのは午前一時を回っていた。店に入るなり、カウンターにいた安西が立ち上がって「話がある」と詰め寄ってきた。「これが最後だ」。そうも言ったという。美波のほうは辟易していた。その晩は上客と諍いになり気分も悪かった。姉妹店に戻るとママに断り、ロンリー・ハートを出た。安西が追ってくるのに気づいて反射的に駆けだした。「待ってくれ」。背後から呼ぶ声があまりにも大きかったので怖くなり、本気で逃げて路地裏で撒《ま》いた。安西が道端で倒れたのは午前二時頃だった。直前まで走っているのを見た人間がいた。ならば安西は、真夜中の歓楽街を一時間近くも美波を探し回っていたことになる。

明日衝立岩に登る前に――安西はそう考えていたのだと思う。「これが最後だ」。セクハラの件はもう聞かない。嫌な思いをさせてすまなかった。美波にそう伝えたかったのではあるまいか。

想像するばかりだった。病室の安西は何も答えてくれなかった。瞳も何一つ語ることはなかった。キラキラ輝く大きな瞳は、見つめるでもなく天井を見ていた。夏の陽射しをカーテン越しにとらえ、秋の夕焼けに染まり、その瞳は季節を映す鏡のように悠木には思えた。

「もう一頑張りですよ」

頭上で燐太郎の声がした。

凝縮された十七年の歳月が発した声に感じられた。

安西の瞳に淡い冬の光が差し込み始めた頃、燐太郎は悠木の家に出入りするようになった。休みの日や夕飯時に悠木が連れ帰った。弓子は歓待した。由香もすぐに懐いた。いるだけで周囲を和ませる。燐太郎にはそんな不思議な魅力があった。同い年の淳は多分に困惑したようだったが、度々顔を合わすうちに打ち解け、やがて自分の部屋に燐太郎を誘うまでになった。悠木の期待は膨らんだ。燐太郎という新たな家族を得て、修復など不可能と諦めていた淳との関係に希望が持てるようになったのだ。

明くる年の初夏、悠木は、淳と燐太郎を山歩きに誘った。それからどのくらいの回数、三人で山へ行ったろう。二人が高校に上がり、その後、淳が大学生、燐太郎が地元の工場勤めと道を違えても、年に一度か二度は三人で山行のプランを練ったものだった。

「そこは、ちょっと岩が脆いです。右を選んで下さい」

「わかった」

二人用テラスが近かった。

悠木は少しばかり登攀速度を上げてみた。最初はぎこちなかった手足の動きが整い、岩が体に馴染んだ気がしたからだった。そうしてみると、恐れが遠のき、榛名あたりのゲレンデを登っているような気分になる。安西に連れられて行き、そして、淳と燐太郎を連れて飽きるほど登った思い出深い岩だ。

「ご苦労さまでした」

テラスでは燐太郎の笑顔が迎えてくれた。

「なんのこれしき」

「後半は大分、硬さがとれていたようですね。最初は体が岩にへばりついていましたよ」

「うん」

「体調はいかがですか」

燐太郎が顔を覗き込む。悠木に不安を与えない程度の眉の寄せ方だ。

「大丈夫。いけそうな気がするよ」

悠木はタオルで額を拭いながら言った。

知らずに相当汗をかいていた。沢から吹き上げてくる風が心地いい。その風の方向に目をやる。足下の衝立スラブが、朝日に照らされて白く輝いている。その先に一ノ倉沢本谷。つい先ほど歩いてきたはずの沢筋が遥か遠方の風景になっていた。胸のすく思いだ。たかだか1ピッチ登っただけだというのに、ここはもはや下界ではない。

燐太郎の目線に気づいた。どこかの山裾から立ちのぼる一筋の煙を見つめていた。それは途中まで真っ直ぐ天を目指し、上空の風の道に沿って棚引いていた。

安西の葬式を思い出したのだろう。燐太郎の瞳には微かな愁いがあった。悠木にとっても、あれは生涯忘れることのできない葬式だった。斎場はむさ苦しい風体の山屋たちで溢れ返った。体を上下させて歩く男がいた。十七年前、県立図書館で会った末次だった。出棺の時、信じられないことが起こった。男たちが柩を肩に担ぎ上げたのだ。末次が声高らかに言った。もっとだ、もっと高くだ。安西にふさわしい高さに上げてやろう。男たちは腕を高々と突き上げた。柩が、遥か県境の峰々に溶け込んだかのようだった。

「ここ、お父さんと登りたかったろう」

悠木がぽろりと漏らすと、燐太郎は白い歯を覗かせた。

「それは悠木さんでしょ？　淳君と登りたかったたって顔に書いてありますよ」

不覚にも、すぐに言葉が返せなかった。

いつも燐太郎が一緒だった。親子二人で山へ行ったことはただの一度もなかった。来週は二人で行ってみるか。何度その台詞を口の中で言っただろう。だが、拒絶された時のことを思うと恐ろしくて言いだせなかった。もう少し様子を見てから。あと一回、三人で山に行ってから……。

そうしているうちに機を逸した。七年前、淳が東京の事務機器メーカーに就職してからは、燐太郎を含めた三人の山行も途絶えていた。今日は安西の慰霊登山だ。その特別な思いが淳のアパートに電話をさせたが、留守電の応答はとうとうなかった。結局のところ、わかり合えなかった。淳が経済的にも独立した今となっては、もはや関係修復の糸口さえ摑めない。祈るばかりだ。やがて淳が結婚し、父親となったその時に、自分の二の舞だけはしてくれるなと念ずるよりほかない。

「悠木さん」

「うん、行くか」

悠木が顔を向けると、意外にも燐太郎の困ったような表情があった。

「どうした?」

「いえ……実は僕も悠木さんに話さなくちゃならないことがあるんです」

「何だい?」

「昔、淳君から聞かされた話です」

「淳から? 昔っていつ?」

少々早口になっていた。

「高校に入った頃です」

燐太郎は悠木を見つめた。

「初めて親父に山に行こうって誘われた時、なんか嬉しかった——淳君、そう言ってました」

すぐには言葉が頭に入ってこなかった。

「嬉しかった……淳がそう言ったの?」

「すみませんでした、ずっと黙っていて」

「いいけど……」

あの日だ。日航機墜落事故で毎日新聞にスクープを奪われた、あの朝……。

「怖かったんです」

燐太郎は静かに続けた。

「その話をしちゃうと僕は山に連れていってもらえなくなる。そんな気がして……。家族ぐるみであんなに可愛がってもらったのに、僕はビクビクしてました。悠木さんと淳君がずっと仲が悪ければいい。僕はきっとそう思っていたんですね」

悠木は改めて自分のしてきたことの罪深さを思った。だが、もはや過ぎ去ったことへの償いの言葉は必要ないだろうとも思った。

　燐太郎が許してくれるからだ。そうしてくれると信じるに足る、広く大きな男に成長したからだ。

　安西も燐太郎と登りたかったに違いない。

　下りるために登るんさ――。

　あの言葉の本当の意味が今こそわかった気がした。

「なあ、だったらこうしないか」

　悠木は微笑んで言った。

「ここから君はお父さんと登る。俺は淳とだ。それなら恨みっこなしだろう」

　燐太郎は笑った。いかにも愉快そうな笑い声が風に乗って山に広がった。

「面白いですよね。誰でもみんな、山に来ると不思議なほど正直になっちゃう」

「うん。なぜかな？　やっぱり空気とか景色のせいかな」

「違いますよ」

　燐太郎は笑みを小さくして言った。

「ひょっとしたらこれがこの世で最後の会話になる。無意識にそう思っているからですよ。山って、そういう場所ですから」

　悠木は深く頷いた。

「すっかり吐き出した。思い残すこともなくなったことだし、行くか」

「あ、僕はまだあるんですけど」

「何？」

「上で話します」

憐太郎は頬を染め、照れ臭そうに笑った。

悠木は首を反らした。

「じゃあ、聞けるかどうかわからないじゃないか」

黒々とした岩が頭上に横たわっている。第一ハング。三メートルほども迫り出した巨大な庇だ。2ピッチ目はこれを乗り越す――。

悠木の顔から笑みが引いた。

「大丈夫です。必ず上で話ができます」

憐太郎はいつになく力強く言って、垂壁の岩にスッと右手を伸ばした。

36

悠木は二時間ほど眠って家を出た。

出社する前に、前橋市役所に車を回し、四階の記者室に顔を出した。前橋支局長の工藤をつかまえるつもりだった。安西が倒れた時の状況を消防本部の人間から耳打ちされた。そう田沢が言っていたからだ。

記者室には、依田千鶴子が一人いて、窓際の机で原稿を書いていた。他社の記者は根こそぎ日航に投入されているということだろう。

「支局長は?」

悠木が声を掛けると、千鶴子は髪を振って顔を向けた。紅潮している。

「いません」

思いがけず強い口調だった。

「どこへ行ったんだ？」

「知りません」

同じ口調で言って、千鶴子は北関の原稿用紙に目を戻した。ボールペンは動かない。書けずに苦労している。それも田沢が言っていたことだった。

工藤はおそらく競輪だ。日航に部下を取られて仕事が回っていかない、前倒しで千鶴子を寄越せと本社に泣きついておきながら。

少し待ってみて戻らなかったら出社しよう。そう思って悠木はソファに座った。テーブルの上に全社の新聞が揃っている。一番上に毎日が置かれていた。一面トップの記事だから嫌でも見出しが目に飛び込む。《「隔壁」破裂が有力》――。

喉に渇きを覚えた。

「依田――コーヒーを淹れてくれ」

返事がなかった。

「依田」

「……」

髪で顔も見えない。

悠木は立ち上がった。部屋の隅の給湯室に足を向けた。

「淹れます」

尖った声がして、千鶴子が駆け寄ってきた。真っ赤な顔がクシャクシャに歪んでいた。

「いい。原稿を書いてろ」

「淹れますから」

「そんなツラで淹れてもらっても旨くない」

言った悠木を、千鶴子は涙目でキッと睨んだ。

「本社と一緒にしないで下さい。お茶汲みするためにここにいるんじゃないんですから。他の社の女性記者、そんなことさせられてる人、一人もいませんから」

悠木の手が、千鶴子が手にしていたマグカップを弾いた。床に落ち、割れた。

「あ……!」

「女だから淹れろって言ったんじゃねえ。お前がぺえぺえの一年生記者だからだ」

悠木は記者室を出た。

駐車場で車に乗り込んでも、興奮は収まらなかった。記者時代、いつも言っていたようなことを口にしただけだ。

だが……怒鳴ることはなかった。

網膜には「隔壁」の活字があった。

未練……。まだそこから一歩も抜け出せていない。

本社へ行く。皆の反応はどうか。

悠木の判断に異論を唱えた者はいなかった。だが、わずか四時間後に届いた毎日新聞に、同じ内容のスクープが華々しく載っていた。

千鶴子の顔は猿のように赤かった……。

悠木は舌打ちを連発してハンドルを道に向けて切った。

37

第三土曜日なので、北関本社の正面玄関は開いていた。

悠木は重い足取りで階段を上がった。三階の編集局。見飽きたボロ扉が何やらぶ厚い壁のように感じられ、入るのに幾ばくかの勇気を必要とした。

午後二時を回っているというのに、大部屋は眠たげな空気に包まれていた。「幻のスクープ」の後遺症とでも言うべきものだった。極度の興奮と落胆。そのギャップの大きさが、こうした怠惰な空気を生み出す。

すれ違った数人は、悠木の顔をまともに見ずに会釈した。デスクのシマには、田沢だけがいた。椅子の背もたれに目一杯体重を掛け、これ見よがしに毎日の朝刊を開いていた。穏やかならざる悠木の内面がそう見せる。何も田沢は悠木が現れてからそれを読み始めたわけではなかった。

「ゆうべは面倒かけたな」

素っ気なく言って、悠木は自分のデスクについた。田沢は顔を向けずに、ああ、とだけ答えた。

悠木は開き直る思いで部屋を見渡した。局員の半数ほどが出てきている。が、局幹部が机を並べる壁際には一つの顔もなかった。

「お歴々は？」

「揃って局長室だ。専務と販売の伊東が押しかけてきてる」

興味なさそうに田沢は言った。

悠木は無言で頷いた。締切時間を引き延ばすために新聞輸送の出発を妨害した。その編集局に最大級の脅しを掛けるべく、販売局長の伊東が自分のボスである飯倉専務を担ぎだしてきたということだ。粕谷局長たちはさぞや劣勢を託《かこ》っているに違いない。

デスクの上には共同電の原稿の山が二つあった。悠木はそれを横にずらし、机の引き出しの中から便箋を取り出した。先に始末書を書いてしまおうと思った。上の出方次第では、進退伺いを書いてもいいと考えていた。

「悠木君――」

声に顔を上げると、亀嶋整理部長の笑い損ねた顔があった。

「ゆうべはご苦労さん」

「いえ、こっちこそ」

「お陰でいい夢見させてもらったよ。整理的に言うと、真夏の夜の夢、って感じかな」

亀嶋に限って悪気などあろうはずもない。むしろ、悠木をいたわっての言葉だった。わかっていながら、悠木はひどく苛立った。外勤経験のない亀嶋は、同情された時の記者の惨めさを知らない。

自然、目も言葉もきつくなった。

「用件は何ですか」

「いや、だから隔壁だよ。今日組みの記事、どういう扱いするの？」

「ウチはまだウラが取れてませんから」

悠木がぴしゃりと言うと、亀嶋は目を丸くした。

「えっ？　知らないの？」

「何がです？」

「だってほら――」

言いながら、亀嶋は共同電の山を指で崩し、原稿の仮見出しを差した。

《日航の刑事責任追及へ》

悠木はビクッとした。刑事責任追及……いったいこれは……。

配信記事を貪《むさぼ》るように読んだ。

《日航ジャンボ機墜落事故で、警察庁と群馬県警捜査本部、警視庁など捜査当局は十七日までに、業務上過失致死傷容疑で日航当局の刑事責任を追及する方針を固めた。捜査当局は、運輸省航空事故調査委員会（事故調）の「隔壁が破壊されて客室内の与圧空気が噴出し、垂直尾翼が損壊した」という機体構造上の事故原因説を重視しており――》

悠木は絶句した。事故調査委員会が「隔壁」を口外した。つまりは、運輸省が毎日新聞の記事内容を肯定したということだ。そればかりではない。捜査当局も事故調の「隔壁原因説」に相乗りして一斉に動きだした――。

額に脂汗が滲んだ。指の間をすり抜けていったスクープの大きさを改めて思った。

悠木は亀嶋を見た。

「一面トップで追っかけます」

敢えて「後追い」を強調した。自分で自分を叩かねば、未練と自己嫌悪をどこまでも引きずると思った。

亀嶋は「了解」と軽く受けてデスクを離れかけたが、その足を止めて言った。

「そうそう、上毛は今朝、日航をトップから外したよ。ウチはガンガンやろうや。情報量で徹底的に押しまくる。特ダネの一本や二本書かれたって関係ないよ。最後になって総合優勝ってことになればいいんだから」

その背中が視界から消え去るのを待って、悠木は固く握った拳を太股に落とした。亀嶋に対する怒りではなかった。

なぜ上は悠木を呼びつけなかったのか。

朝方社を出て自宅で寝ていた。その間に隔壁原因説が固まり、捜査サイドにも大きな動きがあった。その情報を耳にしていながら、局幹部は誰一人、悠木のポケベルを鳴らさなかった。いや、そもそも、他社に出し抜かれたというのに朝方も電話一本寄越さなかった。

今度こそ、はっきりと思い知った。「人ごと」だからだ。取材も記事も共同に任せておけばいいと思っているのだ。地元紙の守備範囲である県内にジャンボ機が墜落した。五百二十人死んだ。なのに、「もらい事故」「場所貸し」の感覚ですべてが処理されていく。

悠木は、大部屋の奥の、局長室の閉ざされたドアに尖った視線を向けた。未曾有の航空機事故をどう報道するかではなく、社内のゴタゴタ回避に、より大きな時間と神経が割かれている。

始末書を書く気が失せた。悠木は便箋を引き出しにしまった。原稿の山を引き寄せ、仮見出しをざっと目で追った。

《遺体九割収容　身元確認は二百七十六人に》《身元確認作業は難航　頼りは歯形と指紋》《「ひと目現場を」制止振り切り入山　苛立ち募る家族》《「子供をよろしく」墜落直前、妻子宛に遺書》《「しっかり生きて」社用の便箋に走り書き》

原稿を読む意欲が湧かなかった。

悠木は局長室のドアを睨みつけた。そうするうち、視界がぐにゃりと歪んだ。自分も同類なのだ。こうしてデスク職に甘んじ、そればかりか社内の揉め事にやきもきしている。

胸を掻きむしりたい衝動に駆られた。

悠木は受話器を上げた。県警記者室の北関直通にかけた。すぐにキャップの佐山がでた。

「悠木だ」

〈何ですか〉

冷えた声に戻っていた。覚悟はしていたから、悠木は構わず用件に入った。

「神沢は今日も御巣鷹か」

〈そうです〉

「明日、俺も登る。神沢が連絡を寄越したらそう伝えてくれ」

佐山が黙った。

「聞いてるのか」

〈ええ〉

「入山規制はどうなってる？」

息づかいの後、声が戻った。

〈社の腕章があれば入れます〉

「やつは何時ごろ登るんだ？」

〈毎朝、五時か六時には役場を出てるようです〉

「どこで合流できる？」

〈ですから上野村役場です。二階のロビーで寝泊まりしてますから〉

「今日、隔壁を組む」

小さな間があった。

〈それで山へ、ってことですか〉

棘のある言葉だった。

「どういう意味だ?」

〈別に意味はありません。デスクが出張るまでもないでしょう。現場の手は足りてます〉

「一度見ておきたいんだ。頭の中が共同電のインフレになっちまってるんでな」

押しつけるように受話器を置いた。

現場は現場の人間がやる。言わんとしていることはわかるが、しかし、ああまで露骨に拒絶する佐山の内面が読み切れなかった。悠木を完全に見限った。そういうことか。

悠木は音に顔を上げた。

局長室のドアが開き、飯倉専務と伊東販売局長が出てきたところだった。

伊東と視線が合った。逸らす理由が見つからぬまま二人が近づいてきた。悠木は立ち上がった。

「君は随分と変わってるな」

言ったのは飯倉のほうだった。六十近いとは思えぬツルリとした肌。目つきの鋭さは社内一だが、その目は微かに笑っていた。

「写真一枚で福中のバランスをとる離れ業を見せると思えば、ゆうべのように、まったくの愚行に走る。脳が二つあるのか」

返答の難しい質問を投げ掛けて相手を翻弄するのが、この男の趣味なのだと耳にしたことがあった。

「昨夜はご迷惑をお掛けしました」

悠木は頭を下げずに言った。

「謝っている顔ではないな。舌も二枚あるのか」

「……」

「それとも、父親が二人も三人もいて礼儀を学びそこねたってことか」

悠木は白眼で伊東を見た。母の過去を飯倉に喋った。

「まあ、そんなことはどうでもいい」

飯倉は言いながら半歩進み出て、悠木の二の腕をポンと叩いた。

「あまり背伸びせず、身の丈にあった仕事をしろ。共同を大いに使えばいい。たっぷり金を払ってるんだからな」

怒りよりも落胆のほうが大きかった。万一、この男が白河社長に取って代わることがあっても北関は何一つ変わらない。

悠木は、ドアへ向かう飯倉の背中に言った。

「専務――安西の病室へ行きましたか」

飯倉は首だけ振り向いた。

「安西……？　ああ、あいつか。まだだ」

「見舞ってやって下さい。安西は専務のために倒れたんですから」

「黙れ」

言った伊東を飯倉が手で制した。

悠木を見据えた両眼には、思わず息を呑む獰猛さがあった。

「言葉っていうものは怖いもんだぞ。案外、活字よりも心に残ったりするからな」

インテリやくざの本性をほんの少し覗かせ、飯倉は悠然と大部屋を出ていった。

38

粕谷局長は額にタオル地のハンカチを乗せてソファに沈んでいた。

「実際、参った。飯倉は蛇みたいにしつこい男だ。とうとう一筆とられたよ」

「一筆……?」

悠木は聞き返した。始末書なら悠木が書くことで決着したはずだ。

「お前にも言っておく。向こう一ヵ月、降版は午前零時厳守だ」

悠木は思わず上体を乗り出した。

「まさか、呑んだんですか」

「呑まされ、書かされた」

「午前零時……何があってもですか」

「何があっても、だ」

「日航を背負ってるんですよ」

「その日航で躓《つまず》いたんだ。仕方あるまい」

悠木と粕谷は同時に重たい息を吐いた。

追村次長と等々力社会部長は黙りこくっている。ともに渋面だ。相手が伊東局長一人ならまだしも、飯倉専務に加勢されては勝ち目がなかった。

「で、今日の紙面はどうする?」

粕谷は力のない目で悠木を見た。

悠木はメモに目を落とした。佐山に冷や水を浴びせられ、半分はデスクの頭に戻っていた。

「一面で隔壁を追いかけます。それと、甲子園で農二が三回戦をやっているので、勝っても負けても一面に入れます。社会面は乗客の遺書で作るつもりです」

「何だ、それは?」

「墜落直前の機内で、乗客が家族宛に書いたメモが幾つか発見されたようです。まだ中身には目を通していませんが、たとえ走り書きでもニュースバリューがあるかと」

「わかった。それでいってくれ」

投げやりな言い方だった。

悠木は続けた。

「それと、今日も諸々の日航記事を関連紙面に盛り込むつもりでいます」

追村の怒声に備えたが、視線すら向けなかった。いったい飯倉にどんな魔法をかけられたのか。

「しっかし、もったいなかったよなあ」

粕谷が伸びをしながら言った。

悠木は粕谷の口元を睨んだが、声は止まらなかった。

「ゆうべのアレ、打っときゃ、万々歳だった。飯倉のインテリにも、ああまで言われなくても済んだんだ」

一度でも事件を齧《かじ》った人間がそれを言ったら終わりだ。ましてや粕谷は編集局の長だ、悠木がどれだけ反対しようが、載せる気になれば載せられた。

「じゃあ、いいかな?」

粕谷は、追村と等々力の顔を見比べ、最後に悠木に顔を向けた。

「始末書は総務には出さん。俺が預かるからザラ紙でいいぞ」

悠木は無言で頭を下げ、立ち上がった。ドアに向かって歩きだした時、追村が口を開いた。

「局長。そいつはちょっと甘すぎるんじゃないですか」

悠木は足を止めて振り返った。追村を見つめる。いたって静かな表情だった。

「俺はね、悠木を全権デスクにしたのが間違いだったと思いますよ」

「追村――」

よせよといった感じで粕谷が言ったが、追村の声量は増した。

「今回のことではっきりわかった。こいつは根っからの臆病者ですよ。大きな判断を迫られると必ず逃げちまう。そんな程度の器ってことだ」

悠木は体ごと追村に向いた。

「器については否定はしませんが、俺がいつ臆病風に吹かれました? 具体的に言って下さい」

「なんだあ、その言い草は?」

火種が癇癪玉に引火したようだった。

「兵隊の頃からだよ。書けって命じるたびに、やれウラが取れてない、もう一日調べたいってよ。お前、それで何本抜きネタ駄目にしたよ?」

「次長はどうなんです。ウラも取らずに書いて、何本誤報を飛ばした?」

「野郎、ふざけたこと言うんじゃねえ!」

「二人とも、よさんか」

粕谷が大きい声を出した。等々力も立ち上がり、摑み合いになったら割って入ろうとの構えを見せた。

追村はなおも吠えた。

「てめえのお陰で大恥を掻かされたんだぞ。飯倉にせせら笑われ、伊東にでっかい口を叩かれたんだ。てめえが小心だからだ、この優柔不断野郎が!」

「だったら、何でゆうべ打つって言わなかったんだ」

悠木も弾けた。

「次長の仕事って何だよ? 屁理屈こねてタダ飯食らってるだけじゃねえか!」

「て、てめえ……」

追村の顔が蒼白になった。粕谷と等々力が、追村の肩と腕を摑んで押さえつけた。

「言い過ぎだぞ、悠木」

等々力が諫めたが、悠木は追村の両眼から目を離さなかった。

「飯倉に言われて騒ぐんじゃねえ。どうせ騒ぐなら抜かれた時に騒げ。あんただって事件屋だろう。プライドってもんがねえのか!」

言うだけ言って、悠木は局長室を出た。

筒抜けだったのだろう、フロアのすべての顔がこっちに向いていた。悠木は床を蹴りつけるような足で真ん中の通路を突っ切り、デスクのシマに戻った。岸が驚いた顔で立っていた。出社したばかりらしい。ショルダーバッグを肩から下げたままだ。

「おい、どうしたよ?」

「何でもない」

「毎日の件か」

「だったらいいんだけどな」

悠木はどかっと椅子に腰を下ろした。胸と腹が激しく波打っている。

「なあ、悠木――」

「待て」

視界に追村が入っていた。壁際の席には向かわず、ぷいと部屋を出ていった。社長室に行って悠木更迭の上申でもするつもりか。勝手にやるがいい。何なら、こっちが進退伺いを書いてやる。

岸が遠慮がちに寄ってきた。

「こんな時だが、ちょっと耳に入れときたい話があるんだ」

「後にしてくれ」

遮ったが、岸は早口で告げた。

殴った……?

悠木は岸の顔を見上げ、声を殺した。

「神沢が殴った? 誰をだ?」

岸は腰を屈《かが》めた。耳打ちに近い。

「暮坂だ」

胸を強く突かれた気がした。広告部長の暮坂――。

「そいつがわからん。ただな、場所は墜落現場らしい」

耳を疑った。

「どういうことだ……？　暮坂が御巣鷹に登ってたっていうのか」

「そういうことになるな」

「理由は？　まさか物見遊山か」

「わからん」

「ネタの出所は？」

「写真部の連中がコソコソ話してたんだ。今日、神沢と一緒に登った遠野《とおの》が見たらしい」

「遠野に聞いてみなかったのか」

「今、暗室だ」

悠木は荒い息を吐き出し、その拍子に、膝の上で両拳を握っていたことに気づいた。局長室を出る前からそうしていたに違いなかった。開くと、手のひらに爪の赤い痕《あと》が幾つもついていた。また握る。強く、痛いほどに。

そう、殴りたいやつは山ほどいる。時間と競走しながらナマモノの新聞を作っているのだ、喧嘩や罵声の応酬はしょっちゅうだ。だが――。

新聞社といえども、会社組織であることに変わりはない。理由はどうあれ、下の者が上を殴ったとなれば、その人間は会社にいられなくなる。しかも殴られたのが暮坂だ。相手が悪い。

去年まで政治部デスクをしていた。部長昇進の餌に釣られて広告に行った。悠木はそうとばかり思っていたのだが、酔った等々力が漏らしたところによれば、暮坂は白河社長に疎んじられ、編集から追い出されたのだという話だった。「大久保連赤」のすぐ後、櫛の歯が抜けるように記者が辞めていった時期、白河はこれぞという部下を慰留するために、自分の家で産まれた子犬を分け与えた。暮坂はその「犬奉行」の一人だった。にもかかわらず編集を追われた。白河と、その傘下にある編集局を恨みに思っている。実際、悠木は暮坂の屈折した内面を垣間見た。日航二日目の紙面で、オープン広告を無断で外してしまったからだった。非はこちらにあったが、暮坂は古巣の編集局を踏みつけにするかのように罵詈《ばり》雑言《ぞうごん》の限りを尽くした。

〈だから編集の連中はいつまで経っても苦労知らずのボンボンだって言われるんだよ。一円も稼がねえで、俺たちに食わせてもらってるんだ〉

角張った赤ら顔が網膜にあった。

あの暮坂を殴った——。

悠木はおもむろに受話器を摑み、神沢のポケベルを呼んだ。

五分待ったが応答がなかった。

県警記者室に電話を入れた。誰もでない。しつこくコールすると若い女が煩《うるさ》そうにでた。他社の記者だ。

〈北関さん、誰も姿が見えませんよ〉

佐山と神沢のポケベルを鳴らした。

応答がない。

悠木は内線番号表に手を伸ばした。広告局の頁を開き、広告企画係の番号をプッシュした。

〈はい、企画〉

「宮田を頼む」

〈そちらは？〉

「事業だ」

ややあって宮田が電話口にでた。事業局からだと思ってでたわけだから、悠木だと告げると、声に困惑が混じった。

〈どうしたんです？〉

「ちょっと内々で聞かせてくれ」

互いに「登ろう会」のメンバーだから、こんな話ができる。

「暮坂部長のことだ」

〈今日は休みをとってますけど〉

「知ってる。御巣鷹山に行ったんだろ？」

〈あ、いえ……〉

宮田は口ごもった。

「口止めされてるのか」

〈えっと、編集の人には……って〉

「こっちはもう知ってるんだ。小声で答えろ。暮坂部長はなぜ御巣鷹山に行ったんだ？」

〈いや、それは聞いてませんけど……。でも、おそらく話材を拾うためだと思います〉

「話材？　何だそれは？」

〈平たく言えば世間話のネタです。スポンサー回りをする時に話が弾むように、いろんな話を仕込んでおくんです〉

カッと頭に血が昇った。墜落現場を見てきた話をダシにして広告を取ろうというのか。

〈朝礼の時なんか、みんなで一つずつ考えてきて、互いにネタを教え合ったりします。毎日のことだから結構考えるのが大変で〉

宮田は屈託がなかった。無理もない。記者経験がなければ、加工されたテレビの現場映像を幾ら見せられても、死体や死臭を連想しない。だが――。

暮坂は違う。政治部が長かったが、駆け出し時代は事件事故の場数を踏み、「大久保連赤」の際も応援取材班の一員に加わった。

その暮坂が日航を「商売」に利用しようとした。それに激怒した神沢が手を上げた。そういうことか。考えにくい。暮坂は利口な男だ。殴られるのを承知で、話材にすることを編集の人間に話すとも思えない。いや、そもそも――。

「ウチの神沢って記者を知ってるか」

〈ええ、部長はその神沢君に頼み込んだようですよ。生まれが同じ吉岡村で近いから〉

腑に落ちた。神沢と暮坂、そして、カメラマンの遠野は一緒に御巣鷹を登ったのだ。問題はその後だ。なぜ神沢は……。

「この電話のことは忘れてくれ」

受話器を置いた悠木は、岸のデスクに体を伸ばした。

「ちょっと写真部に行ってくる。佐山か神沢から電話がきたら回してくれ」

「わかった」

悠木は立ち上がった。足に強張りがあった。

ドアまでは普通に歩いたが、廊下に出ると小走りになり、階段は全力で駆け上がった。

御巣鷹山でいったい何があったのか。

悠木の脳裏には、己の心をコントロールできずに泣き続けた、数日前の神沢の姿が生々しくあった。

39

写真部のドアは閉じていた。

報道カメラマンは概して気が荒いから、入室に気後れする若い記者も少なくない。ドアを押し開くと、足元に泥だらけの登山靴が何足も転がっていた。飛び越えるようにして中に入る。四、五人のカメラマンが煙草を手に溜まっていた。

「遠野はいるか」

悠木は副部長の鈴本《すずもと》に声を掛けた。

「暗室ですが、間もなく――あ、出ましたよ」

汗染みの浮いたTシャツの背中が見えた。後ろから肩を叩き、出てきたばかりの暗室に引き込んだ。

「点けていいな?」

「ええ、OKです」

悠木は蛍光灯のスイッチを入れ、丸椅子に座った。現像液の臭いがツンと鼻を刺す。

「遠野、教えてくれ。暮坂部長と神沢の間に何があった?」

遠野は、弱ったなあ、といった顔になってスポーツ刈りの頭をガリガリ掻いた。

「さっき鈴本さんに釘刺されちゃったんですよ。言いふらすな、って」

「俺からも言っておく。話が広まれば神沢はクビだ。相手はあの暮坂だ、わかるな？」

遠野は深く頷いた。四年生カメラマンだから、去年まで編集にいた暮坂の人物評は承知している。

「遠野――」

悠木は声量を上げた。旧式のクーラーと換気扇が競うように耳障りな音を立てている。

「俺はこれから暮坂の口を止めにいく」

遠野は数秒、悠木の目を見つめた。

「わかりました。話します」

二人は膝を詰めた。

「今朝、三人で登りました。だいぶ道が整備されたんで、二時間ほどで墜落現場に着きました。そこで三人バラバラになって現場を見て歩いてたんですが、しばらくして、暮坂部長が寄ってきて、部長のカメラで写真を撮ってくれって頼まれたんです」

「暮坂のカメラ……？」

「ええ。日付とか入れられる、インスタントのちゃっちいやつです」

悠木は無言で話の先を促した。

「仕方ないんで撮ってやりました。部長が、あっちだ、こっちだと指示して、その通りに現場を撮ってたんです。で、そうこうするうち、部長が自分を撮ってくれって言いだして」

悠木は胸騒ぎを覚えた。まさか――。

「言われた通り、ＪＡＬの主翼をバックに撮りました」

記念写真――。

「野郎……！」

悠木が唸ると、これからが本題とばかりに遠野が尻を前にずらした。

「そんなに珍しいことじゃないんですよ。他社にもそういう馬鹿はいたし、ウチの応援組なんか、ピースサインで写真に収まった奴までいたんですから」

「本当なのか、その話」

「ええ。まるっきりの事実です」

信じがたかった。五百二十人の人間が死んで間もない場所で記念写真など――。

悠木は懸命に気を落ちつかせた。

「じゃあ、それで神沢が暮坂を殴ったわけじゃないんだな？」

「ええ。直接は違います。神沢は少し離れた場所で部長を睨みつけていました。五枚ほど撮った時、寄ってきて、もういいでしょう、と部長に小声で言いました。周りじゃ、警察や自衛隊がバケツリレーみたいにして部分遺体を搬出してるわけですからね、神沢が、北関の腕章をつけた部長の行動に神経を尖らせていたのは確かです。けど、神沢に言われて部長が記念写真をやめたんで、その時はどうってことなかったんです」

「じゃあなぜだ？」

「見ちゃったからですよ」

言った遠野の顔が強張った。

「何を見た？」

「俺も見ました――部長が、細かい機体の破片や断熱材の切れ端を拾ってポケットに入れているところをです」

悠木は絶句した。

暮坂は「土産」を持ち帰ろうとした——。

いや、ことによると、それは広告スポンサーへの「手土産」なのかもしれなかった。

「それからどうした……？」

悠木の声は掠れた。

「神沢は凄い勢いで部長に駆け寄って、機体の破片を持っていた手を蹴りつけました。ポケットの中身をその場で全部捨てさせて、それから部長の胸ぐらを摑んで木の陰に連れていったんです」

「……」

「殴りました。メチャクチャ殴りました。顔面や腹を」

悠木は思わず目を閉じた。

「それで？」

「俺、とめたんですけど、手遅れっていうか、部長の顔はひどく腫れ上がって、歯が何本か折れてました。口の中も相当切ったと思います。だから出血がひどくて……」

悠木は目を瞑《つむ》ったまま天井を仰いだ。

「神沢はどうした？」

「一人で山を下りました。俺は、しばらくしてから部長を連れて下りて、車で前橋まで戻って病院に部長を落としてきました」

「車中、暮坂は何か言ってたか」

「一言も。口にタオルを押し当ててましたから。助手席のシートを倒して、ずっと前を睨んでいました」

悠木は立ち上がった。

「病院はどこだ?」

「森総合病院です。土曜でも夕方まで受け付けるし、あそこは口腔外科がありますから」

「何時に落とした?」

「えーと、一時間ぐらい前です」

「混んでたか」

「駐車場は満杯でした」

「じゃあまだ、暮坂は病院にいるな」

「かもしれません」

ドアがノックされた。ちょっと使いたいんですが、の声。

「すぐ出る!」

ドアに向かって言い、悠木は遠野に顔を戻した。

「部長のフィルムは?」

「俺が預かってます」

「焼きを頼まれてるのか」

「いえ。あんなことになったんで」

「頼まれても焼くなよ」

「もちろんです」

遠野は気色ばんだ。

「俺だってホントは殴りたかった。女房の腹に赤ん坊がいなけりゃ、やってましたよ」

悠木は無言で頷いた。

遠野は心配そうに眉を顰《しか》めた。

「神沢はどうなります……？」

返事をせずに暗室を出た。

階段を駆け降りた。通用口から社を出て、駐車場へ急いだ。

返事などできるはずがなかった。神沢を守るのは難しい。いや、おそらく神沢だけの問題では済まなくなる。暮坂は専務派に籠絡《ろうらく》されていると見て間違いない。ならば、また飯倉専務が乗り出してくる。編集が「暴力記者」を飼っているという話は、編集幹部を狼狽させ、専務派が囲い込みを進めている社外重役たちの耳にも吹き込まれるだろう。

そうなれば神沢は辞めるしかなくなる。専務派が騒ぐからではなく、事態を鎮めようと編集が神沢を切る。

悠木は唇を嚙んだ。車に乗り込み、アクセルを強く踏み込んだ。暴行に及んだ理由を知ってみて、なおさらのこと、神沢という男への関心と情が増していた。遠野と気持ちは寸分違わない。その場にいたら悠木も拳を固く握っていた。

いずれにせよ、暮坂を早急につかまえ、上に話さぬよう説得するよりほかに道はなかった。無駄な足掻《あが》き。わかってはいても、悠木は車の速度を落とす気にはなれなかった。

40

豪華な新館が建ったのもわかろうというものだ。午後五時を過ぎたというのに、森総合病院の一階ホールでは、驚くほど大勢の患者が診察の順番待ちをしていた。

「口腔外科」の前の長椅子にも、二十ほどの頭があった。悠木は長椅子の前に回り込み、角張った赤ら顔を探した。

いない。ならばもう自宅に帰ったということか。ことによると社に上がったか。いや、暮坂は休みをとって御巣鷹に登った。それに今日は土曜日だ。五時を回れば広告フロアに人はいない。

悠木は受付カウンターに寄った。入院患者に暮坂の名がないことを確認すると、踵を返して玄関ドアに向かった。その時だった。

背後から声が掛かった。

「よう、久しぶりだな」

振り向くと、上品な顔立ちの背広が立っていた。県警の志摩川《しまがわ》。知らなければ会社員と見間違う。悠木より二つ三つ年嵩《としかさ》の、刑事畑のサラブレッドだ。現在は確か本部の鑑識課長だったか。

「御無沙汰でした」

言葉にした通り、五年前、県警担当を離れて以来の再会だった。にもかかわらず、瞬時、最近会ったような錯覚にとらわれたのは、テレビに映し出された御巣鷹山の現場で、薊《あざみ》機動隊長とともに出動服姿で指揮を執っているのを目にしていたからだった。

「現場はいいんですか」

「新聞読んでないの？」

「どういう皮肉です」

「身元確認は歯形と指紋」

「なるほど」

志摩川の肩ごしに「口腔外科」のプレートが見えていた。

「しかし、県警もとんでもないものを背負いこみましたね」

「お互いさまだろ」

「ええ、実際、手も足も出ません」

「それは禁句だよ」

「えっ？」

「ウチも北関も地元なんだから」

志摩川の穏やかな表情は変わらない。

「なぜ飛行機は飛ぶのか。その辺りからボチボチやっていくさ」

悠木はハッとした。佐山が同じようなことを言っていたのを思い出したからだ。あれは志摩川の台詞だったのか。県警は近いうちに、課に準じる「事故対策室」を立ち上げるという話だ。極めて緻密な頭脳を持ち、それでいて下からの信望も厚い志摩川は、その室長の筆頭候補と目されている。

「ま、長丁場になるけどね。逃げるわけにはいかないよ。ジャンボ機は間違いなく群馬に落ちたんだからね」

悠木は眉間を突かれた気がした。

やる気なのだ、捜査を。

端《はな》から頭になかった。到底、県警の手に負える事故ではない、県警の人間もそう思っているのだろうと高を括っていた。昼間、社で「刑事事件追及」の共同電を読んだ時も、だから「警察庁」の活字しか目に入ってこなかった。だが――。

この男はやる気だ。自らの手で、未曾有の巨大航空機事故の刑事責任を追及する気だ。

翻って思った。

北関は、悠木自身は、この巨大事故とどう向き合ってきたか。

「じゃあな。三年ぐらいしたら、また会えるだろう」

そう言い残して、志摩川は去っていった。

三年先……。

そういうことか。

五百二十人の死者を出した日航ジャンボ機墜落事故の立件――。

悠木は宙を見つめた。

その時こそ、北関は神沢を必要とする。事故直後の惨状を目の当たりにし、心の深いところで涙し、日々、憑《つ》かれたように御巣鷹山に登っている。神沢しかいない。立件までの千日、逡巡なく県警の捜査を追っていける記者は、神沢をおいてほかにない。

焦りに似た思いを胸に抱き、悠木は病院を飛び出した。

41

道に迷った。

暮坂の自宅は前橋市六供町の住宅街だ。随分と前のことになるが、一度、書類を届けに訪ねたこともあった。蔵のある家の二軒先。そんな記憶を頼りに来てみたが、一帯は大規模な区画整理が行われていて、町並みも風景も一変していた。

悠木は徐行運転で団地内を三周ほどしてみたが、蔵のある家はおろか、大摑みな家の場所すら思い出せなかった。

ベルトでポケベルが鳴っている。もう六時半だ。整理部のほうから、日航関連の原稿が出てこないと文句が出始めているに違いなかった。暮坂の家を探すにしても、社に電話を入れて住所を調べさせたほうが早い。悠木の目は、先ほどから電話ボックスを探していた。

住宅街のほぼ中ほどに広い児童公園があって、その公園に張りめぐらされたフェンスの外側に、小さな雨除けだけがついた公衆電話を見つけた。車を少し手前にとめ、ポケットに小銭を探りながら電話に駆け寄った。

自分のデスクの直通にかけると、岸がでた。

〈整理部が騒いでるぜ〉

「できるだけ早く戻る。それより、ちょっと社員名簿を見て、暮坂の住所と電話番号を教えてくれ」

それらしい間の後、岸が小声で読み上げた。ポケベルの応答はどうしたかと聞くと、佐山からは県警の記者室にいると連絡があったが、神沢からは何もないと岸は答えた。

二人は一緒にいるのだろう。悠木はそう思いながら車に足を向けた。メモ書きした所番地には「三丁目」とある。ここから少し南の方角に違いない。歩くか。それとも車で行ってみてから人に尋ねるか。迷いを覚えて、ふと辺りを見渡した。

白いマスク……。

悠木の視線がとまった。

十五メートルほど先、児童公園の入口付近だった。白いマスクをした男が道端にしゃがみ込んでいた。大きなマスクだ。顔の下半分をすっかり覆い尽くしている。

暮坂だった。

悠木は咄嗟に車の陰に身を寄せた。そのまま息を潜めて様子を窺った。最初は、暮坂がなぜしゃがみ込んでいるのかわからなかった。

ほどなくわかった。

暮坂の体の陰に犬がいた。

老犬だった。

悠木は呆然とした。

生きていたのだ、まだ……。

白河が寄越した犬……。連合赤軍事件のすぐ後だった。ならば、もう十三歳。いや、実際に生まれたのはもう少し早かったのかもしれない。そう思わせるほどに犬は老いていた。

柴犬ほどの大きさだ。体の毛の半分ほどが、毟《むし》り取られでもしたかのようにまだらに抜けている。排便をしたいのだろう、懸命にそのポーズを取ろうとするが、足がわなないてよろける。

暮坂が手を差し伸べている。片手で痩せ細った胴を支え、もう片方の手で排便を促すように背中を摩《さす》っている。犬の顔を見つめている。穏やかな眼差しだった。

悠木はそっと車のドアを開け、車内に体を滑り込ませた。ルームミラーの角度を調節する。リアウィンドウ越しに暮坂の姿が映った。スコップで糞をすくい、ビニール袋に入れた。腰を上げ、歩きだした。犬も続く。ゆっくりだ。よろよろと歩く犬の足に合わせて……。

悠木は車を出した。

すぐ先の角を曲がり、大通りへ向かった。

嫌悪と憐憫《れんびん》がごちゃ混ぜになって胸にあった。

暮坂は「記者ヅラ」をしたかったのだ。

広告が欲しくて、その話材を拾うために御巣鷹山に登ったのではなかった。スポンサーに、自分はただの広告マンではない、記者の仕事もやっているのだと言いたかった。世界最大の事故現場を踏んできたと話し、写真や機体の破片を見せ、ほう、と感心させたかった。ただそれだけのために暮坂は御巣鷹山に登ったのだ。「記者病」。編集を離れた元記者がよく罹《かか》る。

記者ヅラをして本物の記者に殴られた。

暮坂は誰にも言えない。今頃、歯が折れたもっともらしい理由を考えている。

悠木は長い息を吐いた。

邪心を、御巣鷹山は許さないということなのかもしれなかった。

己の心中を見つめた。

前方の信号が赤に変わった。

長い赤だった。

頭は仕事の段取りを考え始めていた。どれほど居心地が悪かろうと、日航全権デスクとして、あの大部屋に齧りついていなければならないのだと悠木は思った。

42

悠木が自分のデスクについたのは、午後七時半を回っていた。

日航関連の原稿は、波を打つようにして岸のデスクの端へなだれ込んでいた。社を出る前に出稿したのは、一面トップ用の《刑事責任追及》と《隔壁》の二本だけだった。

悠木は椅子を思いっきり引いた。指の関節を鳴らし、その指を絡めて両手首を回した。原稿を引き寄せる。それだけ仕分けしておいた、社会面トップ用の《遺書》に取りかかった。

読み始めてすぐ、熱いものが込み上げてきた。

死を覚悟したビジネスマンが、家族に宛てた遺書だった。妻や子供の名を綴り、そして、その後は……文字が滲んで読めなかった。

悠木は両手で顔を隠し、懸命に文字を目で追おうとした。だが、難しい。辛うじて視床を通過していくフレーズ。《パパは本当に残念だ》《さようなら》《子供達のことをよろしくたのむ》《本当に今迄は幸せな人生だったと感謝している》。もう一つの遺書。《子供をよろしく》。さらに別の遺書。《しっかり生きろ》《立派になれ》――。

悠木は動かなかった。しばらくの間、動くことができなかった。

声が出せる。そう確信してから悠木は立ち上がった。手をメガホンにして整理部に怒鳴った。

「カクさん！　一面差し替え！」

亀嶋が血相を変えたのがここからもわかった。

「どうやるのさあ！」

「肩の道路ネタ外して、遺書を入れる！」

亀嶋が走ってきた。

「なんでだよ？　社会面トップで十分じゃないのか」

悠木は無言で原稿を突き出した。

亀嶋は怪訝そうな顔で読み始め、だが、数秒後にはくるりと悠木に背中を向けた。

原稿は亀嶋によって大量にコピーされ、局員全員に配られた。誰もが目頭を押さえた。嗚咽《おえつ》を漏らす者やトイレに行くふりをして席を立つ者もいた。

悠木は関連原稿に没頭していた。

《農大二、宇部商に惜敗》

負けていた。思わず舌打ちが出る。

《運輸省・事故機復元へ回収急ぐ》《尾根に衝突、エンジン一個脱落》《点検項目に隔壁など追加》《SR型の点検指示なし》《安全より利益の日航経営》《機長の乗務時間、異常な長さ》《与圧かかり思考力奪う》《ボイス、フライトレコーダーの公表を・参院運輸委が決議》

一段落して壁の時計を見ると、九時を少し回っていた。早番の岸と田沢の姿は既になく、悠木一人デスクのシマにいた。

両手を突き上げて大きく伸びをした。そうしながら、右から左へと視線を移していった。その視線をゆっくりとまた右へ戻していく。

肌で感じるということだろうか、原稿に赤ペンを走らせつつも、何とはなしに、大部屋の空気の変化に気づいていた。熱気が薄れた。奇妙なほど落ち着き払っている。喧騒は相変わらずだが、殺気立ったところがない。昨日まで部屋中を包んでいた、ヒリヒリとするような乾いた空気が、微かだが湿りけを含んでいるようにも感じられる。ひとことで言うなら、それは「日航以前」の大部屋の表情に近かった。

最初の山場を越したから。

そんな言葉が悠木の頭に浮かんでいた。

八月十七日組み十八日付の紙面が間もなく仕上がる。墜落は十二日の夜だった。指折り数えてみる。今日が六回目の「日航紙面」だ。明日で一週間。一サイクル。やはり、そうしたものが人の心に小さな区切りを与えるものなのだろうか。

昨夜、「隔壁」を打たなかったことが局員の士気を下げ、日航報道に対する熱を冷めさせたことも確かだ。事故原因はマスコミにとって最大級のネタだった。取り逃がした今、それに匹敵するスクープは当面見当たらない。あるとすれば刑事訴追だ。日航本社の家宅捜索。責任者の逮捕、もしくは送検。それらの情報を事前にキャッチし、スクープを放つ。だが、明日明後日のネタではない。県警の志摩川が口にしたように、三年先まで待たねばならないのだ。

まるで夢を見ていたかのようだ。世界最大の航空機事故。その報に大部屋は驚嘆し、大混乱に陥った。墜落場所がわからず、まんじりともせずに朝を迎えた。生存者がいたことに歓喜した。「隔壁」に沸騰し、ものにできず臍《ほぞ》を噛んだ。そして今夜、犠牲者の遺書に流した局員の涙が、熱に浮かされていた大部屋の空気に湿りけと落ちつきをもたらした。

悠木もまた、落ち着きを取り戻し始めている自分に気づいていた。

詳報でいく。確固たるその思いは、もはや揺るがないだろう。局内の日航熱が冷めつつある中、昼間やり合った追村次長があのまま黙って引き下がるとも思えない。だが、いつ任を解かれようとも、その瞬間まで方針にブレをきたすことなく紙面の指揮を執る。そんな使命感にも似た思いが、気負いなく、しかし、確かなものとして胸にあった。

午後十時を回った。出稿を終えた悠木は受話器を取り上げた。

神沢と、そして、「隔壁」のネタを引いた玉置のポケベルを呼んだ。

ともに応答はなかった。

県警の記者室にかけると、待ち構えていたかのように佐山がでた。

「用件は二つだ。まず、心配するなと神沢に伝えてくれ」

〈何を……です?〉

佐山は惚《とぼ》けた。

「そこにいるんだろう？ 山の件は心配するなと言ってやれ」

〈……わかりました〉

「それと、これも神沢に伝言を頼む。明日、御巣鷹に登ると言ったが登らない」

〈えっ？ じゃあ、いつ登るんです？〉

「わからん」

思案の間があった。

〈延期でなく、中止ということですか〉

「そうだ。今回はお前らの目を借りて見ることにする」

思いは伝わったようだった。電話を切ろうとした悠木を佐山が慌てて引き止めた。

〈ちょっと待って下さい。いま神沢と代わります〉

佐山の声が消えてみて、身元判明の会見が行われていることがわかった。事故発生以来、記者室は一睡もしていない。

〈……神沢です〉

消沈した声だった。

「佐山に話した通りだ。気に病むな」

〈ありがとうございました〉

「明日も登るのか」

〈はい。川島さんと上がります〉

川島と……。心にスッと明るい光が射し込んだ。

悠木は受話器を置き、が、ふっと思い立ってまた摑み上げた。支局の電話一覧表を見ながら番号をプッシュする。

〈はい、北関前橋支局です〉

「悠木だ。コーヒーを淹れてくれ」

笑い声と〈バカ〉が一緒くたに耳に返ってきた。千鶴子の素《す》の声を聞くのは初めての気がした。

「原稿の書き方は佐山に教えてもらえ」

もう一度〈バカ〉を聞いて電話を切った。

十一時半。一面の大刷りが出た。

《本当に今迄は幸せな人生だったと感謝している》
大部屋はいつになく静かだった。
思わずにはいられなかった。自分にこんな遺書が書けるだろうか。
悠木は、病室の安西に思いを馳せた。
家族に何も言葉を残さず眠りについた。手術の後、ほんの一瞬だけ意識が戻った安西は「先に行っててくれ」と言葉を発したという。悠木への伝言に違いなかった。衝立岩を登ることは、安西にとってそれほどの意味を持つことだったのか。
《しっかり生きろ》
《立派になれ》
はにかんだ燐太郎の顔が浮かんだ。
安西は死を覚悟していたわけではなかったろう。だが、それでもなお思うのだ。一言でいい、燐太郎に何か言葉を残してやって欲しかった。そうしたなら、どれほど燐太郎は心強いだろうか、と。

43

空に声が響いた。

「悠木さーん！　聞こえますかあ」

「おーう、よく聞こえる」

「ビレーポイントに到着しました。自己確保を外して登ってきて下さーい」

悠木は二人用テラスで真上を見上げていた。頭上にかぶさる第一ハングの威圧感は尋常ではない。燐太郎はたった今、無事、乗り越した。

悠木の番だ。

ザイルをぐっと握り締めてみる。その先端は上に伸び、ハングの向こうに消えている。だが、恐れることはない。このザイルは燐太郎と繋がっているのだから。

「行くぞ！」

「落ち着いて」

悠木はザイルに導かれるように登攀を開始した。

ハングの左端に向かって登る。中央付近にわずかに存在するハングの切れめ、そこがウイークポイントだ。慎重な手と足で、逆層の垂壁を蟹歩きのような恰好で右にトラバースしていく。

ハング下に着いた。

恐々《こわごわ》見上げる。黒々とした岩が頭上に横たわっている。この庇に出口などあるのだろうか。雲稜第一ルートの前半の最大のポイント。登攀全体の核心部分と言ってもいい。アブミと呼ばれる、縄ばしごを小さくしたような登攀用具を使う。そのアブミを、岩に打ち込まれた残置ハーケンに掛け替えながらハングを乗り越す。高度な技術とバランスが求められるだけでなく、ここでもたつくと、体力と時間の消耗が後の登攀に少なからぬ影響を与える。下手をすれば、垂壁にぶら下がって一晩ビバークなどということにもなりかねない。

それもこれも燐太郎の受け売りだ。衝立に備え、随分とゲレンデでアブミ登攀の訓練を積んできたが、実際にオーバーハングをアブミで乗り越すのは今回が初めてだった。

「ハングに取り掛かる！」

「じゃあ、思い切りよくスピーディーに登っていきましょう」

燐太郎はアドバイスの的《まと》を外さない。

悠木はハーケンにアブミを掛け、そのアブミに足を掛けた。庇の下にぶら下がる感覚だ。風に揺られる。さっきまで頬に心地好かったその風が、悪魔の使いのように感じられる。アブミの縄段を上に登る。腕を懸命に伸ばし、次のハーケンにアブミを掛け替える。また足を掛ける。上の縄段に登る。その作業を繰り返しながら、じわりじわりと登っていく。「うんてい」をやっているような恰好だ。時折、背中が遥か下の地面と平行になる。やはりバランスが難しい。悠木をアシストするために、トップでいった燐太郎はさぞやザイルワークに気を使ったろう。ルートがくねっているので、雑に登るとザイルの流れが悪くなる恐れがあるからだ。

岩とアブミとの格闘は一時間に及んだ。

悠木はとうとう行き詰まった。残置ハーケンの間隔が遠すぎる。アブミの最上段に足を乗せないと、次のハーケンに手が届かない。だが、最上段まで上がるとバランスを失いそうで、アブミを登る勇気がどうにも湧いてこない。

胸が苦しかった。百メートルを全力疾走した後のように息が上がっている。傾斜が九十度を超えると、加速度的に体力を消耗するんです。登る前、燐太郎が言っていたことの意味を体が知った。足が地に着いていないから、体を支えるのに腕に頼ることが多くなり、腕力も急速に失われていく。アブミにしがみついていた指先も痺れてきた。

カーンと下の岩場で音がした。悠木はハッとした。ポケットから何かが落ちたのだ。首を反らせて下を覗くと、カラビナがバウンドしながら岩場を転がり落ちていくのが見えた。かつて味わったことのない高度感。背筋がゾクッとした。視線を戻した。眼前には分厚い岩の庇。アブミの最上段に乗る以外に突破する方法はなかった。だが、その一歩がどうしても踏み出せない。

五十七歳。

不意に自分の歳を意識した。

声を張り上げていた。

「おーい！　落ちるかもしれん。頼むぞ！」

「大丈夫ですよ。落ちたら、僕が引っ張り上げますから」

明るい声だった。

引っ張り上げる。そんなことができるはずがない。思った時、また燐太郎の声がした。

「悠木さーん。そこは思い切って最上段に登ってくださーい」

悠木は驚嘆した。

燐太郎には見えているのだ。姿は見えなくても、悠木の置かれている状況も、胸のうちも。

熱い思いが込み上げた。

安西が生きていたらどれほど喜んだろう。

下りるために登るんさ――。

燐太郎と山に登りたい。きっと安西の気持ちはそうだった。ただ苦しい場所から逃げ出そうとしたわけではなかった。安西はいつか燐太郎と衝立岩に登るつもりでいた。そうしたくて、だから「下りる」決意をした。「ロンリー・ハート」に行き、自分ではない自分を清算し、それから衝立岩に向かおうとしたのだ。

安西は、悠木を「証人」にするつもりだったのではあるまいか。やっと手にした安定した生活だった。北関の一員であることへの未練もあった。それを断ち切るために悠木を衝立に誘った。安西は再び山屋の道を歩き出そうとしていた。俺のこれからを見ていてくれ。証人になってくれ。そう悠木に言うつもりだった。

先に行っててくれ――。

安西は、何としてもこの衝立に来たかったのだ。

「悠木さーん!」

燐太郎が呼んでいる。

その顔が目に見えるようだった。心配なのに、少しも心配してなさそうな……。

悠木は微笑んだ。

今度は淳の顔が浮かんだ。十七年前のあの日、弓子と勘違いして振り向いた、ばつの悪そうなあの笑顔だった。

初めて親父に山に行こうって誘われた時、なんか嬉しかった――。

淳も呼んでいる。

強張っていた四肢が、ふわっと柔らかくなった気がした。狭まっていた気道が開き、体に新しい空気が取り込まれた。

やるしかないのだ。アブミの最上段に上がらねばハングは越せないのだから。

悠木は十七年前の決断を思い出していた。

墜落事故から七日目、日航全権デスクとして下した最後の決断だった。

最も辛く、厳しい決断だった。

その結果は――。

悠木は目を閉じた。

右足を上げ、アブミの最上段に乗せた。

体が大きく揺れた。

ままよ。左足も乗せた。

目をカッと見開き、体を思い切り反らして、上のハーケンめがけて腕を伸ばした。

あと五センチ……。

悠木は、この衝立岩に勝ちたいと思った。

44

八月十八日——。

悠木は午前十一時に出社した。早出したのには理由があった。昨夜、出版局次長の貝塚《かいづか》の自宅に電話を入れ、日航機事故に関する書籍の出版が可能かどうか打診した。にべもなく断られる。内心そう思いつつ用件を告げたのだが、意外にも貝塚は乗り気で、社で具体的な相談をしようということになった。

事故の記録を本としても残したい。そんなことに頭が回ったのは、やはり、悠木の胸のうちに、新聞報道の初期段階の山場は越えた、との思いが広がっていたからだった。

別の頭では、これからが本番と考えてもいた。五百二十人の遺体の身元確認が終了するのは相当先のことになるし、所持品の確認や遺族による慰霊登山、機体の搬出作業、さらには合同慰霊祭と、取材機会が減じることは当分の間なさそうだった。

とはいえ、一つの事件や事故が長期化すれば、否応なく記者と編集スタッフの士気は低下する。悠木の胸中のみならず、局の大部屋にも既にその兆候が見え始めていた。発生当初、いかなる驚愕と震撼をもって迎えられようとも、ニュースというものは時間経過とともに鮮度を失い、やがては「腐る」。かつて幾度となく経験したからわかる。取材と紙面がマンネリに陥ると、気持ちは「次待ち」になる。自分でも意識しないまま、今ある手持ちのニュースを凌駕する新たな事件事故を待ちわびるのだ。

例外を作りたい。この日航機事故をニュースとして一日も長く延命させたい。悠木が本の出版を思い立った理由の一つにそれがあった。刹那的に流れる新聞制作現場に、「後で本にまとめる」という意識を植え付け、社内的な事故の風化に歯止めを掛けたいと考えた。

同時にそれは、日航全権デスクとして、部下の労に報いねばならないという義務感にも通じていた。できうる限り多くの若手記者に現場を踏ませる。悠木がごり押ししたその方針のもと、事故発生から一週間で延べ五十人を超える記者を御巣鷹山取材に投じてきたが、そうしたがために、彼らの書いた原稿の大半は紙面化されず、いまだ悠木の机の引き出しの中で眠ったままだ。時機を逸し、既に使えないものも多い。そのボツ原稿を吟味し、加筆修正させて本に収録する。日航機事故取材班の一員として全員の名を残す。もし書きたいと言うなら、御巣鷹に弾き返された川島の無念さや、聞き込んだネタをデスク判断で幻のスクープにされた玉置の憤懣を載せたっていい——。

自分の本音は実はその辺りか。思いながら、悠木は本社ビルの階段を上った。二階の渡り廊下で西館へ向かう。天井の採光窓から降ってくる陽射しに一瞬目が眩んだ。今日も滅法暑くなりそうだ。

出版局のドアを押し開くと、幾つかの顔が悠木に向いた。その一つが次長の貝塚だった。目が合った途端に悠木は嫌な予感がした。貝塚の顔が電話の声とは打って変わって、迷惑そうに歪んだからだった。

「ああ、話はこっちで」

貝塚が指さしたのは奥の局長室だった。

悠木は無言で従った。内心では貝塚を罵倒していた。茂呂《もろ》局長に直接話したのでは持ち上がる話も持ち上がらない。そう思ったからこそ、まずは記者経験のある貝塚と下話をして、と小さな計略を立てたのだ。

局長室では、茂呂が気障《きざ》な手つきで悠木と貝塚にソファを勧めた。未練がましく読みかけの本を閉じ、掛けていた眼鏡をケースの中のものと取り替え、耳に被った長い毛を手櫛で整えながら執務机を立った。物知り顔だ。

「何の本を出したいって?」

「今やっている日航機事故のドキュメントのようなものです」

「ようなもの……ね」

小馬鹿にしたように言って、茂呂は悠木の正面に座り、大仰に腕と足を組んだ。目が、ちゃんと言い直せと促している。

悠木は無視して話の続きを口にした。

「そうした本がウチで出せるかどうか伺いたくて来ました」

「だから、どんな本?」

「ですから、日航機事故をウチなりに総括する本です。記者の手記と写真で構成し、記録として残します」

「記録？　だったら、新聞をスクラップすればいいんじゃないの？」

「形としてきちんと残したい、ということです。なにせ、世界最大の航空機事故が県内で起きたわけですから」

「何部ぐらい刷るの？」

「いや、それは……」

悠木は言葉に詰まった。具体的なことは何も考えていなかった。

物知り顔が、したり顔に変わった。

「その本、誰が買うの？」

予想された質問だった。

北関の出版局が出している刊行物の大半は自費出版による書籍だ。元校長が回顧録を上梓したいとなれば、まずは教え子の数を調べるし、華道、茶道の師範が出すなら弟子の数がそのまま発行部数になる。

茂呂が作り上げてきたシステムだった。若い時分から、代議士が選挙用に配る自伝を代筆したり、怪しげな企業経営者の立身出世物語を書いて小遣銭を稼いできた。ゴーストをするにはあまりに稚拙な筆が、しかし、方々で評判を呼び、茂呂さんに書いて欲しいという申し入れが年に十数件はあるという。

悠木は当たって砕けろの思いで口を開いた。

「一般の読者向けに書店で売りたいと思います。置いてもらえるでしょうか」

「そりゃあ、僕が頼めば郷土出版コーナーに入れてくれるけど、売れないだろ、そんなモン置いたって」

「関心は高いと思いますが」

「けど、あんまり県内の人、乗ってなかったみたいじゃない」

あんまり……？

悠木はぎょっとした。いや、この部屋に入った時に気づいていた。執務机にも、目の前のテーブルの上にも今朝の北関は見当たらない。

悠木は茂呂の目を見据えて言った。

「本県関係の罹災者は一人です」

茂呂は呆れ顔になって、あさってのほうを向いた。

「じゃあ、駄目だよ。お話にならないな」

知らなかったのだ、やはり。

不意に、悠木の傍らで居心地悪そうにしていた貝塚が身を乗り出した。

「グラフ誌みたいなものではどうでしょう？」

「何だと……？」

茂呂が低く言い返した。直属の部下を見る目つきには蔑みと威嚇だけがあった。

貝塚は萎縮したが、以前、編集局に在籍していた手前、少しは悠木の援護射撃をせねばと思ったのだろう、早口で続けた。

「薄いグラフでモノクロを多く使えば書籍ほど経費も制作日数も掛かりません。県警や自衛隊、消防などから事前に注文を取っておけばペイできると思いますし、それにグラフなら書店でもそこそこ売れるんじゃないでしょうか」

「馬鹿かお前は。上毛がやってる『グラフぐんま』とぶつかるだろうが。あっちは県が金を出してるからいいが、こっちは自腹だ。売れなかったらそのまま損を被るんだぞ」

「しかし、県が金を出している分、向こうは事故そのものと言うより、関係者の活躍ぶりを伝える内容になるでしょう。ウチは、悠木君の話を聞く限り、新聞報道を深掘りするわけですから差別化も図れると思いますが」

「そんなモン、とっくに『フライデー』と『フォーカス』がやっちまったろうが。あんな刺激的な写真を見た読者が、いまさら新聞社の作ったお行儀のいいグラフなんぞ見たがると思うか」

「それはそうですが……」

もう結構ですから。悠木は喉まで出掛かっていた。

茂呂の苛立った目が悠木に向いた。

「普通の体裁の本だって同じだぞ。どのみち朝日や読売が手品みたいなスピードで作ってくる。内容も速度もウチが太刀打ちできるはずがないだろうが」

「御巣鷹の現場取材は他社と遜色ないと断言できます」

思わず言い返したが、茂呂は聞く耳持たぬの顔でさらに言い募った。

「思い上がるな。地方紙は地方紙らしくつましくやってりゃあいいんだ。編集の連中は事故がでかくて舞い上がっちまってるんだろうが、頭を冷やすようにお前から上に言っとけ」

「上にはまだ話していません」

悠木は腰を上げていた。

歩きだした背中に、憎々しげな声が追い打ちを掛けてきた。

「馬鹿馬鹿しい。赤を承知で、編集の自慢話を満載した本なんぞ作れるか」

それが本音だろう。悠木は足を止めずに局長室を出た。

局員は、今度は一人も顔を上げなかった。揃って今日が締切であるかのように、自費出版の原稿とおぼしき分厚いゲラに赤ペンを走らせている。

日航機事故で一儲け企むよりはまし。

そう自分に言い聞かせて、悠木は廊下に硬い靴音を響かせた。

45

昼飯は地下食堂で一人で済ませ、三階の編集局に上がった。

大部屋はまだ人影も疎らだった。整理部のシマで「おはようス」と吉井が雑に頭を下げた。眠たげな顔だ。「隔壁」のスクープを狙った晩の、緊張しきった表情を思い出し、悠木は視界がぼやけるのを感じた。遥か昔のこと。そんな気がしたのだ。

デスクの上には原稿の山が三つあった。もはや見慣れた光景と言うべきものだった。真ん中の山の一番上に、とりわけ分厚い、今日組みのトップ候補用原稿が置かれていた。農大二高野球部員の父親の遺体が未明に確認され、早朝、県警本部の記者室に詰めている佐山から自宅に連絡があった。関連取材は手配済みだ。

悠木は椅子に腰を下ろして受話器を取り上げた。出版局次長席の内線番号をプッシュする。

すぐに貝塚がでた。

「悠木です。先ほどは迷惑を掛けました」

〈いや、役に立てなくて悪かったね。試しにそっちの次長の追村さんからプッシュさせてごらん。昔、茂呂局長の奥さんを紹介したのが彼だから〉

礼を言って受話器を置くと、その横にコーヒーカップが置かれ、ニッコリ笑った依田千鶴子が悠木の顔を覗き込んだ。

「昨日は尖ってしまってすみませんでした」

「劇的に顔が違うな。今日はこっちか」

「三時から向こうです」

「どっちがいい？」

「そんなのまだわかりません」

「お茶汲みと同じだ。原稿なんてすぐにうまくなる」

「だといいんですけど」

千鶴子は髪を振りながら編集庶務のシマに足を向けた。どことなく元気のないその後ろ姿を見送り、悠木はデスクに顔を戻してまた受話器を上げた。内線で広告企画に掛ける。念のため名乗らないつもりでいたが、運良く目当ての宮田が電話を取った。

「悠木だ」

〈あ、昨日はどうも〉

「小声で聞かせてくれ。暮坂部長はどうしてる？」

〈今日も休みを取ってます。予定外なんですが〉

「理由は？」

内心、恐れを抱いて尋ねた。御巣鷹山で神沢に殴りつけられた。その噂が営業フロアに流れてはいないか。

〈下山途中に足を滑らせて何メートルか落ちたらしいんですよ。慣れない山登りだったですからね〉

「そうか。わかった」

溜め息とともに悠木は言った。

電話を切ろうとして、慌てて口元に送話口を戻した。

「宮田——その後、安西のところは覗いてみたか」

〈ええ。昨日の夕方行ってきました〉

「どうだった？」

宮田の声は沈んだ。

〈変わりないですね。安西さんはベッドで……目はパッチリ開いているし、どう見ても起きてるとしか思えないんですけど、医者のほうは遷延性意識障害とほぼ断定したようです。奥さんがそう言ってました〉

「奥さんの様子は？」

〈それが奇妙なぐらい明るくて……無理してるんでしょうね〉

「だろうな」

〈それに、息子さんが可哀相で……病室の隅で暗い顔してました。本当なら楽しい夏休みなのにねえ……〉

重苦しい言葉が、そのまま悠木の胸に重く伸《の》しかかってきた。病院の中庭でキャッチボールをした時の、燐太郎のくしゃくしゃの笑顔と黄色い笑い声が思い出された。そういうことだ。燐太郎はまだ声変わりすらしていない。

その小さな発見が、電話を切った後も悠木を気鬱にさせた。

壁際の席には、追村次長と等々力社会部長の顔が並んでいた。悠木は二人の上方の壁時計に目をやった。一時半。日航の紙面会議まではまだ三十分ある。

悠木は、玉置のポケベルを呼んでおいて、原稿の見出しにざっと目を通した。

《悪夢の事故から一週間。炎天下、懸命の捜索作業続く》《ボイスレコーダー分析・今週中にも中間報告》《新たに乗客の遺書見つかる》《日航副社長、遺族に百五十万円の見舞金》《初七日・墜落現場に花と線香》《運輸省航空事故調査委員会・隔壁の破片組み立て終了》《羽田と成田で隔壁の一斉点検》《墜落日航機と同型、香港でエンジントラブル》《大阪の「しりもち事故」・修理はボーイング社まかせ》

物音に顔を上げた。

岸が出社してきたところだった。頬の肉が緩み、何やら話したそうな顔だ。

「どうした、ニヤついて」

「わかるか」

「わかるようにしてるんだろう。なんかいいことでもあったのか」

「神沢の件、よかったな」

その話は、ゆうべ電話で知らせて済んでいる。

「言いたいならちゃんと言え」

「昨日で四十になった」

悠木は鼻で笑った。

「俺は先月だ。嬉しくも可笑しくもなかったけどな」

「停戦だとよ、バースデー停戦」

岸の顔はさらにニヤけた。

ああ、と悠木は得心した。岸をバイ菌扱いしていた二人の娘がいい顔を見せたということだ。

「カズちゃんとフミちゃんか」

「まったく久しぶりだぜ、一家団欒なんてよ。実際、涙が出そうになったもんな」

「一気に終戦に持ち込めそうか」

「そいつはわからないさ。今夜帰ってみないことにはな。けどまあ、平和の兆しあり、ってことだろ。どう思うよ」

悠木はオーバーに頷いてやって、頭に浮かんだ淳の顔を吹っ切るようにデスクに腕を伸ばした。

電話が鳴り出していた。

〈玉置です。呼びましたか〉

比較的落ちついた声だった。

悠木は椅子を回転させ、まだ喋りたがっている岸に背を向けた。

「悪かったな、玉置。お前のネタを生かせなかった」

〈………〉

「事故調のマークを続けてくれ。バラバラの隔壁が現場で組み上がったらしいからな」

長い間《ま》の後、玉置の気張った声が耳に届いた。

〈悠木さん……俺、もう忘れますけど、一つだけ聞いていいですか〉

「ああ」

〈………〉

「遠慮なく言え」

〈……悠木さんがデスクじゃなかったら、あの原稿、載っていましたか〉

数秒思案し、悠木は答えた。

「おそらく載った」

〈わかりました。すみませんでした〉

玉置は早口で言った。

「謝るなら俺のほうだ。ただ忘れるな。お前の先は長いんだ」

空疎な言葉だったかもしれない。

この先どれほど長く記者をやろうとも、二度と今回のような巨大事故に出くわすことはないだろう。悠木にはわかっていたし、若い玉置にだって、ほんの少し想像力を働かせればわかることだった。

だが、そう言うしかなかった。たかだか一週間前まで、悠木自身、「大久保連赤」を超える事件事故が群馬県内で起ころうなどとは想像すらしていなかったのだから。

壁際で、追村と等々力が立ち上がった。局長室に向かって歩きだす。二時丁度だった。

悠木も原稿の見出しを書き出したメモを手に立ち上がった。玉置と電話で話し、禊《みそぎ》を済ませた思いがしていた。確実に「日航離れ」の進む局幹部と局員を刺激しつつ、今日以降も詳報にこだわった紙面を作る。日航全権デスクに残された仕事がその一点に絞られたことを、局長室に向かう悠木は疑っていなかった。

46

「悠木、今日のメニューは？」

粕谷局長が言った。

悠木はメモを読み上げてから顔を上げた。

「県内唯一の罹災者の遺体が確認されたわけですから、本記を一面トップ。関連記事を社会面、二社面で全面展開します」

粕谷と等々力部長は頷いた。

悠木は追村次長の顔を見た。無表情で自分の手元の資料に目を通している。昨日は危うく掴み合いになりかけた。まだ尾を引いているのか。

粕谷が困った顔を追村に向けた。

「おい、どうなんだ？」

「異存はありません。ただし」

追村はジロリと悠木を見て、資料の用紙の一枚をテーブルに滑らせた。

「一面には必ずこの四本も載せろ」

悠木は用紙を手にした。四本の記事の仮見出しが箇条書きされていた。

《富士見村長選挙　明日告示》

《赤城村議選　明日告示》

《草津音楽アカデミー開幕》

《群馬県少年野球大会決勝》

「富士見村長選は候補者二人のツラ写真を付けろ。草津のアカデミーはオープニングコンサートの写真、野球は無論、胴上げ写真だ。わかったな？」

追村の口調は威圧的だった。

「村長選はともかく――」

悠木は用紙の項目を指でなぞった。

「音楽アカデミーは二社面、少年野球はスポーツ面でいいでしょう」

「駄目だ」

すぐさま重々しい声が返ってきた。

「草津音楽アカデミーは文化庁と県も後援してるんだ。お前にはわかるまいが、チェロの巨匠ピエール・フルニエやBBC交響楽団の首席ホルン奏者アラン・シビル、指揮者にはデビッド・シャローンを招いた豪華版だ。県紙として一面で扱うのは当然だろう」

「しかし、日航の記事と噛み合いません。あまりに呑気すぎる。ましてや少年野球の一面はないでしょう」

追村は手元の資料からコピー用紙を抜き取って悠木に突きつけた。数日前に文化面に載った草津音楽アカデミーの「前触れ原稿」だった。「バッハ生誕三百年を記念した「バッハと息子たち」をテーマに二週間にわたって開催される。午前中は器楽マスタークラスのレッスン。午後は公開レッスンやコンサートなど多彩なイベントが繰り広げられる――。

「お前、これを開催するのに、関係者がどれだけ苦労したか想像できんか？　日程調整や海外の奏者との折衝、宿泊施設の手配、リハーサル、PR。丸々一年がかりだよ。一年後の今日にピタリ照準を合わせて県民が汗をかいてきたんだ。その連中に犠牲を強いるな。日航は落ちた。五百二十人死んだ。だがな、それはそれ、これはこれだ。国際的にもユニークだと注目を集めているこの音楽祭のニュースバリューが日航ごときに食われてたまるか」

悠木は黙った。

追村の言っていることが正論であることはわかっていた。悠木にしたって、墜落初日に祈ったように、ジャンボ機が長野側に落ちていたとすれば他人事《ひとごと》だった。ソファにでも転がり、ぼんやりと御巣鷹山の現場のテレビ映像を眺めていただろう。

「草津アカデミーの件はわかりました。しかし、少年野球の胴上げ写真はあまりに無神経すぎませんか。死んだのは球児の父親なんですよ」

悠木が言うと、追村は即座に反論した。

「逆の考え方だってできるだろう。親父さんは野球が好きだった。却って喜ぶんじゃないのか。供養になる、そう思えばいい。要するに、気持ちの持ち方一つってことだ」

「しかし」

「少年野球は社長の命令だ」

追村は痺れを切らしたように言った。

「北関が部数を伸ばしたのはな、スポーツと人事で人の名前を目一杯紙面に載せてきたからだ。一昔前まで、スポーツと名のつくものなら、どんな小さな大会でも試合結果と出場選手をブチ込んできた。子供の名前が新聞に出れば親は買う。そうやって顧客を増やしてきた。たった五万部時代に入社した社長が作った神話だ。踏みにじるな」

悠木は頭の中で行数計算をしていた。

四本の記事と二枚の写真。さほどスペースは取るまい。一面トップが皺寄せを食うことはなさそうだった。見方を変えるなら、一面に四本の記事を受け入れさえすれば、その他の面は自由に作れるということだ。日航の記事はふんだんに盛り込める。悪い取引ではない。悠木はそう判断して頷いた。

粕谷がホッとした表情を覗かせた。

「じゃあ、それで決まりだな。実のところ、俺も追村に賛成だ。日航は日航として力を入れ、通常の北関に戻すべき部分は戻していったほうがいい。日航は永久に続くわけじゃないが、北関のほうは少なくとも永久を目指して次の連中に引き継いでいかねばならんからな。じゃあ、終わるか」

一寸迷ったが、悠木は小さく待ったの手を粕谷に向けた。

「局長、ちょっといいですか」

「何だ？」

「実は今日、出版局に寄ってきました」

追村の条件を呑み、平穏のうちに会議が終わった。こんな時でもなければ言いだせそうにない話だった。

「出版？　何しに行ったんだ？」

「日航絡みで本を出せないか。そう打診してみました」

追村ばかりか、粕谷も露骨に嫌な顔をした。

理由はわかっていた。

北関編集局は「大久保連赤」でさえ本を出していない。悠木の朧げな記憶によれば、当時、粕谷と追村が出版局に掛け合いに行った。おそらくは、その頃から出版の主だった茂呂に一蹴された。自分らの勲章である「大久保連赤」が形になっていないにもかかわらず、降って湧いたように起こった日航を本にされては面子が立たない。というより、感情的にどうにも面白くない。二人の顔からは、そんな屈折した思いが読み取れた。

「こんなにスタンドプレーが好きだとはな」

追村が皮肉っぽく言った。

悠木は答えず、等々力の顔を盗み見た。

無表情。そう見える。

佐山と神沢の現場雑観を潰した潰さないで激しくやり合ってからというもの、等々力は明らかに悠木に対する嫌悪の表出を弱めていた。若手の芽を摘もうとした自らの内面に刃を突きつけているのか。それとも、日航事故の巨大さに突き動かされて、いよいよ「大久保連赤」を手放す気になったか。

粕谷がつまらなさそうに言った。

「で、茂呂のタヌキはどう言った?」

「それが――」

悠木が言いかけた時だった。局長室のドアが軽くノックされた。入室してきたのは千鶴子だった。悠木の脇に回り込み、手にしていたメモを差し出して囁いた。

「この人が会いたいと来ています」

なぜ口頭で名前を言わないのか。首を傾げつつ悠木はメモに目を落とした。

いきなり横っ面を張られた気がした。

望月彩子。

死んだ望月亮太の従姉妹。瞬時に記憶が蘇っていた。一昨日、彼女は社に電話を寄越した。高崎局番のその番号に掛けたが不在だったので、留守電に、またこちらから掛けると吹き込んでおいた。だが――。

忘れた。

その日に「隔壁」のスクープが急浮上し、頭から電話のことが消し飛んでいた。

「どうした？」

粕谷が怪訝そうな顔で言った。

「いえ……」

この場で明かしたい名前ではなかった。

「誰が来てるって？」

粕谷は、悠木と千鶴子を等分に見て言った。

「知人です」

反射的に嘘を口にして、悠木は千鶴子に顔を向けた。

「応接に通しておいてくれ。会議が終わり次第行く」

「はい」

「いや――」

すぐに千鶴子を引き止めた。

「地下食堂に案内して、何か飲み物を」

千鶴子は万事承知の顔で頷き、部屋を出ていった。

「いいのか」

粕谷が探る目で言った。悠木が頷くと、じゃあとばかり話を巻き戻した。

「本のこと、茂呂さんは何て言ったんだ?」

「そんなもの誰が買うんだ——そう言って取り合いませんでした」

だろうな、というように粕谷と追村が同時に頷いた。茂呂に対する嫌悪と、悠木が弾き返された安堵とが混じり合った奇妙な顔だった。等々力は音のない息を吐いた。やはり、気持ちは粕谷たちに近いのだろう。

悠木は大きく息を吸い込んだ。

「北関としてきちんとした形で後に残すべきだと思います。飛行コースのない群馬県に落ちるはずのないものが落ちたわけですから、確かに、もらい事故という側面があることは認めますが、しかし、県内で世界最大の事故が起きたということもまた事実です。これをただやり過ごしてしまったら、新聞社としてひどくみっともないことになる。地元紙の意地を見せる意味でも、部数は少なくて構いませんから、是非とも——」

三人の幹部の反応は薄く、とりわけ、粕谷と追村は右から左に聞き流しているふうだった。喋っている悠木のほうも気はそぞろだった。

望月亮太の死は自殺に類するものだった。感傷は必要ない。無理やりそう言いくるめて保ってきた心の均衡が、望月彩子の出現によって破られる。そんな予感が胸騒ぎを大きくしていた。

47

二十分ほどして地下に下りた。

足は自然と速まった。自分の靴音だけが反響するがらんどうの廊下を抜け、食堂に入ると、天窓のある壁際の席に白いTシャツ姿の若い女が座っていた。

互いに顔は知っていた。六日前にも高崎市内の霊園で会った。悠木を睨み付けた。懸命に。そんなふうに見えた。

食堂は二人の他に客はいなかった。洗い場も静まり返っている。休憩時間に入ったのだろう。

悠木が歩み寄ると、彩子は立ち上がってきちんと頭を下げた。逆光に近いから、Tシャツや茶色っぽい髪の縁が淡い光を帯びている。

テーブルで向かい合って座った。彩子は簡単な自己紹介をした。思っていた通り、望月亮太の従姉妹だった。望月の父親の弟の一人娘。歳は二十歳。県立大学の二年生。ひどく童顔だが、黒目がちの瞳に力と確かな知性が感じられて、どうにか歳相応に見える。素性がはっきりわかってみても、悠木は落ちつかなかった。目の前の彩子の内面がまったく読めない。

「最初に謝らなくちゃならない。また電話をすると言ってしなかった」

「お忙しかったんですよね」

彩子は微かに笑って言った。皮肉や厭味の混じり気はないが、しかし、何やら深い思いの籠もった、予め《あらかじ》用意してきた言葉に聞こえた。

「私、日航機事故の記事、毎日読んでます。大学でメディア論とジャーナリズム史をとってるので」

悠木は眩しげに彩子の顔を見つめた。

「それで、今日は？」

彩子は悠木を見つめ返した。

「大学で習うより、貴重な体験をさせてもらいました」

次の言葉を待つほかなかった。

「この二日間、私、あなたからの電話を待ってました。でも掛かってこなかった」

「すまなかった」

「そう、お忙しかったんですよね」

「ん」

「人の命って、大きい命と小さい命があるんですね」

悠木は息を呑んだ。

頭は空転していた。それでも彩子の言葉は痛みを伴って胸に染み渡った。

彩子は続けた。

「重い命と、軽い命。大切な命と、そうでない命……日航機の事故で亡くなった方たち、マスコミの人たちの間では、すごく大切な命だったんですよね。私、そのことがわかったんです」

何と答えていいかわからなかった。

「私、八年前に父を交通事故で亡くしたんです。育英会のお世話になって高校まで卒業して、今も奨学金いただいて大学に通ってるんです。寂しくはありませんでした。亮ちゃんのところの伯父と伯母がすごくよくしてくれて、亮ちゃんも本当の兄のように遊んでくれましたから」

アイスコーヒーの氷はすっかり溶けていた。彩子がストローの紙袋の封すら切っていなかったことに悠木はいま気づいた。

「父は左官ですごく優しい人でした。悔しくてたまりません。父は全然悪くなかったんです。横断歩道を渡っていて、なのに、飛ばしてきたオートバイに轢かれてしまって」

彩子は胸元に両手を当てた。その胸の辺りが大きく波打っていた。

「重体でした。新聞にも小さく出ました。私、大学に入ってから図書館で調べたんです。ベタ記事って言うんですよね、社会面の一番下に十二行載ってました」

「………」

「三日後に死んだんです。でも、死んだことは新聞に載らなかった。事故が起きてから二十四時間以上経ってから亡くなると、警察は死亡事故の扱いはしないんですよね。だから統計の数字にも父の死は含まれてないし……」

彩子は探るように悠木の目を見つめた。

「新聞だって忘れちゃったんですよね。父、偉くもなんともなかったし、世の中からいなくなってもどうってことないし。小さくて、軽くて、大切じゃない命だったから……だから、重体で病院に運ばれたこと、記者の人、忘れちゃったんですよね。父が死んだことに誰も気づかなかったんですよね」

彩子はハンカチを取り出して目元に当てた。息を大きく吸い込んで、それを強く吐き出し、気を取り直したように真っ赤な目と鼻を悠木に向けた。

「亮ちゃんだって、あっと言う間に忘れられちゃったんでしょ？　さっき、編集局にお邪魔して、そうしたら皆さん、冗談とか言い合って笑ってました。一回、記事が出て、それでもうお終い。同じ会社で働いてたのに、きっと誰も亮ちゃんのこと思い出したりしないんですよね」

「それは違う」

悠木は言った。自己弁護のためでなく、彩子のために言った。

「みんな思い出す」

「うそ」

「ずっと思い出してるわけにはいかない。だが、思い出す。本当だ」

言っていて、胸が締めつけられた。「敵前逃亡」。望月が汚名を被ったことによって、悠木は社内的に救われたのだ。

彩子は小さく顎を突き出した。

「あなたが亮ちゃんを死なせたんですよね」

悠木は彩子の目を見つめて頷いた。

「そうだ」

「だったら」

涙の底に沈んだ彩子の瞳が、挑むように悠木を見た。

「ずっと思い出していてあげてください」

悠木はまた頷いた。

「亮ちゃんのこと、いつも思っていてあげてください」

さらに深く頷いた。今にも心が潰れそうだった。

「私、ずっと思い出していますよ。十五の時からずーっと」

掠れた声が震える唇を割った。

「いけませんか？　従兄弟を好きになっちゃ」

それから二人は一言も口をきかなかった。

十分ほどして、彩子は立ち上がった。

「一昨日は伯母に頼まれて電話したんです。もう月命日には来ないで下さい」

悠木も席を立った。

「わかった。二度と行かない。そう伝えてくれ」

「それと――」

彩子はビニールのバッグの中を指先で探った。すぐに、二つ折りのレポート用紙を取り出し、悠木に差し出した。

「これ、私なりに考えた小さい命のことです。『こころ』の欄に載せて欲しいんです。前にも一度、投稿したことがあったんですけど、ボツになったみたいで」

「わかった。載せると約束する」

「ありがとうございます」

彩子はまたきちんと頭を下げて、食堂を出ていった。

靴音が遠ざかり、消え、悠木は脱力感に襲われて椅子に腰を落とした。

体全体が鉛のように重かった。

二十歳――悠木の半分しか生きていない娘が、メディアの本質を見抜いていた。

命の重さ。

どの命も等価だと口先で言いつつ、メディアが人を選別し、等級化し、命の重い軽いを決めつけ、その価値観を世の中に押しつけてきた。

偉い人の死。そうでない人の死。

可哀相な死に方。そうでない死に方。

脳裏に、老婆の顔が浮かんでいた。

安西の見舞いに県央病院を訪れた時に見かけた老婆だ。一階ロビーには大画面テレビが置かれていて、藤岡市民体育館の映像が流れていた。顔にハンカチを押し当てた若い女性が、別の初老の女性に肩を抱かれながら歩いている場面で、長椅子の端に座っていた老婆が呟いた。

あんなに泣いてもらえればねえ……。

羨んだのだ。墜落事故で亡くなった人のことを。

自分が死んでもあれほど悲しんでくれる人はいない。老婆は知っているのだ。

あの待合室にいた、表情のない人々の群れ……。

望月亮太の顔が思い出された。

小さな命……。軽い命……。

馬鹿な。決してそんなことはなかった。だが……。

悠木は無理やり思考を断ち切った。腕時計を見た。もう三時半を回っていた。わざと勢いよく立ち上がった。背筋を伸ばした。

何がどうあろうと、日航機事故から逃げ出すわけにはいかない。

悠木は食堂を出た。廊下を歩きながら、彩子が寄越したレポート用紙を開いた。

文面を目で追った。

まず足が止まった。読み進むうち、血の気が引いていくのが自分でわかった。

彩子は、さっき悠木に話したことの多くをそのまま文章にしていた。

体の芯が震えた。最後の四行がそうさせた。

《私の父や従兄弟の死に泣いてくれなかった人のために、私は泣きません。たとえそれが、世界最大の悲惨な事故で亡くなった方々のためであっても》

48

「前橋、三十五・八度！」

午後五時を回り、大部屋の熱気は高まりつつあった。

悠木は自分のデスクで原稿に赤字を入れていた。

《ボイスレコーダー・機長ら冷静に会話》《隔壁断面はぐにゃり》《身元確認は三百四十二遺体に》

悠木の背後に、佐山と神沢が歩み寄った。

「悠さん――」

悠木は振り向かなかった。

「悠さん、ちょっといいですか」

「……」

二人は横に回り込み、悠木の顔を覗き込んだ。

「ねえ、悠さん？」

「何だ?」

険しい目を向けた。二人は同時に息を呑んだ。

「あ、いえ、昨日の礼をと思って」

「いい」

「ご迷惑掛けました。どうもすみませんでした」

「もういい」

二人は顔を見合わせ、一歩後ずさりした。

悠木はこめかみに親指を押し当てた。頭蓋の中で、耳鳴りのような母の声が響いていた。

小さなことを　恐れなさい
大きなことは　どうにもならない
小さなことを　恐れなさい
大きなことは　どうにかなるの
小さなことを　恐れなさい
小さなうちに　恐れなさい

一番嫌いな子守歌だった。

悠木はポケットに手を突っ込んだ。

紙片の感触がある。

悠木に対する復讐なのだと思った。そうならよかった。そうなのだとしたら握り潰すこともできた。

違うのだ。

望月彩子は自らを晒していた。名前も、住所も、歳も、県立大学の二年生であることも、すべてレポート用紙に書き込んでいた。

匿名の闇の中から矢を放とうとしているのではない。

引き受ける気なのだ。この投稿が新聞に載り、想像しうる反響と反発のすべてを。

たった二十歳の娘が……。

この投稿は握り潰せない。結論はもう一時間も前に出ていた。だが——。

悠木は席を立てずにいた。

幾つもの理由を張りつけているが、ネギの皮を剝くように一枚一枚引っぱがしていけば、最後に残るのは保身だけだとわかっていた。

悠木は逡巡の中で受話器を握った。メモ書きを見て番号をプッシュする。五回目のコールで向こうの受話器が上がった。

〈はい、望月です〉

「北関の悠木だが、さっきはどうも」

〈あ、はい……何でしょう?〉

彩子の声は硬かった。

「あの投稿、本当に載せていいのか」

〈載せてくれるんですか〉

「ん」

〈ありがとうございます。よろしくお願い致します〉

受話器を握り直した。

「怖くないか」

彩子は小さく笑ったようだった。

〈怖いのは、悠木さんなんじゃないですか〉

「そうだ」

悠木も微かに笑った。

受話器を置き、席を立った悠木の顔は強張っていた。

大部屋中央のシマ。『こころ』担当の稲岡が、歩いてくる悠木に気づいて手を上げた。

「日航特集、うまく組めたよ」

悠木はポケットの中からレポート用紙を取り出し、稲岡のデスクの真ん中に開いて置いた。

「内容がダブってるのを外して、代わりにこいつを入れて下さい」

「ほう、二十歳の女子大生かい。悠木君も隅に置けんな」

軽口はそこまでだった。稲岡は見開いた目で悠木を見上げた。

「ま、まさか、これを……？」

「そうです」

稲岡は仰《の》け反り、反動で体を戻して顎を突き出した。

「じょ、冗談じゃないよオ！　俺の定年を一年早める気か」

「稲岡さんには迷惑掛けません。とにかく組み直して下さい」

「嫌なこった。なんでこんなもの載せなくちゃならないんだ？　日航事故の罹災者や遺族に対する冒瀆だろう」

「れっきとした市民の意見です。新聞社の常識とやらで握り潰すわけにはいかんでしょう」

「だからって――」

騒ぎを聞きつけて、整理部員や他のデスクが集まってきた。驚きの声とともに、彩子のレポート用紙が手から手と渡った。

「うひゃあ！」

亀嶋整理部長が素っ頓狂な声を上げた。

「悠木君、いくらなんでもこいつはまずいや。確かにある面、言い当ててるとは思うよ。だけど、新聞はどっかの機関紙じゃないんだ。いろんな人が読むんだから」

周囲からも反対の声が続々と上がった。

「ひどすぎますよ！　こんなの載せたら、明日の朝、抗議電話の嵐ですよ」

「望月って……？　ひょっとして望月亮太の関係者じゃないんですか」

皆の目が一斉に悠木に向いた。

「やつの従姉妹だ」

溜め息とブーイングが重なった。

「だったらどうした？」

悠木は尖った目で周囲を見回した。

岸が耳元で囁いた。

「悠木、何があったか知らんが、やめとけ。こいつはヤバすぎる」

「何があったかわからんのなら口を出すな」

岸の背後にいた田沢と目が合った。いつもならすぐに逸れる二人の視線が絡みあったまま動かなかった。

「悠木！」

背後で怒声が上がった。追村次長がレポート用紙を手にしていた。

「貴様、気でも狂ったのか！」

「…………」

「この新聞は遺族も読むんだ！　お前が言ったんだろうが、家族待機所にサービスで配れって。千人からの遺族がこの怪文書を読むんだぞ。忘れたのか！」

「怪文書……？」

悠木は追村を睨んだ。

「誹謗中傷の類いだろうが！　遺族が黙ってないぞ。社に押しかけてくる。そうなったらどうする？　北関が他社の取材対象になっちまう恐れだってあるだろうが」

「遺族が文句を言うはずがない」

「おい、市民が書いたからなんて逃げは通用せんぞ。載せた北関の責任が問われるんだ」

「そんなことは当たり前でしょう」

「貴様、ナメてんのか！」

追村が悠木の胸ぐらを掴んだ。

「北関を潰す気か！　遺族の神経逆撫でして何が面白い！」

悠木は追村の胸ぐらを掴み返した。思い切り締め上げて言った。

「遺族が騒ぐ？　肉親を失った人間が、あの娘の気持ちをわからないはずがないだろうが！」

大部屋は一瞬、静寂に包まれた。

「載せるぞ。いいな？」

悠木は追村の鼻先で言った。癇癪玉は破裂しきった感があった。蒼白の顔に、怯えの筋が幾重にも走っていた。

数人が駆け寄り、悠木と追村を引き剝がした。稲岡が、悠木と追村を交互に見ながら言った。

「問題は最後の四行なんだ。こいつさえ切れば大丈夫だ。一般論に落ちつく」

「切るな」

悠木は言った。

稲岡は必死の形相だった。

「切るのは珍しくないんだ。こっちで加工してやんなきゃ、載せられる原稿なんて限られちまうんだ。どの原稿もみんなこっちで変えてるんだ」

「変えるのは名前だけだ。イニシャルで載せる」

「そんな――」

「加工した投稿が投稿と言えるのか。あんた、それでも記者あがりか」

稲岡は絶句し、虚空を見つめた。

「悠さん」

佐山が悠木の前に立った。

「望月の件が引っ掛かってることはわかります。だけど、負い目に感じる必要なんてない。奴は自殺だったんだ。悠さんに責任はない」

「言うな」

悠木は目を閉じて言った。

佐山はやめなかった。以前、自分の父親のことを語った時の口調に似ていた。

「俺はね、自分の死を他人におっかぶせて苦しめるってやり口が許せないんですよ。最も卑劣な死に方だ」

「もう言うな！」

悠木は目を開いて周囲を見回した。

「俺は『新聞』を作りたいんだ。『新聞紙』を作るのはもう真っ平だ。忙しさに紛れて見えないだけだ。北関は死にかけてる。上の連中の玩具にされて腐りかけてるんだ。この投稿を握り潰したら、お前ら一生、『新聞紙』を作り続けることになるぞ」

大部屋には多くの息遣いだけがあった。

悠木は言った。

「投稿は全文載せる。関わりたくない奴は、今から一時間、大部屋の外でコーヒーでも飲んでろ」

49

声を発するいとまもなかった。

足場の感覚が喪失し、スッと体が落下した。それは、一瞬にも永遠にも思えた。ザイルがビーンと音を立てて張り詰め、小さくはない衝撃を伴って体が停止した。

衝立岩の第一ハング。その巨大な庇《ひさし》の下で、悠木は宙吊りになっていた。

「大丈夫ですかッ」

緊迫した声が降ってきた。燐太郎の声だ。その姿は見えない。ハングを乗り越した上方の垂壁にいて、悠木のザイルを確保している。

「どこか傷めましたか」

すぐには返事ができなかった。落ちたショックが、悠木の思考力を根こそぎ奪ってしまっていた。遥か下方に地上が見える。頭が下を向いていることだけはぼんやりとわかった。

「悠木さん、冷静に。今どんな状態か教えて下さい」

脳裏に、落ちる寸前の光景が蘇っていた。

あと少しでハングを越えられるところまでいっていた。不安定なアブミの最上段に上り、もう一つのアブミを握った右手を上に向かって懸命に伸ばしていた。岩に幾つもベタ打ちされたハーケンの一つに、アブミの先端のフックを掛けようとしていた。いける。そう思った途端、足元がぐらついた。膝が緩み、アブミの縄段から足を踏み外した……。

そう、一メートルも落ちていない。燐太郎が停めてくれたからだ。しかし、感覚的にはその刹那、悠木は奈落の底まで落ちた。

「悠木さーん、聞こえますか」

「ああ……聞こえてる」

悠木は虚ろに答えた。

「体は大丈夫ですか」

「平気だ……と思う」

「完全な宙吊りですか。アブミと離れてしまってます?」

「いや……」

完全な宙吊りではなかった。右足が、アブミの一番下の縄段に「くの字」に絡んでいて、それを支えに逆さ吊りのような状態になっていた。

「アブミに足が引っ掛かってる。体は頭が下だ」

「わかりました。じゃあ、少し引き揚げて、体を元に戻しましょう。ザイルを両手でしっかり握って下さい。足に力を入れて、アブミを逃がさないようにして下さいね」

「うん」

「いきますよ——さあ」

ザイルが引かれた。強く、頼もしい力だった。上半身が徐々に起きていく。頭に上っていた血が下がっていくのがわかる。

「どうです? 戻りましたか」

「うん」

「アブミを摑んで体を安定させて下さい」

「摑んだ」

「じゃあ、小休止しましょう。深呼吸をして気持ちを落ちつけて下さい」

「ああ、そうさせてもらう」

答えた自分の言葉はひどく弱々しかった。

悠木は上を見上げた。黒々とした巨大な岩盤が行く手を阻んでいる。こちらを見下ろし、嘲笑っているかのようだ。口の中に唾液はなかった。手も足もわなないている。体力も気力もすべて使い果たした感があった。そしてなにより、体の芯に食い入った恐怖心が悠木の気持ちを萎えさせていた。

無理だ。俺には登れない――。

弱音に歯止めを掛けるタイミングで、燐太郎が声を掛けてきた。

「そろそろいきますか」

「………」

「片割れのアブミは無事ですよね？」

落ちる寸前まで手にしていたアブミのほうだ。細引きロープで腰に繋いであったから落下は免れていた。

「無事だ」

「よかった。それじゃ、いきましょう」

「………」

「悠木さん、いきましょう。熱いうちに」

言葉だけではなかった。弛みをなくしたザイルを通じて燐太郎の思いがひしひしと伝わってきていた。冷めきってしまったら本当に登れなくなりますよ――。

だが、心に火は点かなかった。登りたいという衝動がこれっぽっちも湧いてこない。

恥を吐き出す思いで言った。

「すまない。どうにもハングを越えられそうもない」

「大丈夫。越えられますよ」

「無理だよ。ハーケンが遠すぎて届かないんだ」

「そんなはずはありません」

燐太郎は事も無げに言った。悠木は小さな反発を胸に言い返した。

「さっきやってみて駄目だったんだ。アブミの最上段まで登ったが届かなかった。一番近いハーケンでも俺には遠すぎるんだ」

「届くはずです。だって」

燐太郎の声に力がこもった。

「そのハーケン、淳君が打ち込んだんですから」

えっ……？

悠木は上を見上げ、瞬きを止めた。

あっ……。

ベタ打ちされたハーケン。錆の浮いたそれらの中で、一番近い場所に打ち込まれたハーケンだけが銀色の鈍い光を発していた。

「黙っていてすみませんでした。実は先月、一緒に登ったんです」

悠木は、ぽっかりと口を開けたまま瞬きを重ねた。

一緒に……？　淳と燐太郎が……？

「下見に来たんです。失礼ですけど、やっぱり、悠木さんは本格的な岩登りは初めてですから」

燐太郎の声が朗らかになった。

「淳君ね、オヤジは歳だから、これじゃハングを乗り越せないだろう、って。それで一枚ハーケンを足したんです」

顔が見えない分、燐太郎の言葉は真っ直ぐ胸に滲み入ってきた。

淳が……。俺のために……。

悠木は熱い息を吐き出した。

指を動かしてみた。

拳を握った。痛いほどに力がこもった。

心とか、気持ちとかが、人のすべてを司っているのだと、こんな時に思う。

悠木は顔を上げた。アブミの縄段を上りはじめた。揺れを抑えるために一歩一歩踏みしめながら、時間をかけて最上段まで上がった。

銀色のハーケンが、さっき挑んだ時よりも近くに感じられた。

片割れのアブミを頭上に差し上げた。怯える足を叱咤し、背伸びをするように懸命に膝と腕を伸ばした。体中の筋が軋んだ。腕の付け根が抜けてしまいそうだった。あと五センチ……三センチ……。必ず届く。信じているからこそ十秒も二十秒も無理な体勢を維持できた。

アブミの先端のフックがハーケンに触れた。汗だか涙だかが邪魔をして、肝心の一瞬は見逃した。

カチン。

耳に心地好い金属音が山に谺《こだま》した。

親子の対話に水をさしたくなかったのだろう、燐太郎は黙し、ただザイルを通して静かな祝福を送ってきた。

そのザイルは東京にいる淳にも繋がっている。きっと、十七年前の、あの日の淳にも――。

50

悠木は午後十時前に北関本社を出た。昼間、容赦のない陽射しに晒され続けた空気は、どこにも逃げ場がないのか、この時間になっても重たいガスのごとく辺り一面に垂れ込めていた。

駐車場から車を出した。

望月彩子の掠れた声は、社を後にしたからといって耳から遠ざかることはなかった。

〈人の命って、大きい命と小さい命があるんですね〉

〈重い命と、軽い命。大切な命と、そうでない命……日航機の事故で亡くなった方たち、マスコミの人たちの間では、すごく大切な命だったんですよね〉

その言葉に心打たれて決断した。彩子が悠木に託した一文を、日航全権デスクとして読者投稿欄に載せるようごり押しした。

最後の四行が目に焼きついている。

《私の父や従兄弟の死に泣いてくれなかった人のために、私は泣きません。たとえそれが、世界最大の悲惨な事故で亡くなった方々のためであっても》

ハンドルを握る悠木の手は強張っていた。

載せねばならなかった。逃げるわけにはいかなかった。思いはそうだが、括ったはずの腹が、ふっ、ふっ、と断続的に揺らぐ。読者の反応はどうか。抗議の電話が殺到するか。日航機事故の遺族も待機場所で北関を目にする。たった一件でも遺族からの抗議が寄せられたなら、社を辞するほかないと悠木は考えていた。

もう家が近かった。

日航機事故が発生して一週間、弓子が起きている時間に帰宅するのは初めてのことだった。降版まで見届けずに済んだのは、『こころ』の担当デスクである稲岡が、男気とも、破れかぶれともとれぬ態度に出たからだった。

《悠木君、社会部ばっかりが記者だと思うなよ。これはこっちの仕事だ。僕が責任を持って紙面に組むから、君は帰ってくれ》

その言葉に悠木は甘えた。無性に弓子の顔が見たかった。会社を辞めることになるかもしれない。そのことだけは今夜中に話しておかねばと、義務感に近い思いが胸に広がってもいた。稲岡はもとより、悠木の台詞で大部屋を外した局員は一人としていなかったが、次長の追村は「お前は終わりだ」と吐き捨て、自分のデスクで何本もの電話を掛けていた。たとえ遺族からの抗議がなくとも退社に追い込まれる。恐れを伴ったその読みは、駐車場に車を入れるころには確信めいたものへと変化していた。

サツ廻り記者時代からの習慣で、玄関の鍵は自分で外す。熱気の溜まった沓脱ぎに入るとすぐ、居間のほうから笑い声が聞こえてきた。弓子と由香……淳の声もする。

みんなまだ起きている。嬉しさと戸惑いの入り混じった思いで短い廊下を歩いた。

「あら、早い」

弓子が目を丸くした。由香はテレビの前で女座りしていて、「パパ、お帰りなさい」と明るい声を発した。その由香の隣で胡坐《あぐら》をかいていた淳は——瞬時、目が合ったが、悠木が居間に入るなり、くるりと背中を向けてテレビ画面に見入った。夏休みだからだろう、子供が喜びそうな恐竜映画のようなものをやっている。

悠木はソファではなく、キッチンテーブルの椅子に腰掛けてネクタイを外した。ソファでは淳との距離が近すぎる。ぷいと席を立たれ、せっかくの団欒が一瞬にして崩壊してしまうのが怖かった。

弓子がいそいそと寄ってきた。

「何か食べる？」

「いや、食ってきた」

「ねえ、何かいいことあった？」

「えっ……？」

悠木は弓子の目を見た。笑っている。

「そんなふうに見えるか」

「見える。なんか嬉しそうな顔してる」

嬉しそう……？

悠木は思わず自分の頬を手荒に撫でた。

「お風呂張る？　あたしたちはシャワーにしちゃったんだけど」

ネクタイを受け取りながら、弓子は少しばつが悪そうに言った。節水を心掛けているわけではないが、その単語は頭の隅にあるのだろう。

「張ってくれ」

悠木が言うと、弓子は風呂場へは向かわず、キッチンの床下収納を開いてビール瓶を二本取り出し、冷蔵庫に納めた。

悠木はテレビの前の二人を見た。

「由香——巨人・大洋はどうだった？」

「あ、知らない。『タッチ』のあと『セーラ』見てたから」

聞かずともわかっていた。由香は阪神戦以外には興味を示さない。

社の大部屋ではNHK特集が掛かっていた。『尾翼に何が起きたか——検証・日航機墜落事故』。その「検証」の二文字に、事故発生からの時間の経過を感じていた。嵐と呼ぶべき時間は、やはり過ぎ去ったのだ。

悠木は居心地悪そうに首と肩を回した。由香の次は淳。思ってはみるが、映画に見入っているその後ろ姿に、掛ける言葉が浮かばなかった。

いや……。

悠木は宙に目をやった。

「なあ」

風呂場から戻った弓子に声を掛けた。

「なあに？」

「ちょっと座れ。実はな——」

手短に安西が倒れた話をした。弓子は心底驚いたようだった。

「そんなことって……ねえ、目を開けたまま眠ってるって、それ、植物人間——」

記者の妻だ。差別用語や不快用語は自然と避ける。弓子は「植物状態ってこと？」と言い直した。

「そうだ。遷延性意識障害って言うらしい」

「意識……戻ることあるの？」

「稀にはな」

重たい息とともに弓子の体が萎み、「奥さん、かわいそう……」と口の中で呟いた。

「安西のところ、燐太郎って一人息子がいるんだ」

「知ってる。淳と同級の子よね」

「これからたまにウチに連れて来たいんだ。奥さんは病院で大変だからな。飯を食わしてやったりとか」

「そうして」

話の途中で弓子が言った。

「いつでも連れて来て。あたし、できるだけのことするから」

由香は振り向いていた。淳も半分はこちらに顔を向けていた。

「お前らも頼むな」

自然な口調で言えた。

由香は目を輝かせた。

「ねえパパ、その子、どんな子？」

「いい子だよ。ちょっと無口だけどね」

「カッコいい？」

「うーん、それはどうかな。優しい顔してると思うけど」

「ふーん」

「なあ、淳」

テレビに戻りかけた横顔をつかまえた。

「その子のお父さん、すごく山登りがうまくてな、父さんも習ったんだ。そのうち、燐太郎君も連れて一緒に山に行ってみようや」

淳の反応を見る間もなく、由香が黄色い声を上げた。

「ずるーい！　あたしも行きたい」

「ああ、もちろんいいけど、由香は休みの日はバレーボールがあるだろ」

「あ〜ん、つまんないの。バレー、辞めちゃおうかなあ」

「山って、どこ？」

淳が抑揚なく言った。目線は悠木の胸の辺りに向けられていた。

「榛名とか妙義とか、いろいろさ。気持ちいいぞ。空気はうまいし、高いところに登るとスカッとするしな」

手振りを交えて話していた。

淳の視線が宙を泳いだ。迷っているのではなく、想像の翼を広げている表情に見えた。

「どうだ？　行くか」

「……考えとく」

ボソッと言って淳はテレビに顔を戻した。お兄ちゃん、ずるい、ずるい。由香が淳のシャツを引いて体を揺らせた。うるさがる淳の顔に、しかし、微かな笑みが浮かんでいた。

悠木は風呂で思いに耽った。

罪悪感と、ささやかな充足感とが交錯して気持ちは斑《まだら》だった。燐太郎を利用して淳の気を引いた。いや、燐太郎だって喜ぶ。きっと救われる。そう強弁してみるが、四十年間付き合ってきた自分の心根の弱さと賤《いや》しさが薄められるはずもなかった。

湯を両手で掬い、顔を覆う。

長い一日だった。そんな感慨が胸を過《よぎ》りもした。

望月彩子……。

重い命と軽い命……。

大切な命と、そうでない命……。

もはや考えても仕方のないことだった。決定したのだ、彩子の投稿は明日の北関の紙面に載る。

ふと、弓子の言葉が頭に浮かんだ。

〈ねえ、何かいいことあった？〉

あれは何だったのだろう。嬉しそうな顔をしていると弓子は言った。本当に自分はそういう顔をしていたのか。そんなはずはない。気持ちは張り詰めていた。会社を辞めることになるかもしれない。そう弓子に打ち明けるつもりだったのだから。

バスタブから出ようとして、悠木ははたと動きを止めた。

辞めたがっている……？

いや、逃げたがっているということか。

何から？

日航機事故からか。それとも、北関から……。

あり得そうなことだった。自分の心の中に目を凝らしてみれば、北関を辞する幾つもの動機と理由を見つけることができるだろうと思った。

悠木は思考を投げ出して風呂を出た。

居間には弓子が一人いた。光も音もない黒々としたテレビ画面は、悠木に安堵と落胆をもたらした。

「寝たのか」

「たった今ね」

まだ冷えてないけど、と言いながら弓子はビールをグラスに注いだ。

悠木はソファに腰を沈め、テーブルの上の北関に手を伸ばした。裏を返してテレビ欄を見る。数日前まで番組表を埋めつくしていた「日航」の活字はめっきり減って、タイトルに「!」や「?」を多用したバラエティが復権とばかりに幅をきかせていた。

「4チャンを掛けてくれ」

「事故の?」

「ん。スポーツニュースのあと、ドキュメントをやるみたいだ」

リモコンでテレビを点《つ》けると、弓子は隣に座り、あたしも一杯だけ、と言ってグラスを手にした。

会社でのことはなかなか切り出せなかった。辞めたがっている。弓子に内面を見透かされているのだとしたら、言えば立つ瀬がなくなると思った。

「あなた」

弓子がテレビ画面を見たまま言った。小さな決心が横顔に覗いていた。

「あんまり気にしないほうがいいと思う」

「何をだ?」

「淳のこと――あの子ね、あなたのこと嫌ってるわけじゃないのよ」

悠木は身を硬くした。

「なんて言ったらいいんだろう、あの子、不器用で、うまく繕えないだけなのよ。あなたとそっくりなだけ」

「……」

弓子の顔が悠木に向いた。

「もう少し大人になったら吹っ切れると思う。きっとわかると思う。あなたは憎くて叩いたりしたんじゃないいんだもの。だから、あんまり焦らないで。ゆっくりとやればいいのよ」

「……」

「聞いてる?」

「お前が頼りだ」

悠木は思わず口走った。

「いつまでもあいつらの太陽でいてやってくれ。お前さえそうなら淳も由香も大丈夫だ」

「太陽? やだッ」

弓子は笑いだした。

「オーバーねえ。だから、淳も構えちゃうんだってば」

夫婦だからこそわかりあえること。夫婦であっても永久にわかりあえないこと。その境界線に立たされている気がして悠木は息苦しさを覚えた。

母の子守歌が耳の奥にあった。

太陽であってほしかった。そう渇望して生きてきた。

ほどなく弓子が休み、悠木は一人、居間で虚ろな時間を過ごした。

巨人・大洋戦の結果を知ることなくスポーツニュースが終わった。日航機事故のドキュメントも目に入ってこなかった。

悠木は部屋の中をぼんやりと眺めていた。

日焼けして色のくすんだ窓のカーテン……何度目かの結婚記念日に買った白い壁時計……弓子がいっとき夢中になったパッチワークのタペストリー……由香が金賞をとったので三年も貼ったままになっている版画のカレンダー……淳がプラ模型のタイヤで傷つけた床の黒い痕……何気なく置かれた木彫りの人形や造花を挿した花瓶……家族旅行の土産にした温泉地の暖簾……。そんな諸々をいとおしく感じた。ささやかな、しかし、確かな営みを留める家の歴史が目に眩しかった。

社を追われ、職を失ったら、この家を売ることになるのだろうか。記者は潰しがきかない。ライターの仕事といっても地方では総量が知れている。一家四人が食べていくのは至難に違いなかった。東京に出るか。だが、中央には人脈も働き口のツテもない。開拓するにしても、さしたる専門分野を持たない四十歳のライターを使ってくれる場所など果してあるだろうか。

この家を失う。どこかの町の小さな部屋に移り住む。それでも弓子は太陽のままでいてくれるだろうか。

自分を嘲笑った。

もう四十だというのに……。

悠木は、無為に重ねた年齢を呪い、そして、人生の四つ角から不意に現れた、望月彩子という無垢な女を呪った。

51

お星さんを　追ってはいけないよ
お月さんを　追ってはいけないよ
けものを追って　森の中
暗い　暗い　森の奥
お星さんの眠る　森の奥
お月さんの眠る　森の奥
お前さんの眠る　森の奥
お星さんを　追ってはいけないよ
お月さんを　追ってはいけないよ

悠木はソファで朝を迎えた。

眠った記憶はなかった。ずっと朝を待っていた。壁の時計は五時を少し回っている。外で音がする。走っては止まり、また走りだす。新聞配達のバイクのエンジン音は徐々にこの街区に近づきつつあった。

五時十分。悠木はおもむろに立ち上がり、玄関に向かった。サンダルをつっかけ、郵便受けから新聞の束を抜き取った。

居間に戻り、テーブルの椅子に腰掛けた。他社の新聞より先に北関を開くなど滅多にあることではない。

読者投稿欄『こころ』――。

《日航機事故特集》と銘打ってあった。すぐに目が止まった。最下段に、望月彩子の投書が組まれていた。指示した通り、匿名になっている。文章は一字一句弄《いじ》られていなかった。

六時まで待って、社の大部屋に電話を入れた。

〈はい、キタカンです〉

不寝番は一年生記者だと承知していたが、耳に吹き込まれた声は、紛れもなく佐山のものだった。

彼らしい義理の立て方だと思った。胸に湧き上がった温かいものを押し退けるようにして悠木は言った。

「抗議の電話はどうだ？」

〈これまでに五件入ってます〉

「内容は？」

〈遺族の気持ちを考えてみろ――すべてそうです〉

一拍置いて、悠木は質問を接いだ。

「遺族からは？」

〈一本もありません〉

密やかに吐き出した互いの息が受話器の中で重なった。

「そこに電話対応は何人いる？」

〈ソフトな奴を四人用意しました〉

「わかった。俺も早い時間に出社する」

電話を切りかけた時、佐山が早口で言った。

〈悠さん――本当のところ、俺は納得してはいません。あれを載せてよかったのかどうか、正直言って判断つきません〉

「俺もだ」

〈悠さん……〉

「わかろうがわかるまいが、やらなきゃならない時はあるだろうが」

〈それはそうですが、今回のがそうだとは――〉

「俺にとってはそうだったんだ」

悠木は語気を強めた。佐山を言いくるめようとしている自分に苛立っていた。

電話を切り、身支度を整えていると、弓子が起き出してきた。

「もう?」

「ああ」

「事故の関係?」

「そうだ」

悠木は足早に居間を出た。

上がり框《かまち》で靴べらを手にし、背後に近づくスリッパの音に振り向いた。

「会社な、辞めることになるかもしれない」

弓子の寝惚け顔が瞬時に目覚めた。

「あなた――」

「まだわからない。だが、覚悟だけはしといてくれ」

頬も目元もつれていた。弓子の、そんな顔を見るのは初めてのことだった。

悠木は引力に抗する思いで玄関を出た。

弓子の脅えは、そのまま自分の脅えなのだと思い知っていた。

52

編集局の大部屋は、丁度、朝日が射し込んだところだった。

佐山が応援を呼んだということだろう、合わせて七人の局員が電話に齧りついていた。『ここ ろ』担当デスクの稲岡も早出していた。驚くほど活気に満ちた表情だった。依田千鶴子の姿もあった。佐山の隣のデスクで、長い髪をかき上げながら懸命に口をぱくつかせている。

佐山と目が合った。手で挨拶を交わし、デスクに近寄って手元のコピー用紙を覗き込んだ。

『北関は不偏不党、公正中立を旨としており、世の中に開かれた新聞です。いかなる立場の意見も尊重し、封じることなく県民にお伝えするのが使命です』

稲岡が即興で作った一文だろう。コピー用紙の隅に、「正の字」の書き込みがしてあった。佐山一人で八件の抗議電話を受け付けたということだ。

千鶴子の用紙に目を移した。こちらは六件。ならば全体では、既に五十件ほどの抗議電話が寄せられているとみてよさそうだった。

遺族からはどうか。佐山に尋ねる間もなく、右手のデスクの電話が鳴り出した。

悠木は胸からボールペンを取り出しながら受話器を上げた。

〈どういうんだい、北関は！〉

嗄《しゃが》れた男の声が鼓膜を打った。実際に読者の怒りを耳にしてみて、しかし、悠木の気持ちは奇妙なほどに落ちついた。

「何の件でしょう？」

〈決まってんだろ。『こころ』だよ。何であんなの載せるんだよ。ひどすぎらあ。遺族がかわいそうだろうが！〉

「これも一つの意見だと思って掲載しました。人の命について考えさせられる真摯な投稿だと考えています」

〈じゃあ、何だって名前が書いてないんだよ。二十歳の学生としかわからないじゃないか。これは明らかな悪意だよ。そんなふざけた投書を載せちまっていいのかよ！〉

「こちらは書いた人間をきちんと把握しています。極めて真面目に書かれたものです」

〈馬鹿野郎、北関は地元紙だろ！　遺族は辛い思いをしてこっちに来てるんだろうが。俺は恥ずかしいよ。申し訳なくて仕方ない〉

「……地元紙だからこそ載せました。ご理解下さい」

手の空いた佐山がメモを差し出した。

遺族――ゼロ。

救われた思いがしたが、嗄れた声が鎮まることは最後までなかった。

〈そうかい、わかったよ！　北関はもうやめる！　こんな最低の新聞、金輪際読まないから

な！〉

善意の読者に違いなかった。購読打ち切りの宣告は、だから悠木の胸を苛《さいな》んだ。

切っても切っても電話は鳴った。

騒ぎを察知したらしく、八時近くになって、粕谷局長と等々力社会部長が相次いで姿を現した。ともにゆうべは財界人との宴席に出席し、局に不在だった。追村次長から「悠木がきつい投稿を載せる」との電話連絡を受けていたが、まさかこれほどの内容とは、というのが本音のようだった。追村の計略だったのかもしれない。投稿の内容を暈《ぼか》して伝え、二人に深刻な危機感を抱かせなかった。

その追村は九時前に一度顔を出したが、すぐに大部屋から消えた。デスクの岸と田沢も早出してきた。飯倉専務や白河社長も出社している。そんな噂が抗議電話の合間に伝わってきていた。

ベルの音が途切れがちになったのは、十時を回ったころだった。

悠木は抗議件数を集計した。全部で二百八十三件。一昨年の総選挙で、候補者の顔写真を取り違えた時に次ぐ異例の数だった。

遺族からの抗議は一件もなかった。

だが、もはや悠木はそのことを喜ぶ気にはなれなかった。読者の怒りは真っ直ぐなものばかりだった。正論であるその怒りの声を何度も何度も聞かされているうちに、望月彩子の一文を載せる決断をした時の気持ちすら思い返すのが難しくなっていた。

「悠木――」

粕谷局長の巨体が近寄ってきた。おろおろしているのがわかる。

「社長が来てるらしい」

「聞きました」

「おそらく飯倉が乗り込んでくるぞ」

「私の口から説明します」

「やりすぎたな、今回は」

庇いきれないぞ。そう聞こえた。

「まあ、遺族からの抗議がなかったのが、せめてもの救いってところだな。まだわからんが」

「おそらくないと思います」

悠木は言った。声に願望が滲んだのが、自分でもわかった。

「悠木さん、電話です」

声に振り向いた。千鶴子が受話器を胸に当てていた。その顔が、昨日来客を取り次いだ時とよく似ていたから、すぐに相手がわかった。

悠木は早足で歩いて受話器を受け取った。

「悠木ですが」

〈……望月です〉

彩子の声は消え入りそうだった。

「どうした?」

〈今朝読みました、私の書いた投書……〉

「ん」

〈私……とんでもないことを……遺族の方に申し訳なくて……本当に申し訳ないことをしてしまって……〉

遺族のためには泣かないと書いた、その彩子が泣いていた。

悠木は眠りから覚めたような思いにとらわれた。

彩子にそう言わせたかったのかもしれない。呪縛から解き放たれたその言葉を聞きたくてあの一文を載せた。彩子の心を救うためではなく、望月亮太を死に追いやった自分の魂を救いたくて、だからあれほど掲載にこだわった――。

悠木は天井を仰いだ。

胸の痛みは尋常ではなかった。彩子の涙をとめてやりたかった。ただもうそれだけを思った。

「遺族の人は誰も何も言ってきてない」

〈……〉

「わかってくれたんだと思う」

〈でも……私……謝りたいんです。遺族の人たちに〉

「だったらまた書けばいい」

〈えっ……？〉

「そうしたらまた載せる」

〈本当ですか〉

「約束する。必ず載せる」

嚙みしめるように言った、その時だった。局員の顔が一斉にドアに向いた。悠木も釣られてそうした。

大部屋に車椅子が入ってきた。

飯倉専務ではなく、白河社長が直々に局に乗り込んできた。

53

誰もが息を殺していた。

血走った眼球が、局員の一人一人を睨みつけていく。編集局長時代、「水爆」と綽名《あだな》された白河の威圧感は、粕谷局長や等々力部長までをも直立不動の姿勢にさせた。

「誰がやった?」

白河は、粕谷を見据えて言った。

「誰がやったと言われましても……」

粕谷は口籠もった。

「お前の指示だったのか」

小さな間の後、粕谷の口が歪むように動いた。

「……違います」

呆気なく局長が落ちた。

「じゃあ誰だ?」

大部屋は静寂に包まれた。白河の頭の上に、車椅子を押す秘書係、高木真奈美の端正な顔がある。彼女の大きな瞳が、白河のもう一つの目であるかのように大部屋を見渡していく。

悠木の視界の隅に、もぞもぞと体を動かす稲岡の気配があった。出るしかないと思った。悠木は硬い足を前に振りだした。と、背後で声が上がった。

「みんなでやりました」

整理部長の亀嶋だった。

皺とシミにくすんだ白河の首が伸びた。

「みんなだとぉ……？　お前、学級会か何かと間違えてるんじゃないのか」

「けど、本当にそうなんです。局の総意で掲載を決めました」

「たわけ！」

「私です」

たまらず悠木は前に進み出た。

「日航デスクの私が決めたことです」

白河の口元に微かな笑みが浮かんだ。

「やっぱりお前か……」

悠木は頷き、そのまま顎を引いて怒声に備えた。

が、白河は静かに続けた。

「北関を去れ」

悠木は顔を上げた。あまりに唐突で、死刑宣告を受けた実感がなかった。

「クビ……ということですか」

「嫌か？」

返答が浮かばなかった。

「情けないツラをしやがって。だったら、山奥の通信部で飼ってやらんでもないぞ。ただし、死ぬまで本社には戻さん。どうする？　好きなほうを選べ」

辞職か。飼い殺しか。それをこの場で選択しろというのか。

いたぶるつもりなのだ。

悠木は奥歯を噛みしめた。恐れは遠のき、胸は憤怒に満ちていた。

望月彩子の泣き顔が脳裏にあった。悠木が泣かせた。図らずも、彩子の混じりのない一文で自らの心を洗おうとした。だが——。

命の重さ。大きさ。彩子の投稿を載せたことは、北関にとって、新聞というメディアにとって、無意味無価値なことだったか。

悠木は喉の奥の言葉を押し出した。

「間違ったことをしたとは思っていません」

「そんなことは聞いとらん！ 辞めるのか、山奥暮らしか、どちらかを選べと言ってるんだ」

今度は弓子の怯えた顔が脳裏を走った。だが、悠木の気持ちは萎えなかった。

人影が悠木の隣に進み出た。

等々力だった。色付きの眼鏡を外し、言った。

「社長、少し考える時間をやって下さい」

白河の関心が、悠木から等々力へと逸れた。

「時間をやれ？」

「そうです。一日か二日」

「社会部長ってのは、そんなに偉いのか」

等々力の浅黒い顔が一瞬にして青ざめた。

白河は大部屋を見回した。

「ほう、揃いも揃って承服できないってツラか。だがおい、何か勘違いしてるんじゃないのか。お前らはみんな俺の手駒だってことを忘れるな」

「ですが、社長――」

等々力が言いかけた時、「水爆」が落ちた。

「黙れ！　編集だ記者だと偉そうに肩で風切って歩いてやがるが、お前ら、北関の後ろ楯なしにいったい何ができるんだ！　思い上がるな！　ここと営業フロアの人間を総取っ替えしたっていいんだぞ！」

今度の静寂は長かった。

「悠木、今日中に決めて総務に言え」

白河が首を回して「おい」と真奈美に声を掛けた。すぐさま車椅子が反転した。

悠木は腹の底から声を出した。

「北関の人間として間違ったことはしていません」

車椅子が止まった。二つの眼球がゆっくりとこちらに向いた。

悠木はその濁った眼球を見据えた。屈する気はなかった。

白河のかさついた唇が開いた。二つ目の水爆が落ちる。誰もがそう思った。

「今日中に総務だ」

静かに念押しして、白河は悠木の視線を外した。

車椅子が消え、ドアが閉じられた。

瞬時に大部屋の緊張が崩壊した。のろのろと局員が動き始めた。悠木だけは一歩も動かず、その場に立ち尽くしていた。

傍に岸がいた。悠木の横顔をジッと見つめている。

「こんなのってありかよ」

亀嶋が言った。応える声はなく、しかし、誰の顔も等しく険しかった。

粕谷局長の姿は見えなかった。足音を殺して局長室に入ったのだろう。

等々力は壁際の部長席についていた。ブラウンのレンズが表情を曖昧なものにしていた。庇ってくれたわけではなかった。だが、生涯忘れないと思う。「ですが、社長――」の一言は。

部屋にいなかったはずの追村が、ドアの近くに立っていた。腕組みをして、冷やかな視線を悠木に向けていた。

悠木も見つめ返した。若い時分、父とも兄とも慕った男の顔を。

決断と呼べるほどの強い意志は働いていなかった。悠木は背広の襟に手をやった。北関のペンバッジを外しに掛かった。

その手首を岸が摑んだ。

「よせ」

悠木は岸の手を振り払った。

「俺に犬になれって言うのか」

「尻尾を振らない犬だっているだろう。そうなれ」

「ごめんだ」

悠木の声に、苛立った声が被った。

「ふざけるなよ、悠木!」

田沢だった。

「お前、全権だろうが。日航ほっぽらかして逃げる気か？　辞めるんなら、ちゃんと引き継ぎをしてから辞めろ。今日組みの紙面はお前が責任持って作れ」

その声は上擦り、最後にはひどく掠れた。

54

《身元確認四分の三に》《ボイスレコーダー解析・「油圧全部だめ」と機長》《操縦室の苦闘まざまざ》《長引くか補償交渉》《群馬県警・検証を開始》《笑顔戻り、食欲も・多野病院の三人》《「くじけず頑張りたい」生存少女が会見》

その日の夕方から夜に掛けて、悠木は、岸と田沢の同期二人に挟まれたデスクで、赤ペンを走らせ続けた。

亀嶋のどら焼き顔が寄ってきた。

「そろそろ出るかい？」

「五分で社会面は出します」

「了解。頼むよ」

大部屋は昨日と少しも変わらなかった。誰もが普通に振る舞っていた。時に冷たいと感じ、また温かいとも思った。幸福な時間。そうだったかもしれない。

心は凪《な》いでいた。

やはり辞めたがっていたからか。そのきっかけを与えられ、組織の呪縛から解き放たれたということか。

胸に、安西の台詞があった。

下りるために登るんさ——。

安西も同じ気持ちだったのだろうか。自らを縛る場所から下りるための儀式。衝立岩登攀をそんなふうに考えていたか。

クライマーズ・ハイ……。

安西に言い当てられたのかもしれなかった。入社して十七年、人込みを掻き分けるかのように記者の道を突き進んできた。「下りる」ことなど考えたこともなかった。だが、安西は見抜いていたのかもしれない。下りたがっている悠木の内面を。いや、下りることも、下りないこともできずにいる半端な生き方に苛立ちを覚えていた。だから、下りることを決意した安西は悠木を衝立岩に誘った。選択を迫っていた。いったいお前はどう生きたいのか、と。

午前零時が近かった。

大半の紙面は降版した。

悠木は一面の大刷りに目を通していた。二度読んで、亀嶋に顔を上げた。

「OKです。降版してください」

亀嶋は返事をしなかった。悠木の顔を穴の空きそうなほど見つめていた。

悠木は腰を上げた。

一つ息をした。

外したペンバッジをそっとデスクの上に置いた。胸のポケットからボールペンと赤ペンを取り出し、バッジの傍らに添えた。

「家族はどうやって食わすんだ」

隣の岸が、前を見たまま言った。

「なんとかする」

「無責任なことを言うな」

「景気はいい。職は幾らもある」

「嘘だったのか？」

「何がだ？」

「前に飲んだとき言ったろう」

「俺が何を言った？」

尖った目が悠木に向いた。

「この仕事が好きだ。俺は一生書き続ける——そう言った」

「若い頃の話だ」

「俺はこの耳で聞いた」

「事情が変わった」

「変わってないだろうが！」

怒声とともに襟元を摑まれた。凄まじい力だった。

「山にでもどこにでも行けよ！　飼い犬が嫌なら野犬にでも山犬にでもなればいいじゃないか。そこで書き続けろ。桜便りや夏祭やアユの放流や、何でもかんでも書けって！」

「放せ」

「放さん！」

シャツが嫌な音を立てて裂けた。

「頼む。放してくれ」

「ダメだ。こんなことで辞めるな！　辞めるなら、本当に辞めたい時に辞めろ！」

脳がぐらりと揺れた。

本当に辞めたい時に……。

岸は歯を剝き出しにして言った。

「同期じゃねえか。俺たち同期だろうが。一人で勝手に辞めるな！」

言葉が、胸を貫いた。

知らぬ間に周囲に人垣ができていた。亀嶋が頷いている。吉井が両手でシャクを握り締めている。共同原稿を抱えた赤峰は首を垂れていた。稲岡は胸を張っているように見えた。内勤だけでなく、外勤記者の顔も混じっていた。佐山の真顔があった。神沢は目を真っ赤にしていた。依田千鶴子は両手で顔を覆い、指の間からこちらを見つめていた。川島もいた。玉置もいた。その人垣の隙間から、不貞腐れたような田沢の横顔が覗いていた。

「悠さん――」

佐山が進み出て言った。

「どこへ行ったって、俺たちの日航デスクは悠さんですから」

思わず落涙した。

叩きつけるように両手をデスクにつき、顔を隠した。

きっといま自分は幸せなのだろう。こんな幸せな男はどこを探したっていないのだろう。

音がした。

目の前のファックスが作動した音だった。

ぼやけた視界の中を、見覚えのある字が動いていた。

悠木さんへ
どうもありがとうございました。
私、新聞記者を目指します。
望月彩子

55

九月の声を聞き、記録的な猛暑にも翳りが見え始めていた。

県北の草津通信部に赴任する前日、悠木は安西の病室を訪ねた。五分だけ二人にしてほしい。そう言って、小百合に席を外してもらった。

悠木はベッドサイドの丸椅子に腰を下ろした。

「よう、来たぞ」

安西は少し痩せたように見えた。瞳の輝きは変わらない。らんらんと。そんな形容が当てはまりそうなほどに生き生きとしている。

ゆうべ、城東町の「ロンリー・ハート」に行ってきた。黒田美波をつかまえて詳しく話を聞いた。上に命じられ、安西が社長のスキャンダルを調べさせられていたことを知った。

「お前、北関を辞めて山の世界に戻るつもりだったんだろ」

「……」

「下りるために登る――そういうことだったんだよな」

「……」

「けど、なぜ俺を衝立に誘った？　俺にも下りろって言いたかったのか」

「……」

「笑ってくれ。俺は下りられなかった。これからも、みっともなく生きていくしかなさそうだ」

「……」

「明日行く。しばらく会えなくなる。お前の本当の気持ち、お前の口から聞きたかったよ。衝立に登ればわかるか？　だが、どうすりゃいい。お前がいなくちゃ、俺はとってもあんなところへは登れない」

「……」

「いつか起きるよな。そうしたら一緒に衝立に行こうな」

その時だった、安西の顔に変化が起こった。

悠木は、あっ、と声を上げた。

笑ったのだ。微かだが、確かに安西は笑った。目元や口元や頬だって――。

「安西……なあ、安西！　聞こえるのか？　俺の声、聞こえるのか？　悠木だ。わかるか？　北関の悠木だ！　おい！」

物音に振り向いた。

花瓶を手にした燐太郎が入ってきたところだった。

「なあ、安西が笑ったぞ。お父さん、いま笑ったんだ」

燐太郎は嬉しげに頷いた。

「ええ、そうなんです。父さん、最近よく笑うんです」

「そ、そうかあ……」

悠木は安西に顔を戻した。

「きっと治るな。そのうち、ムックリ起き上がるぞ」

「はい」

背後で燐太郎が答えた。

「うん、絶対起きる。安西は不死身だからな」

「はい」

改めて燐太郎を見た。よく日焼けしている。ほんの少し逞しくなったように感じる。声も変だ。

そろそろ声変わりするのだろう。

「なあ、今度おじさんと山に行かないか」

「山……？」

「そうだ、ウチの息子も一緒だ。きっと楽しいぞ」

「はい、行きたいです」

「おじさん、月に何度か家に戻れるから、絶対誘うよ」

「はい、ありがとうございます」

「よし」

悠木はポケットに手を突っ込み、仕込んでおいたゴムボールを取り出した。

「じゃあ、その前にキャッチボールだ」

「あ、はい！」

二人で病室を出た。

廊下でばったり伊東販売局長と出くわした。安西の見舞いに来たらしい。

「草津だってなあ」

「ええ」

「いいなあ。温泉三昧かあ」

不思議とネチャネチャした声が気障りでなかった。半分は本気で悠木の草津行きを羨んでいる。そんな気がしたからかもしれない。

「けどまあ、君には期待してたのになあ」

「俺は下りたわけじゃないですよ」

「えっ……？」

「新聞は白紙じゃ出せない。草津の記事で埋めるってことです」

悠木は伊東の細い目を見つめた。迷ったが、やはり言っておこうと口を開いた。

「局長――子供の頃、家は楽しかったですか」

伊東の顔色が変わった。笑おうとして、だが、醜く頬が引きつった。

やはり、そうだったか……。父親が女の元へ通いつめている家庭が幸せであるはずがなかった。伊東の心の中にも暗い納屋が存在するのだ。

「安西のこと、よろしくお願いします」

頭は下げず、悠木は先に行かした燐太郎の背中を追った。

56

衝立岩の懐に飛び込んだ実感があった。

オーバーハングの出口が近づいていた。悠木は眼前の岩を舐めるように体をせり上げた。頭が庇の突端を越えた。途端に視界がぱあっと開けた。目に飛び込んできたのは、岩壁ではなく空だった。秋の雲がぽっかりと浮かんだ青い空――。

さらに体を持ち上げると岩壁が目に入り、その垂直の壁に、アブミに乗ったままザイルを確保する燐太郎の姿があった。満面の笑みだ。

「やりましたね、悠木さん！」

「うん、やった。やったよ」

悠木は感極まっていた。登れた。最難関の第一ハングを乗り越せた。五十七歳の初挑戦で突破した。そしてそう、淳がほんの少し助けてくれた。

燐太郎の高さまで体を持ち上げた。腕時計を見た。驚いたことに、ハングに取り掛かってから二時間以上が経っていた。

「眺めがいいでしょう」

燐太郎が自慢するように言った。

悠木はその視線を追った。湯檜曾《ゆびそ》川を挟んで、白毛門から笠ヶ岳へ続く稜線に雲が流れていく。美しかった。目眩を感じるほどに。

ここに至る十七年間の出来事が胸に去来した。多くの顔が瞼に重なり合う。

佐山はこの春、編集局次長に抜擢された。経験。力量。人望。誰もが頷く順当な人事だった。依田千鶴子は、佐山千鶴子となって男の子を三人産んだ。一人目を産んだあと記者として職場復帰を望んだが果たせなかった。送別会では少し寂しげに挨拶した。「仕事は星の数ほどありますけど、家庭は世界中でたったひとつですから」。無理して言った言葉に聞こえた。自分を納得させるために口にした言葉だったかもしれない。それでも今は幸せそうだ。佐山もすっかり父親ぶりが板に付いた。三男の名は「悠三《ゆうぞう》」という。「悠さん」をもじってつけたんですよ。佐山と千鶴子は笑いながら話したものだった。

神沢は日航機事故から一歩も離れなかった。『今日にも日航本社を家宅捜索』『運輸省関係者ら二十人を書類送検』。次々と華々しいスクープを放った。日航取材がすべて終わった後、中途採用試験を受けて共同通信社に移籍した。「世界中の事件を書きまくりたいんスよ」。北関を辞める少し前、神沢はぐでんぐでんに酔って何度もそう言った。日航機事故取材を終えた「空白」を埋めようともがいていたのだと思う。今は札幌にいる。いまだ独身だというから、寝る間も惜しんで事件を追い回しているのだろう。

望月彩子は、日航機事故の三年後、北関に入社した。最初から気構えが違った。他社が恐れるほどの敏腕記者に成長し、女性で初めて県警キャップを任された。自分のほうが余程詳しいのに、年に何度か、警察のことを教えて下さい、と草津に立ち寄る。無垢なところは変わらない。今もなお、大きな命と小さな命の狭間で悩み続けている。

北関は大きく変わった。白河は失脚し、後任の飯倉も不正流用疑惑で社を去った。漁夫の利を得た恰好の粕谷が社長の座に就いて久しい。追村は役員室でふん反り返っているという話だが、等々力は道を違《たが》え、県立大学講師の職にある。同期の岸は編集局長、田沢はいまや人事を与《あずか》る総務局長だ。その二人から、年に何度も「本社に戻らないか」と打診が来る。

悠木は十七年間、草津通信部から動かなかった。地元に根を張った。由香が東京の大学へ入った後、高崎の家を売り払い、草津に居を構えた。弓子だってすっかり「山の女」だ。草津の湯をことのほか気に入ってもいる。来年は勧奨退職年齢に達する。嘱託になっても記者は続けていきたいと思う。畑を耕しながら、村の小さな出来事を書き続けていけたらいい。

下りるために登るんさ――。

安西の言葉は今も耳にある。だが、下りずに過ごす人生だって捨てたものではないと思う。生まれてから死ぬまで懸命に走り続ける。転んでも、傷ついても、たとえ敗北を喫しようとも、また立ち上がり走り続ける。人の幸せとは、案外そんな道々出会うものではないだろうか。クライマーズ・ハイ。一心に上を見上げ、脇目も振らずにただひたすら登り続ける。そんな一生を送れたらいいと思うようになった。

風が、白いものの目立つ髪を揺らした。

悠木は燐太郎に顔を向けた。

「約束だぞ」

「えっ？　何ですか」

「上に行ったら話す――さっきそう言ってたろう」

「ああ、そうでした。実は僕、来年、チョモランマを目指します」

悠木は頷いた。やはり「山屋」は地球上で一番高い場所に立たないと気が済まない生き物なのだろう。

「それで?」

悠木は先を促した。下の二人用テラスで話をした時、燐太郎が頬を染めたのを見逃してはいなかった。

燐太郎は今度も頬を染めた。いや、耳や首まで真っ赤になって言った。

「チョモランマから戻ったら、由香さんを僕に下さい」

弓子に聞いて知っていた。由香は、燐太郎のことが好きで好きでたまらないのだ、と。

「今度は俺がトップで登っていいかな?」

「えっ……?」

「やってみたいんだ、トップを」

「あ、はい。それはいいですけど……」

悠木はザイルを握り締めた。新たな力が湧き上がるのを感じていた。

安西――心の中でその名を呼んだ。

「じゃあ、行こうか」

悠木は岩に手を伸ばした。

「悠木さん……あの、由香さんのことは……?」

ここぞとばかり悠木は言った。

「上で話す」

二つの真顔が同時に崩れた。

明るい笑い声は、澄みきった空気を伝い、谷川の山々すべてに響き渡った。


（完）

初出 『別冊文藝春秋』二三七〜二四三・二四五号

横山秀夫（よこやま・ひでお）
昭和32（1957）年東京生まれ。国際商科大学（現・東京国際大学）卒業後、上毛新聞社に入社。12年間の記者生活の後、フリーライターとなる。平成3年「ルパンの消息」が第9回サントリーミステリー大賞佳作に。同10年に「陰の季節」で第5回松本清張賞受賞。同12年「動機」で第53回日本推理作家協会賞短編部門賞を受賞する。

クライマーズ・ハイ

平成十五年 八 月二十五日第一刷
平成十五年十二月 十 五 日第七刷
（定価はカバーに表示してあります）

著者 横山《よこやま》秀夫《ひでお》
発行者 寺田英視
発行所 株式会社 文藝春秋
東京都千代田区紀尾井町三—二三
郵便番号 一〇二—八〇〇八
電話 （〇三）三二六五—一二一一
印刷所 凸版印刷
製本所 加藤製本

万一、落丁、乱丁の場合は送料当方負担でお取替え致します。小社営業部宛お送り下さい。

ISBN4-16-322090-9